狼を狩る法則

J・L・ラングレー
冬斗亜紀〈訳〉

Without Reservations

by J.L.Langley
translated by Aki Fuyuto

Monochrome Romance

狼を狩る法則

Without Reservations

J・L・ラングレー

訳：冬斗亜紀

絵：麻々原絵里依

Characters

Without Reservations

by J.L.Langley
translated by Aki Fuyuto
illustrated by Ellie Mamahara

ジェイコブ・ロメロ（ジェイク）
キートンのボディガード。
ティナの兄。人狼

レナ・ウィンストン	チェイトンの母親
ジョン・カーター	チェイトンの群れのリーダー。人狼
ティナ	チェイトンのクリニックで働く従業員
ハワード・レイノルズ	キートンの父親。人狼
ジョアンナ・レイノルズ	キートンの母親
ジョナサン	キートンの昔の恋人。人狼

オーブリー
キートンの兄。
人狼
ジョー・ウィンストン
チェイトンの父親。
人狼
レミ
チェイトンの友人
チェイトン・
ウィンストン
（チェイ）
獣医。人狼
キートン・レイノルズ
大学教授。人狼
ピタ
キートンが飼っている
ゴールデンレトリーバーの子犬

レイヴン・マックナイトへ——

この一冊は、最初に不死のギリシャ神のエロティックロマンス、次に家庭的な人狼のエロティックロマンスを読みたがっていて、ウェスタンものもなつかしがっていた彼女に。

ジェット・マイクルズとＪＢｕＬには、心からの感謝を。

プロローグ

「ブーン、ブーン……。マミー、ぼくもダディとおなじオオカミなのに、オオカミにへんしんできないのはなんで？」

レナ・ウィンストンはボウルから顔を上げると、一人息子に微笑んだ。

両手におもちゃの車を一台ずつ持ったチェイが、茶色の目に期待をこめて彼女を見上げている。

「なんでかって言うとね、まだあなたには思春期が来てないからよ、チェイ」

彼女はチョコレートケーキの生地をかき混ぜる作業に戻った。

チェイはまた「ブーンブーン」と口真似をし、おもちゃの車が床でカチャカチャと音をたてた。

「マミー、ししゅんきってなあに？」

おっと。別の言葉を使うべきだったかもしれない。レナは自分のミスに笑いながら、向き直った。チェイは誰よりも知りたがりの子供なのだ。そう、この質問がくるのは当然だった。

「そうねえ、あなたがもっと大きくなったらってことよ。ティーンエイジャーになったら」

彼は、小さな額にしわをよせる。少しの間黙って座りこんでいたが、やがてこの四歳児は黒髪の頭をひねった。

「マミー、いつぼくはティーンエイジャーになるの?」

彼女は混ぜ合わせた生地をカウンターに置き、下の棚から鍋を取り出した。

「十一年くらいたったらよ。あなたが十五歳ぐらいになる頃に」

「でも十五さいになるまえには十三さいと十四さいになるのに。十三さいと十四さいのときにもぼくはティーンエイジャーじゃないの?」

レナは首を振って、ケーキの生地を鍋の中へ流しこんだ。

「チェイ、あなたは将来が不安になるぐらい頭が良すぎるわ。そうよ、十三歳と十四歳の時にもあなたはティーンエイジャーよ」

彼女はボウルとスプーンを子供に差し出した。

「ぺろぺろしたい?」

「する、する、する!」

チェイは車を落とし、ジャンプして立つと爪先立ちでぴょんぴょんとはねた。

「やったあ、ボウルぺろぺろ!　ボウルぺろぺろ!」

その場で踊り出している。

「床に座って。そうしたらあげるから」

あんまりさっと座り直したので、少年の体はリノリウムの床でバウンドしそうになった。犬のロスコーがぶらぶらとキッチンに入ってくると、子供の顔中をなめてから、横にちょこんと座りこむ。

レナは、チェイがのばした足の間にボウルを置き、スプーンを手渡した。

「あんまり周りを汚さないでね。ケーキをオーブンに入れたら、夕ご飯の仕度を始めるわ」

チェイは大きなプラスチックのスプーンを握ると、すくって、小さな口でスプーンをぱくりとくわえた。唇のはしからこぼれたケーキミックスが鼻と頬を汚していく。

とてもきれいに済みそうにはないと覚悟を決めて、レナはケーキをオーブンに仕掛けると、パントリーへと向かった。取ってきたじゃがいもをシンクで洗い始めた時、何かすするような――なめるような音が聞こえてきた。見るまでもなく、レナには何の音かわかった。

「チェイトン・モンゴメリー・ウィンストン！　犬に食べ物をわけちゃいけないって言ったでしょ？」

「でもでも、マミー。ロスコーもぺろぺろするのだいすきだもん」

「チェイ……」

子供は溜息をついた。

「うー、わかったよ。もうだめだって、ロスコー。マミーにおこられちゃう」

レナの耳に、犬がリノリウムの床で爪音をたてながら去る音が聞こえてきた。頭を振る。子供ときたら、犬になめさせたスプーンを自分の口に入れることを何とも思っていないのだ。何てこと。

「マミー？」

レナは蛇口をしめると、引き出しの中をかき回してポテトのピーラーを見つけ出した。

「なあに、チェイ？」

「なんでマミーは、ダディがじぶんのメイトだってわかったの？　マミーはオオカミじゃないでしょ。ダディは、オオカミなら、メイトにあえばすぐわかるっていってたけど」

「そうね、私にはわからなかったけれど、お父さんにはわかったのよ」

彼女はポテトを剥きはじめた。

「あのね、チェイ。あなたのおじいちゃんも狼だったから、ママは小さい時から狼のことを知ってるの。狼は伴侶《メイト》を選べないのよ。神様が相手をお決めになるの。狼は、自分のメイトに出会った瞬間、相手がそうだとただわかるだけなのね。だからあなたのパパに、私があの人のメイトなんだって言われた時、本当のことを言ってるってすぐに信じられたの。この人と一緒になる運命なんだって」

レナは夫ジョーのことを思って、微笑した。

「マミー、ぼくのメイトはたいようみたいなかみと、おそらみたいなめをしてるんだよ。まるでおうじさまみたいなんだ！」

「王女様でしょ、ハニー。王子様じゃないのよ」

　レナは反射的にそこを直した。それから目と髪の色についての言葉が浸透してくるにつれ、まるで何かに打たれたような衝撃を受ける。金の髪と青い目？　彼女は深く息を吸い込むと、まだ幼いチェイはその意味がわからないのだと己に言い聞かせながらさとした。

「だめよ、チェイ。あなたの伴侶《メイト》は私たちと同じでなきゃ。白人の女の子はだめ！　あなたのメイトはきれいな黒髪と茶色の目と、褐色の肌をしているのよ。アパッチ族でなくてもいいわ、私も違うし――ラコタ族だもの――でも、先住民族のひとりでなければいけないの」

　スプーンがボウルの中をカチャカチャとこすった。

「でも、メイトはえらべないって、マミーはいったでしょ？　かみさまがおえらびになるって。なんでマミーには、ぼくのメイトがたいようのかみとおそらのめをしてないってわかるの？」

　レナは目で天井を仰いでから、重い溜息をついた。

「それはね、神様がそんな仕打ちを私たちになさる筈がないからよ、チェイ」

　彼女は最後のポテトを剥き終えると、冷蔵庫に向かったが、途中ではっと立ちどまった。

「チェイトン・モンゴメリー・ウィンストン！　動物に食べ物をわけちゃダメって言ったでしょ！」

彼女を見上げたチェイの目はきらきらしていた。彼はヒゲをケーキの生地まみれにしている飼い猫を見下ろし、また母親を見上げる。

「マミーはロスコーがダメっていったでしょ。フラッフィーのことはなにもいってなかったでしょ？」

1

「ドクター・ウィンストン？」

呼ばれたが、チェイはまずミセス・プレストンの猫、ビッツィの縫合を終わらせる。それからやっとクリニックの受付係を見上げた。

「どうした、シェリル？」

「猟区管理人が来てます。狼を運び入れて、ドクターに話があると。急ぎの話だそうです」

フランク・レッドホークが、わざわざ何の用だ？　いつもは傷ついた動物を持ちこみ、置いていくだけなのに。

「わかった、すぐ行く」チェイはアシスタントのティナへ笑みを向けた。「後はまかせて大丈夫だな？」

ティナの手術用マスクからのぞく茶色の目がきらりと光った。

「まーかせて。ボス！」

はつらつとした彼女に小さな笑みをこぼして、チェイは一歩退いた。ティナはこの仕事を愛しているのだ。もしチェイが許せば、手術をまるごと自分だけでやってのけるだろう。

手を洗うと、チェイはクリニックのロビーへ出た。猟区管理人が、カウンターの向こう側をうろうろと歩き回りながら、心配そうに唇を噛んでいた。

おっと。かなりまずいことがおこったようだ。

チェイはカウンターを回りこむ。フランクは実際、彼の方へ走りよってきた。チェイの肩をつかむや顔をよせ、チェイにだけ聞こえるように囁く。

「チェイ、狼を運んできた。そいつはあんたのアシスタントが部屋に運んでってくれたが、あんたに話があるんだ」

フランクは意味ありげに眉を上げると、周囲を見回した。シェリルに視線をとめ、咳払いをする。

「二人で話ができるか？」

「勿論。こっちだ」

チェイは年上の男をオフィスまでつれていくと、ドアを閉めた。机へ歩みより、マホガニーの大きな表面に尻をもたせかける。

「どうしたんだ、フランク？」

「あの狼は俺たちと同じだ、チェイ。密猟者がいるって通報がきてな、朝、見回りに出たんだよ。空薬莢《からやっきょう》をいくつか見つけたあたりでか細い鳴き声が聞こえた。うちの群れがマーキングした土地の北側すぐ外の、細い渓谷に、一匹の狼が横たわってたんだ。そんで、俺はひとっ走りして麻酔銃を取ってきた。撃った後、初めてそいつが人狼だと気付いて……とにかくな、チェイ、そいつはうちの群れのヤツじゃねえんだよ。この狼は白いヤツだ。つまりその――毛皮が白い。しかもやたら小さくて……多分、まだガキじゃないかな」

「密猟者は、何でその狼を残していったんだろうな」

チェイは二本の指で、自分の下唇をつまんだ。フランクが肩をゆする。

「俺は知らねえ。ビビったんだろ」

「傷の状態は？」

「頭を負傷してるがそれほど大した傷じゃねえだろう。弾丸《たま》の痕《あと》もない。かすった程度だな、ありゃやたらと血が出るからな。傷はそんな深かねえと思うよ。頭蓋骨もぶち抜かれてない筈だが、変身して戻るにゃ出血しすぎてたんじゃねえか」

チェイはうなずいた。筋は通る。変身できないのは出血だけでなく、混乱によるものだとも考えられる。人間の姿に戻れば傷は癒えるのだが、衝撃で脳震盪《のうしんとう》をおこしているのかもしれない。変身するには集中力が必要だ。

フランクは机の前の黒革の椅子によりかかり、関節が白くなるほど椅子の革を強く握った。

「今から居留区警察に行ってくるよ。その足で、ジョン・カーターに報告しておく」

チェイはうなずいた。ジョン・カーターは彼らが属する群れのリーダーだ。何かおこった時には、必ず報告する義務がある。

「ああ、そうしてくれ。嫌な感じがするね。俺たちのテリトリーの中を密猟者なんかにうろつかれるのは御免だ。しかも昨日が満月だってのも、気に入らないな」

「ああ、俺もだよ」

「じゃ、俺は新しい患者を見に行くとするか」

チェイは机を押して立つと、猟区管理人に片手を差し出した。フランクがその手を握り返す。

「ありがとな、ドク。あのちっこいのがどうなったか後で教えてくれ」

「わかってるよ、フランク」

チェイはドアを開けてフランクを送り出した。それからロビーのカウンターまで歩いていく。

「シェリル、猟区管理人が運びこんだ狼はどこに？」

「第四診察室です、ドクター。トミーが口輪をはめたけど、すっかり気を失ってる様子だったし、あれはいらないんじゃないかな」

「わかった、今から見に行ってくる」

「ドクター・ウィンストン?」

チェイは振り向いた。「どうした?」

「ボブ・マッキンタイアが電話してきて、新しい雌馬を見に居留区まで来てほしいそうです。どうも、妊娠してるんじゃないかと」

彼はうなずき、腕時計をちらりと見た。もうすぐ正午だ。早じまいの日なので十二時半には体が空く。誰もいないロビーを見やり、シェリルに聞いた。

「今日の予約はこれで全部?」

彼女は目の前にある開いたノートを見下ろした。

「ええ。急患が来なければ、今日はこれで終わりですね」

「OK。じゃあ休診の札を出して、ボブに電話してくれ。家に帰る途中に寄るって」

「わかりました」

チェイはロビーを後にした。狼をチェックしに行かねば。

角を曲がると、ティナが手術室から出てくるところだった。

「あら、チェイ。ビッツィの方はバッチリですよお」

二人はハイタッチを交わした。

「よくやった、ティナ。今日はもう上がっていいよ。ただその前に、ミセス・プレストンに電話をしてビッツィの手術がうまく終わったことと、明日の朝には引き取れるって伝えておいてくれないか？」

ティナはウィンクして、ロビーのほうへ小走りに去っていく。

「やっときます、チェイ。また明日！」

「ちょい待ち、ティナ」

ティナがあんまり素早くターンしたせいで、そのポニーテールが目の上にばさっとぶつかった。彼女はまばたきして髪を後ろに払いのける。「はい？」

「明日の五時と夜中に、動物の見回りシフトが入ってるのを忘れないでくれよ」

「バッチリ。そっちは今夜は？　クリニックに戻ります？」

「ああ、三時半と八時に来るよ。今日は三つも手術があったからな。まあ、トミーは一晩宿直だ」

「サイコー。じゃまた、チェイ」

「後でな、ティナ」

去っていく彼女にチェイはニヤッと笑いかけると、第四診察室へ向かった。

歯茎の中で歯がむずむずして、犬歯がぬっとのびてくる。何だ、一体……？

診察室へ近づけば近づくだけ、体に奇妙なことがおこりはじめた。昂揚感がこみ上げて幸せに包まれる。胸の中で無数の蝶がはばたいているような——だがそれともちょっと違うような。胸はざわついていたが、それは不安からくるものではなかった。

ドアノブに手をのばした頃には、彼の股間はすっかり頭をもたげ、視界はぼやけていた。白黒の視界にまばたきする。狼の目になっているのだ。

チェイは数秒、そこにたたずんだ。腹の底から湧き上がってくる歓喜の奔流を無視して、この奇妙な反応をじっくり検討する。狼の本能を抑えられないなんて、まだ小さな子狼だった時以来だ。

はっとした。

——このドアの向こう側に、俺のメイトがいる。

一体そんなことがありえるのか。女の人狼が存在するなんて、聞いたこともない。人狼の遺伝形質は男に発現するもので、女性は人狼の遺伝子を子供へ受け継ぐことはできるが、彼女たち自身が人狼になることはない。もしかしたら彼の伴侶《メイト》は、人狼に噛まれて変化したのだろうか？　そんなこと——あるのだろうか。人狼が人を襲うこと自体まれだし、襲われた女性が人狼に変化したという話も聞いたことはない。だが、聞いたことがないからと言って、不可能だとは限るまい。

彼は目をとじ、ひんやりしたドアに額を押し当てた。期待に胸が激しく高鳴る。三十歳になった今、この瞬間を、待ちかねたなんて言葉だけではとても言い表せない。ありえるかありえないかなんて、彼女に会った後に考えればいい。今はただ興奮が押しよせてくる。

ついに、自分の伴侶《メイト》とめぐりあえたのだ。

いくつか深呼吸をして、肉体の興奮をなだめようとした。メイトが――目をさましていたら――気にするからというより、もしクリニックのスタッフがやってきたら仰天させてしまう方が大変だ。

数秒、強く集中していると、のびていた牙がちぢんできた。目を開けてみると、色のある通常の視界に戻っている。とは言っても股間ばかりは勃《た》ったままだ。手術用白衣のズボンの上から、少しでも目立たないようにとポジションを直したが、あまりうまくいかなかった。

だがこれ以上待ちきれない。チェイはドアを押し開けた。

白くて小さな狼が、紺色の毛布に包まれて診察台に横たえられている。背はこちらに向けられていた。淡い色の毛皮に、固まりかけた血の色がけばけばしく、悪趣味なほどだ。

血に汚れていない部分の毛は、ほのかに金の光をおびていて、この白い毛皮が人間になった時にはプラチナブロンドになるのだろうとチェイは半ば確信する。

どういうわけか、チェイはずっと、自分のメイトはネイティブアメリカンではないだろうと知っていた。母はその点、ゆずらなかったが。チェイの母は人種に強いこだわりがあるのだが、チェイ自身はいつでも金髪に強く惹かれてきた。

チェイがこのメイトをつれて会いに行ったなら、母はひっくり返ってしまうかもしれない。

チェイは笑った。いやいや、母だってノーとは言えないのだ。狼は自分のメイトを選べない、それは生まれついての絆だ。運命なのかもしれないし、神の意思や、ほかの何かであるのかもしれないが、何であれ変えることのできないものだ。まあ幸いにして、彼の父親の方は人種に偏見を持つようなたちではない。

白い毛皮に、口輪の黒いストラップが目立つ。視線を向けたチェイはその無礼な仕打ちに喉の奥で唸ると、診察台の横に上がった。手早く口輪を取り、床に放り捨てる。頚動脈《けいどうみゃく》を指先にさぐって脈を調べた。人間の姿をしている時よりは脈が速いが、覚醒して警戒体勢にある狼に比べれば遅い――だが、疲弊しきっていると診断するほどには遅くない。

白い毛皮に手のひらをすべらせ、頭の傷をたしかめながら、やわらかな手ざわりを楽しんだ。フランクの言葉通り、頭の傷はそれほど深刻なものではなかったが、洗浄して確かめなければ。背後の棚から、傷を手当てするためのガーゼと消毒薬を取る。

かすめただけの傷だとしっかり確認して、傷をガーゼで覆った。

抗生物質や破傷風の注射の必要はない。人狼は、細菌にもウイルスにも感染しないのだ。発達した免疫システムを持っている。人間の姿に変身しさえすれば頭の傷も完治するだろうし、本来なら狼のままでもう治っていていいはずなのだが、今回は出血が多すぎて治癒反応が弱まっているようだ。

チェイは前にかがんで、メイトの首すじに鼻をうずめた。

鋭い匂い、それから……森のような匂い？　どこか麝香《じゃこう》のような。

奇妙だった。狼の嗅覚にとって大体の女性は甘く、花のような匂いがするものだ。奇妙ではあったが、実にいい匂いだった。酔ったような心地よさを感じる。股間がものほしげに固くなり、チェイはうなった。立ち上がり、辛抱しろと自分に言い聞かせる。まずはメイトの面倒を見るのが先だ。後からいくらでもお互いを知る時間はある。

間抜けなほどに満面の笑みで、チェイは半歩下がった。

「OK、ちっこいの《リトル・ビット》、毛布を取ろうな」

毛布のはしをつかむと、優しい手で毛布をめくっていく。

「ほかに傷がないかどうか確かめないと……」

もつれた毛布を、まだ動かない体からうまくはがして脇に放った。

まずは頭から、メイトの姿を観察していく。プラチナの毛皮に微笑し、チェイの視線はほっそりとした体つきに沿って下がっていった。

「その目の色は、賭けてもいいが――」

はっと息を呑み、彼はよろりと下がった。手で口を押さえる。まさか、そんなわけがない。

目の迷いだ……そんなモノがそこにあるわけがない。

チェイはまばたきをして、もう一度見た。

まだそれはそこにあった。

間違っていたということだろうか。彼の体も、感覚も、混乱していただけなのだろうか。これは、彼のメイトではない。彼のメイトではありえない……。

チェイは目をとじて、深々と息をついた。ありえない——だが、間違いではない。この感覚を否定などできるわけがなかった。これは自分のメイトだ。だが、どうしてだろう？　つじつまが合わない。

もっとも、最初の疑問は正しかったわけだ。女性の人狼はいない。

チェイのメイトは、男だった。

頭が痛い。

チェイはこの白い狼への自分の体の反応について、ありとあらゆる可能性をひっぱり出して説明をつけようとした。だがどの説も理屈が通らず、メイトであるという仮定以上にしっくり当てはまるものはなかった。

それにしても、肉体的反応よりも奇妙なのが彼の気持ちの方で、不快に感じるかと思いきやそうでもないのだ。あの小さな狼には、強くチェイを惹きつけるものがあった。その引力こそが、この牡狼《おすおおかみ》が本当に彼のメイトなのだと、チェイにはっきりと告げている。

男に対して、こんなふうに惹かれたことはこれまでない。男に目がいったことはないでもないが――そんなのは誰だってあることだ。その筈だ。男だろうとキレイなものはキレイなのだし……だろう？　ああ、たしかに大学時代、ルームメイトと何回か手でお互いしごいたりはしたが、あんなものただのお遊びだ。そうじゃないか？

重要なのは、男に欲情して勃起したことなどこれまで一度もない、ということだ。それなのに、彼の股間は、白い狼の匂いを嗅いだ時からずっとガラスでも突き通せるぐらいにガチガチだ。

スタッフが全員仕事を上がると、チェイはクリニックを閉め、手術着から着替えてから、あらかじめ車に行って車内を暖めておくことまでした。秋の始めにしては肌寒い日で、お相手の〝彼〟に寒い思いをさせたくはなかった。

すべて済ませてもなお、相変わらず股間はしっかり欲情したままだった。まあ、いい。ジーンズでうまいこと隠れているし、コートもおよそ膝丈だ。

ボブ・マッキンタイアの家を訪問診察するために鞄に道具をつめてから、チェイは、四ドアの車のバックシートに自分の伴侶《メイト》を運びこんだ。毛布で小柄な体を包み、その上からシートベルトをかけてやる。白い毛皮を最後に優しくひと撫でしてから、後部のドアを閉め、運転席に乗りこんだ。

道を走り出したところで、携帯電話で父親に電話をかけた。

ジョー・ウィンストンは二回目の呼び出し音で出た。

『やあ、チェイ。何してる?』

「またそれか。ほんと、やめてくれよ。気味が悪い」

『何のことだ?』父親の声は心底楽しげだった。

「わかってるくせに」

ジョーは声をたてて笑った。

『何のために発信者通知があると思ってるんだ? 電話を取る前に、どいつがかけてきたか知っておくためなんだよ』

チェイは小さく笑った。もう何度となくくり返したやり取りだ。

「わかってるさ、でもやっぱり不気味だね。今何してる?」

『テレビを見てる。そっちは?』

「ボブ・マッキンタイアのところに行く途中。新しい雌馬がはらんでるかもしれないって」

『ほう。水曜の夕飯にうちに来る予定は大丈夫か?』

「ああ——多分」

わからないのは、彼一人で行くのか、それともこのメイトもディナーにつれていくことになるのかだ。チェイは、自分の考えにドキリとした。

『お前が来なかったらお母さんがガッカリするぞ』

父は言葉の響きから、落胆するのは自分も同じだと匂わせる。

チェイは微笑した。愛されるのは嬉しいことだが、時には一人っ子というプレッシャーを重く感じることもある。バックミラーの角度を直し、後ろにいる――彼の狼をチェックした。

「あのさ、父さん。ひとつ真面目な質問があるんだけど」

『OK、言ってみろ』

「父さんが伴侶《メイト》を見つけた時、どうやってそうだとわかったんだ?」

『何でだ?』

「たのむよ、父さん。とにかく答えてくれ」

ジョーは溜息をこぼした。『チェイ、お前にもメイトが見つかるよ。まだまだ若いんだ。父さんが母さんに会ったのは、三十二歳の時だったぞ』

父親が質問の裏を勘ぐらないでいてくれたことが、今は何よりありがたい。両親に言う心の準備は――まだ――できていなかった。悲しいかな、彼のメイトが白人だというだけでもトラブルの元になるのに、今回のことが露見した時にはそれがかすんでしまうくらい新たな騒動が待っていそうな気がした。

『お前もメイトとめぐりあえば、すぐにそうだと感じるよ』

ああ、その点は疑いの余地がない。

「でも、どんなふうに感じるもんなんだ?」

『強い渇望のような……ある意味では、だが。始めのうちはアドレナリン・ハイのようにも感じるな。相手が自分のメイトだと、頭でわかるよりも前に体の方が先に反応するんだ。あれはどう言えばいいもんだろうなあ。ただ、わかる』

チェイは息をついた。父の話は、彼自身の考えを裏付けただけだった。そしてその言葉は正しい——ただ、わかるのだ。

だが、それでもなお……。

「父さん、これまでに誰か、勘違いだったってことはなかったのか？　つまりメイトを見つけたと思ったけど違った、みたいな？」

『聞き覚えはないな。何かとまちがえたり勘違いするようなものじゃないんだ。ほとんど、反射的なもんだと言ってもいい』

彼はミラーの中をちらっと眺め、バックシートにいる白い毛皮を視界にとらえた。

「俺はただ……うっかり見のがしたりすることのないように、確かめておきたかったんだ」

『その時になればお前にもわかるさ』

「ああ。ありがとう、父さん」

チェイは深々と息を吸い込み、肩の力を抜こうとした。彼にどうにかできることではない——たとえ誰が反対しようとも。自らメイトを選んだわけではない。大体メイトとの出会いは喜ぶべきことであって、悪い出来事などではないのだ。それを何故、重荷のように感じなければならない？

『四歳の時からメイトをずっと探してる奴なんてお前くらいのもんさ、チェイ。必ず彼女にめぐりあえるよ、絶対だ』

彼なのだ、彼女ではなく。チェイは頭の中で訂正した。肩と耳とで電話をはさむと、鼻の根元を指できつくつまむ。まったく、何もこんな厄介な事態にならなくてもよさそうなもんだ。しかも、まだ序の口かもしれない。彼のメイトが目をさましても、こちらに何の興味も示さなかったら？　もしこのメイトがまだ——フランクが言ったように——十代の少年だったら？

チェイはそうは思わなかったが、事実、彼のメイトは驚くほど小柄だった。

さらに、両親がこのことを知ったらどう反応する？

「……なあ、父さん。そろそろマッキンタイアのところにつきそうだ。また後で」

『ああわかった、頑張れ。水曜どうするか知らせてくれよ』

「ん、そうするよ。じゃあな、父さん」

チェイはボブ・マッキンタイアの駐車スペースに車を入れながら電話を切った。いったんはエンジンを切ろうとしたが、どれくらい時間がかかるかわからないと迷う。エアコンが切れると寒すぎるだろうか？　チェイは馬鹿馬鹿しさに目だけで天を仰いだ。毛皮に包まれているのに、そんなに寒がりなわけがない。

イグニッションを切ると、シートベルトを外して体を回し、背もたれにのせた右手に顎をのせた。左手をのばして、後部座席の狼の肩をなでる。

「お前のことをどうすればいいんだろうなあ、リトル・ビット?」

彼のメイトはまだ気を失ったままだった。狼の体は、チェイが置いたところから少しも動いていない。とても愛らしく、安らかに見えた……そして無垢に。

何とも美形な狼だった。かわいらしい、というか。女性っぽい感じがするわけではないが、たくましい体格でもなかった。おそらく人間の姿になっても背丈はチェイの顎に届く程度だろう。チェイは長い鼻面を指でなでながら、目をとじた。その瞳は、淡い空色にちがいない。

その想像だけで、チェイの股間はまた熱を持ちはじめた。喉の奥で呻き、手を引いて自分のポジションを直す。最初から、この小柄な狼の手当てがすんだ段階でフランクに電話して引き取ってもらい、何事もなかったふりをするべきだったのかもしれない。いや今の段階でも、彼が目を覚ましたら、送り出してそのままさよならという手もある。

だがチェイには、自分がそうしないだろうとわかっていた。男のメイトをどうしていいのかはまだ判然としなかったが、それでも、手放したくなどなかった。

ウィンドウを誰かが叩き、考え込んでいたチェイははっとした。ドアを開け、バッグを車の床からつかみ上げる。「やあ、ボブ」

「家にお持ち帰りの仕事か?」

ボブが白髪まじりの頭でバックシートの方を示した。

チェイは自分のメイトへちらっと視線を投げて、微笑する。

「ああ、一緒に家に帰ろうと思ってな。手当てしたばっかりだ。うまくいけば今夜のうちには目を覚ましてくれるだろ」

彼はボブの肩を叩くと、車から離れて歩きはじめた。

「さて、かわいい彼女にお目にかかって、ママになるのかどうかおうかがいしてみるとするか」

2

今にも頭が割れそうだった。一体全体何をやらかしたのだ？

動いているような感覚があったが、体はたしかに横たわっている。酒はろくに飲まないから、昨夜飲みすぎたわけはないのだが、まさにそんな気分だった。胃がざわつくし、おまけに股間が痛むほど固い。そもそも何だって狼の姿をしたままだ？

おや、ちょっと待った……本当に動いている。何かの乗り物の中にいるのだ。ほほう？

キートンは、まばたきしながら目をあけた。

車の後部座席に横たえられている……いや、ただの車より大きい。バンだ。どうにか体を起こして座ろうと試みた。

いたた、頭が深刻に痛い――そうだ、撃たれたのだ。

「起きたな。もうちょっと我慢してくれ、ちっこいの《リトル・ビット》。家の中に入ったら変身できるから」

深く魅力的な声に、キートンははっと頭をあげた。痛い。

リトル・ビットだと？　一体どこのどいつが……？

相手は黒く美しい髪と、高い頬骨に、褐色の肌をした男だった。明らかにネイティブアメリカン、そして若い――だがキートンの位置から見てわかるのはそれだけだ。鼻をあげ、覚えのある匂いかどうか空気を嗅いでみると、たちまち欲望がこみあげてきた――信じられない。何ていい匂いだろう。腹の中がひっくりかえるほど昂《たか》ぶったが、かろうじてこの男が狼であることと、知った匂いではないことだけは嗅ぎとった。

シートに頭を戻し、キートンは力を抜いた。危険な状況ではなさそうだ。この男が彼を助けてくれたに違いない。

昨夜は、キートンが新しい部屋に引越してから最初の満月で、このあたりの群れとの顔合わせもまだだった。ちゃんと挨拶しておくべきだったのかもしれない。そうすれば、テリトリー内の安全な土地で狩りをさせてもらえただろうに。

だが、ルールはよく知っている。群れがマーキングしたテリトリーに勝手に踏みこんではならない。キートンはお利口にテリトリーの外側にとどまっていたので、制裁も受けず、こうして救ってもらえたのだ。

バンがとまった。男がエンジンを切り、こちらに向き直る。

キートンが人の姿をしていたらおそらく息を呑んだだろうが、狼の口からこぼれたのは、小さな鳴き声のようなものだった。

魅力的な男だった。大きな目――おそらくは茶色――と豊かな唇、高い頬骨、しかもその笑顔……キートンはまばたきした。信じられない。彼の救い主はまさに理想の男だった。背が高くて肌の濃い、美形の男は、好みど真ん中だ。

「やっぱり青い目だったな」

そう言うと、男は笑みを消して真面目な顔になった。

「ついたよ。中に入るが、いいか？」

返事を待たずに、車を降りる。少ししてから戻ってくると、後ろのドアを開けた。

「よし、いいか。お前はできるだけじっとしてな。俺はできるだけ慎重にして、あんまりお前を揺らさないようにするから」

男はシートベルトを外すと、キートンの脇腹の下に手をすべりこませた。キートンをそっと車から出して抱きかかえ、ドアを足で閉める。ありがたい。こう頭と足が痛いと、歩く気すらおきない。

男がキートンを運んでいく先には、こぢんまりとした雰囲気のいいランチハウススタイルの家があった。ドアは開いていて、どうやらさっきはこれを開けに行っていたらしい。男は家に入ると、毛布にくるまれたままのキートンを床に横たえ、ドアをしめた。

キートンは寝そべったまま、まずはあたりの様子を確認した——いや、しようとはしたのだが、とにかく男から目を離すことができなかった。

背が高く、肩はがっしりして……しかも、何というい い尻。キートンの股間が反応した。男の髪は肩より少し長く、普通なら女っぽく見えるところだが、見るからにネイティブアメリカンの姿にはよく似合っていた。似合うどころか、とんでもなくセクシーだった。

男は向き直って、キートンの凝視に気付くと、微笑した。

「まったく。何か変なもんだよな。感じてるだろ、そっちも?」

——何を?

キートンは反射的に小首を傾げて、即座に後悔した。悪夢のような頭痛に襲われる。しかし何故、この男にキートンの感じていることがわかるのだろう? ちょっと待った、この男も同じように感じているというのなら、これは撃たれたことによる精神的なショック反応などではないのだろうか。どういうことだ?

キートンは男の体の下の方を眺めた。驚いたことに、この男も勃起している。それを見た途端、キートンの心臓が早鐘のように打ちはじめた。

「そろそろ変身しないか。そしたら話ができる」

キートンの視線は男の顔へひらめき戻る。うなずいたものの、相手を品定めしているのがバレて、いささかきまりが悪かった。そう、変身……いい考えだ。きっと頭痛もとまるだろう。

しかし、一体どうやって、この素敵な男の目から勃ったモノを隠そうか？

キートンは変身しながら、どうにか下半身を毛布に隠したまま、のりきった。完全な人間に戻って、座りこむ。相変わらず欲望はカチカチに固いまま、腹の底が緊張にねじれて、鼓動も激しく鳴りつづけていた。

男を見上げる。その瞬間、ひらめいた。

「何てこった。あんたは……俺のメイトだ」

＊　＊　＊　＊

何てこった、はぴったりだった。

リトル・ビットは、チェイが今まで見た中で一番かわいらしい男だった。男、というのも少し違うかもしれない。法的にＯＫな年齢には見えたが、それもギリギリな感じだった。

スリムな体つきだけがその印象の元ではない。顔立ちが愛らしかった。細くまっすぐな鼻すじの、先端がわずかに上を向いている。肌は完璧で、これまでピンと来たことがなかった〝桃のような肌〟という表現に、チェイは初めて納得したほどだ。短めのプラチナブロンドは、血で固まったところ以外はくるんと巻いたウェーブだった。

チェイは自分の伴侶《メイト》のそばにしゃがみこむと、太陽のように明るい髪からガーゼを外した。はらりと落ちた一房が、大きな空色の目に影を落とす。傷は完全に治っていて、白い肌にはかすり傷ひとつ残っていなかった。

彼は、チェイを驚きに満ちた目で見つめながら、華奢な手で髪を後ろにかきあげた。

「何て名前？」

濃い南部訛りの質問に、チェイはニヤッとした。

「チェイ……チェイトン・ウィンストン。そっちは何て名前だ、リトル・ビット？」

明るい茶色の眉がきりりっと吊った。

「リトル・ビットじゃないことだけは確かだね」

おや、小さくても、牙をお持ちだ。

チェイは自分の眉を上げてみせる。

リトル・ビットの頬が赤くなって、彼は咳払いをした。

「悪い。年とか体格のこと、色々言われるのに飽き飽きしてるだけなんだ。それで、ちょっと過剰反応したかも。俺はキートン」

手を出して、チェイがその手を握り返すと、彼はつけ足した。

「ドクター・キートン・レイノルズ」

チェイは驚いてぽかんと口を開けた。

「何歳だ？」

キートンは溜息をつく。

「二十五歳。聞かれる前に言っとくと、歴史の博士号を持ってる」

凄い。大したものだ。どうやら、彼のメイトはとても利口な上、見た目よりずっと年上らしい。チェイはにっこりして、床に座りこんだ。

「このへんの出身じゃないだろう。何でニューメキシコへ？」

「仕事だよ。ニューメキシコ州立大学で古代文明史を教えてる」

キートンも微笑を返すと、木の床をすべるようにしてにじりよってきた。

「そっちは？　仕事は何を？」

「獣医だよ」

「そうなんだ？　助けてくれてありがとう、ドクター・ウィンストン」

「助けたのは俺じゃない、猟区管理人だよ。麻酔の矢でお前を撃ってから、うちのクリニックへ運んできた。俺は傷を洗っただけ」

キートンはさらに動いて、ほとんどチェイの膝の上にのりあげてくる。

「ありがとう」

そう囁いた。

見つめ返しながら、チェイは鼻梁《びりょう》の脇に散ったそばかすを発見し、魅了されていた。

「……どういたしまして」

キートンの息が顔にかかっても、チェイは動かなかった。まさか、そばかすに色気を感じる日が来るだなんて、誰が思っただろう？

キートンはまばたきした。どんな女でもうらやむような、長くて先端がカールした睫毛をしている。間近からだと、彼はさらに美しく見えた。

キートンが身を傾けて、自分の唇をチェイの唇に押し当てた。

チェイは何も考えずにキスを返していた。

キートンの唇は温かく、ひどく自然に感じられた。チェイの唇を舌がからかうようになめ、内に入ってこようとしている。女性たちとのキスと比べても、何ら変わったものには感じられなかった。

チェイは体を引く。

「ええと……俺は、ゲイじゃないんだ」

キートンが、まるで誰かにひっぱたかれたような顔になった。何回かまばたきして顔をそらし、へたりと座りこむ。

「悪い、俺は……てっきり……その、何でもない」

キートンは毛布を腰回りにたぐり寄せながら立ち上がった。

「何か着るもの借りてもいいかな？　電話も。誰かに迎えに来てもらうよ。そしたら、その、すぐ消えるから」

その声はうろたえていて、きまり悪そうだ。チェイは自分がひどい悪者になったような気がした。

「いや、俺の方こそ悪かった。出ていく必要はないから、とりあえず着るものを探してくる。いいな？」

立ち上がった彼は自分の部屋へ向かう。キートンが後ろを追ってきた。

「あのさ、チェイ。多分俺がこのまま出てくのが一番いいんだと思う。タクシーを呼ぶよ」

チェイはハンガーからスウェットのパンツを取り、Tシャツを引っぱり出す。向き直った時、キートンは寝室の真ん中に立って、体に巻き付けた毛布を握りしめ、蹴とばされた犬のようにすっかりしょげかえっていた。自己嫌悪を覚えながら、チェイは溜息をついて、キートンに歩みよると服を手渡した。

「これを使って。バスルームはすぐ後ろだ。シャワーを浴びるといい。その後で話をしよう。トイレの上の棚にタオルが入ってる」

キートンは服を受け取ると、チェイに見向きもせずにバスルームの中へ行進していった。

チェイは壁に身をもたせかけた。どうしたらいいのだろう？　キートンをこのまま行かせて、別々の人生を歩んでいくべきだろうか。それがいいのかもしれない。そうすればきっとお互い、自分に似合いのメイトを見つけ出せる。

わきあがってくる動揺を、心の内で押し戻した。キートンと二度と会えないと考えただけで胸がしめつけられる。無理だ、何か別の方法を考えないと。キートンをこのまま行かせてしまうのはまちがっている。チェイは物心ついた時からメイトを望んできたのだ。そのメイトが女じゃなかったからといって、ここであきらめるなんてどうかしている。

彼は足で床を軽く叩いた。

「なあ、腹減ってないか？」

「ない」

冷淡で短い返事に、水音が続いた。

チェイは両目をきつくとじた。キートンは腹ぺこの筈だ。峡谷で一晩過ごした後だ。壁から体を押し離すと、キッチンへ向かった。キートンの好物が何かは知らないが、狼なのだし、肉なら何でも食べるだろう。二人分のボロニアサンドイッチの材料とソーダを二缶取り出す。

チェイがサンドイッチを作り、チップスの袋を開けている時、キートンがキッチンの入り口に現れた。濡れた髪のキートンは扉口で立ちどまって、顔をしかめた。

「腹は減ってないって言っただろ。もう行かないと」

チェイは微笑した。服が見るからにぶかぶかで、キートンはさらに子供っぽく見えた。ふっくらとした唇が不機嫌に歪められているのも子供っぽさに拍車をかけている。

「いいから、キートン。さっきのことは大目に見てくれ。気を悪くしたならあやまる。とにかく話し合わないと。こっちに座って、食えよ。腹が減ってるのはわかってるんだ」

キートンは数秒そこに突っ立っていたが、ふっと肩のこわばりがゆるんだ。

「OK。何を話し合いたいのか知らないけど、聞くことは聞くよ」

チェイと差し向かいで小さな木のテーブルに座り、彼はサンドイッチにかぶりつく。

「ん、む、ありがとう。ほんとは腹ぺこぺこなんだ。狩りにかかる前に撃たれたし、その後は朦朧《もうろう》としちゃってさ」

チェイの胸をしめつけていた緊張が、キートンが食べる様子を見て少しだけほどけた。彼は自分のサンドイッチを何口か食べ、ソーダをあおって流しこんだ。

「それで、そっちはゲイなんだよな?」

「そうだよ、何か文句でも?」

キートンは自分のサンドイッチを置いて立ち上がった。

「あのさ、こんなの馬鹿げてるし時間の無駄だ。傷の手当てをしてくれてありがとう。借りた服は明日返す」

言い捨ててくるりと踵《きびす》を返すと、彼はキッチンから出ていった。

チェイは唖然として言葉もなく座っていたが、玄関のドアが開閉する音で我に返った。

「くそっ」

今回は何だ？　ゲイかどうか聞いただけだったのに。まったく、デリケートな男らしい。チェイはリビングに走りこむと玄関のドアを開けた。

前庭に立ったキートンは片手を顎に当て、下唇を噛んでいる。左を見て、右を見た。そこでチェイの姿に気付き、手を振って、彼は道をずんずん歩きはじめる。

まぎれもなく、強情そのものだ。自分の現在位置をさっぱりわかっていないのは見るも明らかだし、そもそも靴すら履いていない。チェイは溜息をつくと、小走りで家の中から車のキーを取って返した。

乗りこんだバンでキートンに追いついた時、彼は道のはしまでたどりついていた。チェイはその横につける。

「乗れよ、行きたいところに送るから」

「いらない」

チェイは怒鳴りたい衝動を奥歯を噛んでこらえようとしたが、少々失敗した。

「さっさと乗れ」

にらみ返すキートンの眉は目の上できつくひそめられ、彼も歯をくいしばっていた。

「いやだ」

頭を前へ向け、そのまま歩き続ける。

「キートン。車に乗ってくれ、……たのむから。話し合おう」

キートンは両手をさっと振り上げ、ばたっとおろした。チェイのバンまでつかつかやってくると、窓に身を傾ける。

「俺はゲイ、あんたは違う。それ以上何か話し合うことが？　じゃあお互い元気でね、とか？　まったく、運命ってやつはムカつくよね」

興味深いことに、怒りが増すにつれ南部訛りが強くなっている。実に魅惑的。

「車に乗ってくれ。大体、自分がどこにいるのか、どこに向かってるのかわかってるのか？」

キートンは溜息をつくと、車のドアを開けて乗りこんだ。

「いいや。ここに来てまだひと月だし。ウォルマートの近くに住んでるんだけど、わかる？」

「ああ、わかる。ところで出身は？」

「バレバレだと思うけど。ジョージアだよ」

チェイはうなずいた。

「かなり南部だろうというのはわかったが、どのあたりかまではわからなくてな」

数分の間、沈黙の内に車を走らせたが、キートンがまた逆毛を立てる前にと、チェイは本題に入った。

「俺たちは、お互いの伴侶《メイト》だ」

キートンは額をしかめ、両腕を胸の前で組んだ。

「あのさ、俺が何かしたわけじゃないからね。俺のせいじゃないよ。だろ？」

チェイはまばたきした。何だって？

色々言い返してくるだろうとは思っていたが、これはまったく予想の外だ。

「わかってるさ。俺の家は古くから代々の狼だし、メイトがどういう仕組みのものかはよく知ってる。ただ俺は、男のメイトを持つなんて予想してなかっただけだ。わかるだろ？」

「ふざけんな。そっちこそ、俺の期待通りってわけじゃないよ」

チェイの口がぽかんと開いた。まさに見事な癇癪。すぐにその口をとじた。

「いや、俺はがっかりしたとか、そんなんじゃない。ただ……つまり、驚いた」

「ああ、大体どう思ってるのかはもうよーくわかった。念の為に言っとくけど、俺、うつる病気は何も持ってないからね。キスしたからって狂犬病になったりってこともないよ？」

深い南部訛りの言葉のはしばしから、皮肉の毒がにじみ出していた。

なるほど、つまり彼が刺々しくなっているのは――キスのせい？

「あれは、俺のことを先に言っておいた方がいいと思っただけだ。な？　特にそれ以上のつもりはなかった。いいキスだったし、ただ――」

「うん、わかった、本当、こっちも悪かったよ。俺の態度もひどかったし」

キートンは左をさした。

「そこ曲がって。うちのアパートは次の左。ふたつめの建物」

チェイは曲がると、スピードをゆるめた。

「ここか？」

「うん、ここでいい。管理人に部屋に入れてもらわないと。すぐそこの上だから、ここで待っててくれれば、着替えてきて服を返すよ。管理人は俺のすぐ向かいに住んでるし。それか、洗ってから明日仕事の後に返しにいってもいいけど。どっちがいい？」

チェイは微笑した。そう簡単に逃げられると思うなよ、リトル・ビット？

キートンが車から降りてドアを閉める。

「なあ、待ってるか、後で持ってくか、どっちにする？」

「明日、何時に仕事が終わるんだ？」

「最後のクラスが三時だよ」

「家に帰るのは何時だ？」

「四時十五分ぐらい。何で？」

「明日取りに来るよ。六時に来るから、ディナーをしよう。何か好きなピザのトッピングは？」

キートンは眉を寄せた。

「あのさ、ここでさっぱり別れた方がお互いのためだと思うよ。そっちは俺をいらないんだし、俺だって金輪際《こんりんざい》――」

「OK、じゃあペパロニでいいな。明日また会おう、リトル・ビット」

チェイは満足げな笑みと共に車を出し、バックミラーに映るキートンの唖然とした顔をちらりと眺めた。そのうちキートンも思い知るだろう。チェイもまた、彼に負けない頑固者だということを。

3

キートンはずり落ちてきた眼鏡を押し上げ、本に目を戻して、同じ文章をまた読み返した。もう三度、同じ文章を読んでいる。馬鹿馬鹿しい。本を叩きつけるようにとじると眼鏡をむしり取り、教科書の上にのせた。電子レンジの時刻表示は午後五時四十五分。

チェイが現れるか現れないかなんて、気にしてなどいない。勿論、気にしてない。大体あの男は、キートンのことなんか好きでもない。

キートンは喉の奥でうなって、キッチンテーブルから立ち上がった。ムカつく男だ、何にしても。ストレートだってだけで充分最低なのに、何だってキートンの好みのタイプでなきゃならなかったのか。ゴージャスで、頭が良い。親切な上に思いやりのある男なのも昨日でよくわかった。

キートンは目で天井を仰ぐ。キートンがキスした時のチェイの反応ときたら、悲鳴を上げて逃げ出したと言ってやりたいほどのものだったが――言いすぎか――、その後でも彼は哀れなキートンに食事をさせた上、家まで安全に帰れるよう気を配ってくれたのだ。

最低なのは、何の望みもないとわかりきっているのに、それでも、昨夜キートンはチェイのことを思い浮かべながらいたしてしまったということだった。ああ、あの男にあれもこれもしてやりたい……あの筋肉質の引き締まった体の重みと動きを、リアルに感じられそうなくらい――。

だが、あの男はストレートだ。そんなのはもう御免だ。ジョナサンのことがあったというのに……しかもジョナサンは彼のメイトですらなかったのだし、あの時よりも今回の方が悲惨なことになりかねない。

キートンは呻いて、うろうろとキッチンに戻った。完全に袋小路だ。物事が転がり出す前に何としてもとめなくては。その方がいい。チェイのためにもその方がいいし、無論、キートン自身のためにも。

ノックの音が鳴るより先に、キートンはチェイの匂いに気付いていた。うんざり顔になる。匂いまでもが、彼をチェイに惹きつけるのだ。腹立たしいことに馬鹿な股間がぴょんと頭をもたげてチェイの到着を歓迎した。

敏感な嗅覚なんて邪魔だ。フェロモンなんてムカつく。

キートンは溜息をつき、どすどすとドアへ向かった。開け放って、にらみつける。

チェイは微笑して――ああムカつく――ピザの箱とビールの六本パックを差し出した。

「俺飲まないいんだけど？」

チェイがくすっと笑った。

「やあビット。こっちこそ会えて嬉しいよ。ああ、ありがとう。お言葉に甘えて上がらせてもらうよ」

キートンはうなって、横に一歩のき、チェイを招き入れた。

「俺の名前はビットじゃない！」

ピザの箱がまた押しつけられて、今回は受け取るよりほかになかった。

チェイはキッチンのカウンターにビールのパックを置くと、部屋を次々とのぞいている。

キートンの唇がぴくっと動いた。いい根性をした男だ、それはまちがいない。普通の男なら、今ごろ尻尾を巻いて逃げ出している頃だ。

「何でこんなところに来た、チェイ？」

「何でかって言うとな、お前は俺のものだからだよ。お前をどうしたもんかはまだ俺にもよくわからないが、まちがいなくお前は俺のメイトだし、俺のものだ」

「あんたが今すぐここから出てって、俺たちは最初から会わなかったふりをするってのはどう？　そっちはかわいい女の子見つけて、つき合って、結婚して、子供を作ればいい。俺たち以外は誰も、彼女があんたの本物のメイトじゃないとは気がつかないさ」

キートンの寝室を観察していたチェイがくるりと振り返る。真正面からキートンの目を見つめる視線は、くい入るようだった。

「いやだ」

その目が狼のものに変化し、白目の部分がほとんどなくなる。

キートンの全身がぞくりとした。彼自身の目も変化しかかるが、その反応を押さえつける。ちらっと下を見ると、チェイのスクラブパンツの前が盛り上がっているのが見えた。少なくともチェイの体と狼の本能は、キートンの存在に反応しているのだ――心は別でも。

キートンはこの反応に喜ぶべきなのか、腹を立てるべきなのか、よくわからなかった。どちらにも未来のない状況だ。それなのにチェイと一緒にいる時間が長くなるだけ、キートンは彼に惹かれる部分を見つけてしまう。本能的な磁力とはまた別に。見た目がいいのはまちがいないが、それだけでなく、腹立たしいことに実に好きになれそうな相手なのだ。

キートンに立ち向かうような相手は、滅多にいない。キートンは威圧的な筋肉ムキムキタイプではないが、人狼の中でもとびぬけた力をそなえているのだ。結果、狼たちはキートンの意志を尊重し、いちいちわずらわせてきたりはしない。

だがチェイは違った。この男はわずかもキートンに怯まない。相手が何であれ、たしかに簡単に引き下がるような男ではなさそうだが。

キートンは、チェイを好きになってしまうかもしれない。もし自分自身に許せば。

だが許したとして、その行きつく先は？「ずっといい友達でいよう」か、「お前は俺の親友だ」か？　あまり嬉しくはない。キートンにとって、チェイへの気持ちは〝友達〟以上の感情に育ちかねないものだ、それはわかっている。だがチェイの方は、一体いつか――せめて、スタート地点に立ってくれる日がくるのだろうか？

「来いよビット、食おう。腹が減ったよ。でかいペパロニピザを持ってきたんだ」

チェイが彼の横を通り抜けざまに、キートンの手からピザの箱を取ってキッチンへ向かった。カウンターに箱を置き、食器棚をあさりはじめる。

素晴らしい。キートンはキッチンにどすどす歩いていくと、二枚の皿を引っぱり出し、チェイに手渡した。キートンも腹が減っている。まあ、腹ごしらえの後にでも、この状況がいかに駄目かを説明すればいいか。

「テーブルで食うか？　カウチの方に移るか？　テーブルの上に何か色々出てるが」

「カウチで。ビールのグラスいる？」

「いや、大丈夫」

チェイはカウチに腰を落ちつけると、ピザをコーヒーテーブルに置き、自分の皿に一切れ取った。ビールの缶をあけ、長々と一口飲む。強靭な首がきれいだった。牙を食いこませたり、舐めるのにもよさそうな……。

「食わないのか、ビット？　それともそこにグラスを持って突っ立ったまま俺を眺めてたいか？」

得意げなチェイの言葉よりも、見つめていた自分の方に腹が立って、キートンはぎゅっと目をつぶった。自分のグラスにアイスティーを注ぎ、チェイのいるカウチに加わる。

二人は黙々と食べた。食べ終わるとすぐ、キートンは空の皿と箱をキッチンに片付ける。戻ってみると、チェイはカウチの背もたれの後ろへ腕を垂らし、足をのばして、すっかりくつろいでいた。実に長い足だ。少なくともキートンより十五センチは背が高いにちがいない。キートンは、昔から背の高い男に弱かった。

キートンはチェイと逆のはしに座った。とにかく、チェイをここから追い出さなければならないのだ、見とれている場合ではない。

「あのな、チェイ。あんたが何とかしようと努力してるのはえらいと思うよ。でもうまくいくわけがないんだ。もう、俺たちは会わないのが一番だと思う」

チェイが身を乗り出してキートンの顎を手のひらに包んだ。驚きのあまり、キートンは麻痺したように座ったたままだ。

肌に息がかかるほど、チェイが顔を近づける。

「キスの時のこと、まだ怒ってるんだろ？　悪かった。驚いただけなんだ。これまで、男とキスしたことがなかったんでな」

キートンは、チェイに顎をつかまれたままうなずいた。

「それはわかった、でもそっちじゃなくて――」

チェイが彼にキスをした。キートンの唇に自分の唇を重ねて。

こんなことをしてはいけない。とめなくては。

だが、キートンの体はまるで言うことを聞かなかった。気付いた時にはチェイの舌に唇をまさぐられていて、キートンは呻いて口を開けると、チェイを迎え入れながら自分も舌で応えた。チェイの犬歯が舌先にふれる。歯茎がずきりとして、自分の牙ものびているのがわかった。

チェイは最後にキートンの下唇をもてあそんでから、わずかに身を引いた。その目はふたたび狼の目になっていた。

「悪くないな。全然、悪いなんてもんじゃない」

視界がモノクロに変化して、キートンはまたたいた。小さな呻きを洩らし、彼は前に身をのり出して、半ば続きをねだる。何て不毛なことを。

「そうだ、ビット。逆らうな」

チェイの笑みが獰猛さを帯び、彼はキートンの唇の上に斜めに唇を重ねた。

こんなのは駄目だ、望んでもいない。今すぐやめないと……でももしかしたら、チェイの中にわずかでも、彼への気持ちが芽生える可能性があるとか――？

キートンはがばっと体を引きはがし、チェイからずりずりっと距離を取った。

「わかったわかった！　ええと、友達になりたいんだな？　俺と友達として仲良くなりたい？　わかった、それもろくな考えだとは思えないけど、でもわかった！」

チェイは微笑を浮かべて、キートンに近づいてくる。キートンは片手をつき出して阻んだ。

「でもキスは駄目だっ。さわるのも駄目だ。とにかく……その……肉体的接触は全部駄目だ」

「何故だ？」

そう、何故だ？　彼の本能も同調する。

「それは……俺たちは、そういう関係にはならないからだよ。俺たちは……ただの友達だ」

チェイの表情は『本気で？』と言うように挑戦的だったが、とにかくうなずいた。

「お前がどうしてもって言うならそれでもいいよ、ビット」

キートンの欲望はすっかりチェイになびいて、ぐずぐず言わずに身をまかせてしまえと同調している。キートンはその声をぴしゃりとふさぎ、チェイに向けて眉をよせた。

「俺の名前はビットじゃない！」

キートンのカウチでくつろいだチェイの姿は、どう見てもしばらく居座るつもりだった。キートンを友達としてしっかり知ろうと、チェイは実際に努力している。そのことに苛立っているのか安堵しているのか、キートンには自分がよくわからなかった。

一皮剥いてみると、彼らには意外と共通点があった。二人ともカントリーミュージックが好きだ。もっともチェイはヘヴィメタルも好きで、キートンにはそっちはまるで理解できず、キートンの好きなクラシックはチェイの苦手分野だった。二人ともフットボールが好きで、しかしお気に入りのチームは別々。キートンはジャガーズ、チェイはしぶといカウボーイズファンだった。食べ物の好みもよく似ている。

両方ともに夏生まれ、そして本好き。チェイの好みはミステリーとエロシーン多めのロマンス、キートンは正統派の伝記ものを好んだ。映画の好みまで共通したものがあって、お互いコメディとアクションが好物だ。もっともチェイは女の子向けの〝スイーツ〟な映画——キートンが裸足で逃げ出したくなるような——も好きだと打ち明けた。何だかんだで、お互いのことが随分とわかった夜だった。

三時間ほど、情報交換をしながらだらだらとしゃべった後、チェイが腕時計を見た。立ち上がってのびをする。

「行きたくはないんだが、十時に動物を見回るシフトが入っててな」

「動物の見回り？」

チェイが獣医だとは知っていたが、それにしても——。

「ん。クリニックに行って、すべて事もなしと確認してくるんだ。今朝手術をしたばかりのもいるし、生まれたての子犬も何匹かいる。すごくかわいいぞ。飼い主が出かけてるんで、まだうちで預かってるんだ。見てみたいか？」

うわ。キートンは子犬に目がない——実は子猫にも——が、これ以上幸運を使い果たしたくはなかった。何が何でも台無しにしてやろうというキートンの意気込みから始まったにもかかわらず、今夜はいい夜だった。ここまでは。

キートンは首を振る。

喉の奥で笑ったチェイが、キートンの手をつかみ、引っぱり上げた。

「あきらめろ、ビット。子犬って聞いた時に目の色が変わったぞ。来いよ」

「チェイ、ほんとに駄目なんだって。明日は早い授業があるし。それとビットと呼ぶのはやめろ」

チェイは微笑を返しただけだ。ムカつく。この感じだと、チェイが改心するよりキートンがあだ名に慣れる方が先になってしまいそうだ。

「……わかったよ。一緒にクリニックに行くけど、その後は家にまっすぐ帰って寝るからな」

チェイは片方の眉毛を上げ、口元に意味あり気な笑みを浮かべてみせた。

キートンは笑ってしまう。まったく、この男はキートンにとって巨大な災厄になりそうだ。

「一人でだ！」

「俺は何も言ってないぞ？」

チェイはくすっと笑って、キートンを部屋の外まで引っぱっていこうとした。

「待てよ、鍵を取ってくる」

「締め出されたら、うちに泊まってけばいいさ」

「は、は、おもしろいこと言うね。そういうのやめろよな」

キートンは鍵をひっつかむと、チェイを追って部屋の外へ出た。

「また新しいルールか、ビット？　さわらない、キスしない、誘いもかけちゃいけない？」

「もうひとつ忘れてる。俺をビットと呼ばない」

「忘れてないが、そのルールはあんまり好きじゃないんでな。誘い禁止のルールもパスだ」

チェイは自分のバンのドアを開け、ボタンを押して助手席のロックを開けてから、中へ乗りこんだ。

本気か？　気に入らないルールは無視するのがチェイのやり方？　先が思いやられる。

キートンはバンに乗りこむと、チェイがエンジンをかけて車をバックで出す間にシートベルトを締めた。

「そんなんでいいのか。自分の気に入らないルールは却下？」

チェイの、色気のある唇が笑みを刻んだ。「まあ、意外と人生うまくいくもんなんだぜ。そりゃあ、ママから怒られてきた回数を勘定に入れたら話にならないが……」

キートンはつい微笑した。おもしろい男だ。あけっぴろげで、楽しげな雰囲気に惹かれそうになる。

「そうだ、ママの話で思い出したが——」

何をだ。

「——明日の夜の予定は？」

答えに気をつけないとまずい展開になりそうだと思いつつ、キートンはチェイに嘘をつきたくなかった。これから二人がどんな仲になるにせよ、お互いに正直でなければ何ひとつ始まらないだろう。実際ここまでは、遠慮なく本音で向きあえている。

「いつもと同じだよ。授業の予定を立てて、採点しなきゃならないテストがあれば点数をつけて、終わったら読書するかテレビを見るか。つまり、予定らしい予定はない。何で？」

答えを聞くのがちょっと怖い。

「明日の夜、家族と食事するんだ。一緒に来いよ。俺の親に会ってくれ」

キートンは心の中で溜息をついた。そうくるだろうと思っていたのだ。

「それ、いい考えかなあ？」

「俺はそう思う」

チェイがうなずき返す。キートンは鼻を鳴らした。

「勿論そうだろうさ。〝ハイ、ママ、ダッド。キートンを紹介するよ。俺はゲイじゃないけどこの男が俺のメイトなんだ。これからどうするかは何も考えてないけど、そこんとこだけはよろしく〝」

「お前の、何でも悲観的に見る癖はどうにかしないとな、ビット。半分入ったコップを見ても〝半分しかない〟って考えるたちだろ」

とチェイが笑った。

「友達として紹介するから。な？」

「え……っと。じゃあ、まあいい」

口は災いの元、とはよく言ったもの。一体どうしてうなずいてしまったのだろう？

4

翌日の夜、彼のバンに向かってアパートの階段を下りてくるキートンを見た瞬間、チェイの頭の中にぽんと浮かんだのは『俺のだ』という一言だった。次の瞬間に浮かんできたのはなんていい男だという感嘆——そんな自分にも、すでに動揺はない。

昨夜のどこかで、キートンが男であることへのこだわりはチェイの中から完全に消えた。一緒にすごしながらキートンのことを知り、そして子犬たち相手にめろめろになっているキートンを見た後では……もはやチェイは、一歩も引くつもりがなかった。キートンは彼のものだ。キートンもいずれ、その事実から逃げてはいられなくなる筈だ。

股間にあるモノは別として、キートンはチェイが伴侶《メイト》に求めるものをすべてそなえていた。チェイはこの年下の男が気に入っていたし、興味をそそられてもいる。まあメイト同士の肉体的な引力がないとは言わないが、それはチェイがキートンにこだわる一番の理由ではなくなっていた。

車に乗りこんでドアをしめたキートンの姿に、チェイは笑みを浮かべた。

カーキのパンツに青いポロシャツを着ているキートンは、実にいい匂いがした。チェイの欲望がその匂いに反応する。いや本当のところは、キートンにまた会うのだと思っただけでとうにばっちりと反応していたのだが。

チェイの興奮がキートンには嗅ぎとれるだろうし、本来なら多少きまり悪くなるべきかもしれないが、チェイは平気だった。彼らは、運命なのだ。どんな理由があるにせよ、チェイに与えられたのは男のメイトで、それはもう快く受け入れるしかない。一体誰が、大いなる力に対して文句をつけられるだろう？

彼は幸運だ。中には、伴侶《メイト》とめぐりあえない狼もいる。

「やあ、ビット。今日はどうだった？」

キートンは喉の奥で笑って、頭を振った。

「しょうがないな。こっちで何か、同じぐらい下らないニックネームを新しく考えるしかないんだろ？」

「何で？」

「まだ俺をビットって呼んでるじゃないか。あと、今日はいい一日だったよ、おかげさまで。そっちはどうだった？」

キートンはチェイを頭の上から爪先までじろっと眺め、シートベルトをつかんで装着した。チェイは視線をちらりと下げて、キートンのスラックスの前の盛り上がりを発見した。影響されているのが自分だけではないとわかって、どうしてか少し気が軽くなる。キートンが、今日はチェイをにらみつけてこないことにも、やたらと気をよくしていた。

「いい日だったよ。そっちは何だか楽しそうだな？」

キートンは肩をすくめる。

「家庭料理を楽しみにしてるからかな」

「へえ、俺の母さんのポテトサラダのことを考えると、モノが勃つのか？」

キートンの目がまるで漫画のようにまん丸になり、ふっくらとした唇がかすかに開いた。

次の瞬間、彼は勢いよく吹き出した。そして――目尻に笑いじわをよせ、空色の目をきらきらと輝かせて笑うその姿は、心底、かわいらしかった。

「ふふん、俺だけじゃないみたいだけど」と、チェイの膝のあたりへ視線を投げる。「どうやらものすっごくそそるポテトサラダみたいだね！」

チェイも笑った。いい感じだ。〝ストレート〟という点に文句たらたらでない時のキートンは、一緒にいて楽しい。

「おいおい――今夜の食卓にポテトサラダが出ないことを祈ろう。真面目な顔で食える気がしないよ」

キートンはうなずきながら、まだくすくす笑っていた。

「俺もだよ。ご両親に説明することを考えるとぞっとするね」笑いすぎの涙を目から拭う。「こんばんは、ミスターそしてミセス・ウィンストン、お招きにあずかって光栄です。いえ、このポテトサラダに何か変なところがあるわけじゃないんですが……おたくの息子さんがポテトサラダに発情してましてて」

「ポテトサラダにってわけじゃない、ビット」

キートンはまばたきして、目を大きくしたが、それから前より勢いよく笑い出した。

「そっちを説明する方がヤバいって！」

たしかに、まずい。両親に、キートンが何者なのか――チェイにとって――を説明することを想像しただけで、ほとんど悪夢のようだ。それなのに、どういうわけかチェイまで大笑いしていた。

やっとのことで、二人は何とか、チェイがギアを入れて車を出せるぐらいまでに笑いをおさめる。

「でもな、ビット。暴露するには悪い方法じゃないかもしれないぞ？　まだよかったか、って感じを狙えるかも。つまり、息子がポテトサラダに欲情する変態だってより、息子のメイトが男だったって方がマシだろ？」

「いいかもね」

キートンはそれから数秒、黙った。

「……まさか、言うつもりじゃないよね？」

たずねた声はかすかに揺れている。

チェイがちらっと投げた視線の先で、キートンは居心地悪そうに座り直した。

「いや。まだ言うつもりはない、落ちつけ。急ぐ気はないって言ったろ、約束は守る。お前がいいと決めるまで、誰にも言わないよ」

キートンを包む緊張が少しやわらいだようだった。

「別に俺も、好きでお預けくわせたいわけじゃないんだよ、チェイ。ただ……その……そっちは元々、別に男が好きだったわけじゃないだろ。それが今は、俺のことを好きなんだって言われても、ちょっと……な。信じにくいし、信じていいのかがわからないんだ。別にあんたが嘘をついてるってわけじゃなくて、でも……」

チェイには、キートンの言いたいことがよくわかった。チェイにとってもすぐに折り合いがついた問題ではない。

ただひとつ、それでも確かなことがある。キートンと一緒に寝るとか、恋に落ちることを考えても、まったく拒否感はないということだった。むしろ、逆だ。

「俺にも、どう説明していいのかはわからないんだがな。とにかくお前は俺のメイトだし、それがすべてだ。ほかのことはお互い、ひとつずつ解決していこう」

あらためて考えてみると、チェイは元々、ゲイセックスについて嫌悪感を覚えたこともない。いつも女性の方を好んだだけだ。だが――キートンとなら？　彼はメイトに求めるものをすべて持っている。すべて以上にちょっとばかり……持ちすぎだが。

その冗談に、チェイの唇が小さな笑みに引きつったが、こらえた。キートンに言っても、きっと一緒に笑ってはくれないだろう。

「小さい時、お前のことを夢に見てたよ」

「俺の？」

キートンの声が裏返った。チェイはうなずく。

「メイトが金髪で青い目をしてるだろうって、夢で見たんだ」思い出すように微笑した。「母さんは、そんなわけないって言ってたな。俺のメイトが白人のわけはないって。絶対に俺たちと同じような、アパッチ族か、母さんと同じラコタ族だと言って聞かなかった。でも俺にはわかってた。だからあの診察室に入っていってお前のプラチナの毛皮を見た時も、まったく驚かなかったよ」

「息をするように嘘をつく」とキートンが笑った。

「いいや、嘘じゃないよ。夢で見たんだ。太陽のような髪と、青空のような目……母さんにもよく話してた」

「それは信じるけど、そっちじゃない。俺だって、あんたのことを夢に見てたとは言えないけど、見た目は俺の好みど真ん中だしね。嘘だって言ったのは、驚かなかったっていうところさ。絶対にぎょっとしただろ。俺だったら、もし自分のメイトを助けてそれが女の子だってわかったら、仰天するね」

チェイはニッと笑った。

「ああ、まあな、確かにそこにはちょっと驚いた。女の人狼なんて聞いたことなかったし、存在するのかどうか必死に考えてたところだったよ。だがとにかく、金髪には驚かなかった」

「……俺だったら消えてたな」

「え？」

「つまり、俺のメイトが女の子だったらさ。俺なら姿を消してた。まあきっと、その場ですぐじゃなくて、彼女が大丈夫かどうかぐらいは確認しただろうけど。彼女にメイトだということは、絶対に言わなかったと思う」

チェイは眉をあげた。彼自身、そういう選択肢がよぎらないでもなかったが。今では、背を向けることなどできなかっただろうとわかっている。口ではそう言っても、実際にはキートンにも無理だろう。あまりにも強い引力が働いている。

「本当にそうしたと思うか？」

「ああ……そう、思うね」

「つまり、俺が女の子だったらすげなく蹴り出せたって言いたい？」

チェイはにやっとした。首を振って、キートンも笑う。

「信じられない？　女の子でなくとも俺はあんたを蹴り出そうとしてるのに？」

「そうきたか。とりあえず言っとくが、いくら蹴っても無駄だぞ。俺はあきらめない」

その返事に、キートンは沈黙していたが、少なくとも反論はしてこなかった。いいきざしだろう。そのうちチェイの気持ちが嘘ではないとわかってくれるのではないかと、希望が出てくる。

居留地に向かって車を走らせている間に、キートンがぽつぽつと質問をしてきた。歴史の博士号を持っていることを思えば当然だが、部族の歴史に興味津々の様子だった。

「じゃあ、門歯の形はシャベル型なんだよね？」

「はあ？」

チェイはまばたきした。部族の歴史の話から、どうして彼の歯の話に？

「歯だよ。門歯の後ろを舌先でさわってみて。シャベルみたいにカーブしてる？」

「門歯は知ってるが、質問の意味がわからん」

「先住民の特徴なんだ。だから聞いてる」

　チェイは舌で自分の門歯をさぐってみた。うむ、たしかに門歯の後ろがぐっとくぼんでいるが――みんなそうじゃないのか？

「ああ、シャベル型だ」

「やった！」

　キートンは嬉々として、今にも座席でとびはねそうだった。興奮した様子が、何ともいい。チェイは頭の中に書きとめた。キートンに歴史をプラスして混ぜると、興奮して幸せにはねるキートンが一匹できあがり。

　続けざまに、キートンは次々と質問をまくしたてた。アパッチの言葉はしゃべれる？　部族の踊りやセレモニーに加わったことは？　などなど、あれこれ。

　両親の家に到着する頃には、チェイはキートンに細かく切り刻まれて顕微鏡で観察されるのではないかという恐怖を覚えはじめていた。

　車がチェイの両親の家の前に停まると、キートンはまたぴたりと押し黙った。チェイはバンのエンジンを切り、キーをポケットにしまう。

「どうした、ビット？」

「……嫌われるかも、俺」

「大丈夫だよ。な、行こう」

言いながら、本当に大丈夫であるようにと内心で祈った。彼の母は、時によっては本当に人当たりがきついのだ。特に白人に対しては、大いに偏見を持っている。

運転席から降りると、チェイは習慣的に、車を回りこんでキートンのいる助手席側のドアへ手をのばした。眉をひそめたキートンが自分の手でドアを開ける。

「車のドアぐらい自分で開けられるよ、チェイ」

その後に「デートじゃあるまいし」とか「女の子じゃないし」と続くのを待って、チェイは小さく笑った。だがキートンは首を振っただけで、先に立って玄関までの道を歩き出す。チェイの意識はたちまち、目の前にある締まった腰に吸いよせられた。尻の形までいい。

しまった――股間がまたヤバい感じに。

キートンはポーチに足をかけながら、頭だけで振り向いた。

「チェイ?　行くよ?」

それはまだだが、これ以上誘惑されたら実際イキそうになる可能性も――。

「……ああ」

チェイは名残惜しげな視線を尻からはがして、ポーチの階段を小走りにのぼった。緊張をゆるめようと深く息をつき、家のドアを開ける。

「チェイ！」

父のジョー・ウィンストンがリクライニングチェアから立ち上がると、がしっとチェイを抱きしめ、背中をばんばん叩いた。つぶされそうな力にチェイは苦しい息をこぼしながら、何とか同じ仕種を返す。

「父さん、彼はキートン・レイノルズ」一歩下がり、手でキートンを紹介する。「ビット、うちの父さんだ」

キートンはチェイをキッとにらんでから、彼の父へ向き直った。握手の手をのばしながら、目を伏せて首を傾け、自分の首すじをあらわにして、狼の尊敬を示す。

「お会いできて光栄です、ミスター・ウィンストン」

父は大きく目を見開いた。

「いやはや、私の感覚がまちがってなければ、喉を見せるべきはこっちだな。君の方が強い狼だ。だがともかく、会えてこちらもうれしいよ。ジョーと呼んでくれ。君がこの間チェイが手当てした狼だな？」

チェイは眉をしかめた。どうして彼の父親は、キートンが自分より強いと感じるのだ？　彼は群れの副官《ベータ》であり、自身も非常に強い狼なのに。

ちょっと待て。父親にキートンの話を何もしていない――してない筈だ。

「何で手当てのことを知ってるんだ、父さん？」

父は眉をあげ、ほんのかすかに眉間にしわをよせた。

「フランクから聞いたんだ」

キートンへ視線を戻して、微笑を向ける。

「さて、キートン、出身はどこだね？」

「ジョージアです」

「しばらくはこの町にいるのかね？」

「ええと、多分。少なくとも今のところは。こっちで仕事もしてますし」

ジョーはキートンの背中をぽんぽんと叩き、カウチにつれていった。キートンを押して座らせると、自分も向かいに座る。

「君のことを聞かせてくれ。頭はどうだね？　銃弾の傷は深くなかったんだろ？」

ちらっと父から目を向けられて、チェイは首を振った。

一体何のつもりだろう？　父はたしかにいつも人あたりがいいが、チェイの友人に向かってこんなふうに根掘り葉掘り質問してきたことなどない。

「よし、よし。君はもう成人はしているか？　しているよな？」

キートンはまばたきした。チェイと同じくらい面くらっている様子だった。

「してます。二十五歳です」

「チェイより少し年下なだけだな。仕事はなんだね、キートン？　ああ、他人行儀な言葉遣いはいいから。何だかんだで、我々は家族なんだし」

「えっ!?」

チェイとキートンのどちらが大きな声を出したのか、チェイにはわからなかった。

チェイは咳払いをして、もう一度聞き返した。

「何だって？」

キートンはただ、目を丸くして凍りついている。

父親は満面の笑みでチェイを見た。

「キートンはうちの群れに入るんだろう？　ちがうか？　ここに滞在すると言っただろ」キートンへ視線を戻す。「だろ？」

キートンはうなずいて、かすかに肩から力を抜いた。

「そうです、ミスター――ええと、ジョー」

まちがいない、親父は何か腹に一物持っている。だが、それが何なのかはチェイにはさっぱりだった。キートンが彼のメイトだ、なんてことはいくら何でも知るわけがないだろうに。

チェイはキートンの横に腰を下ろすと、父親の様子をじっくり眺めた。

しばらく三人で座ったまま、キートンが自分に関する質問に色々と答えていたが、やがてチェイの母がキッチンから頭をのぞかせた。

「チェイ？　あなたの新しいお友達って――あら」

彼女の強い視線がキートンに吸いよせられてから、チェイの方へ鋭くとんだ。

チェイはギリギリのところで溜息を呑みこんだ。——たのむから、母さん、何も言わないでくれ……たのむ。

キートンは立ち上がり、右手を差し出した。

「ミセス・ウィンストン、お会いできて光栄です。俺が、その新しいお友達のキートンです」

レナ・ウィンストンは身を固くしたが、とにかくその手を握り返しはした。

「ええ、いらっしゃい、キートン。でも私が想像していた子とはちょっとちがうわね」

キートンが笑いをこめてたずねた。

「思ったより背が低かったとか？」

「思ったより白いわ」

「母さん！」チェイはとびあがるように立つ。

「レナ！」父親も同時だった。

「夕食の準備ができたわよ」

レナはくるりと背を向けると、キッチンにさっさと姿を消した。

チェイは、キートンの肩に手を置いた。

「悪い、ビット。母さんはちょっと……その、何と言うか——」

父親がチェイの肩を叩いてから、キートンの肩も叩く。

「チェイが言おうとしてるのは、妻は人を肌の色で判断してしまうところがあるということなんだ。気にしないでくれ。君ならいつでもこの家に歓迎だよ。妻もそのうち態度をあらためるさ。それじゃ……食べようか」

そう言うと父はのんびりとキッチンへ向かい、チェイとキートンの二人が残された。

キートンが、薄茶色の眉毛を上げてみせた。「警告しといてくれてもよかったんじゃない？」

「すまない。あそこまではっきり言うとは思わなかったんだ。俺の友達でも、レミには大体平気だったんだが」

「その友達は白人？」

「ハーフだ。それに、そうだな……あいつは根拠にはならないか。ぱっと見、アパッチだからな」

「おいで、子供たち！　ブリスケットがさめるぞ！」

家中にジョーの呼び声が響き渡った。

キートンがにこっと笑う。

「いいお父さんだね」

チェイはうなずいた。

「ああ、いい親父だ。さて、全部食い尽くされる前に、俺たちも食いにいくとするか」

チェイの母親はよそよそしい態度を取りつづけたが、それでもディナーはうまくいった。キートンもリラックスして、楽しんでいる様子だった。その気になれば本当に魅力的にふるまえるのだ。

ディナーの最中ずっと、チェイはキートンをぼうっと見つめてははっと我に返っていた。自分ではどうにもならない。まるで炎が蛾を惹きつけるように、キートンはチェイを惹きつける。

あのウェーブした金髪の間に指をくぐらせるのがとても待ちきれなかったし、狼の時の毛皮と同じように髪がやわらかな手ざわりなのかどうか知りたくてたまらなかった。それに、あの目——何という目だろう。キートンが笑うたびに、その目が輝く。それに、あのえくぼ——えくぼがあったのだ、チェイは今夜まで気がつかなかった。勿論、それはキートンが笑うところをほとんど見たことがなかったから、かもしれない。

「ほんとにいい家族だね、チェイ」

助手席に座るキートンをちらりと見やって、チェイの視線は天使のような横顔に吸いよせられる。

「気に入ったか？　うちの親もお前のことが気に入ったみたいだったな。少なくとも、親父の方は。まあ、母さんも……そのうち、お前を好きになるよ」

だといいのだが。

「そうかな？　でもなあ。俺の方もあんまりいい印象を与えられなかったと思うんだよね、ほら、ポテトサラダはいかがって聞かれて、面と向かって爆笑しちゃったし」

二人は短く笑いあった。

「確かに印象悪いかもな。でもそのうち母さんも、お前がちょっと白っぽいことぐらい、大目に見るようになるさ」

キートンはくすっと笑いをこぼした。

「かもね。まあでも、俺たちがメイトだってバレたら、色のことより俺の股にあるモノの方がでっかい問題になっちゃうかもよ」

その点については、チェイも反論できなかった。

キートンのアパートの駐車場に入り、建物に向かって車を走らせた。キートンの車の横に駐車する。

「今日はありがとう、チェイ。楽しかった」

「俺もだ。俺も楽しかったよ、ビット」

キートンが助手席のドアに手をのばしたが、チェイは彼の腕をつかんでぐいと引き戻した。抵抗されるより早く、一晩中したくてたまらなかったことを実行に移す。

キートンの後頭部を手のひらでつつむように、淡い金髪の房に指をすべりこませると、チェイは勢いのままにキートンの唇を奪った。

思った通り――キートンの髪は、狼の時の毛皮と同じようにやわらかだ。

キートンはほんの刹那ためらったが、すぐにその体から力が抜け、チェイの舌の侵入を許した。その隙をわずかも逃さず、チェイはキートンの口の中に舌を差し入れ、ふれあって、むさぼるように味わう。たまらない。キートンの唇はまるで酔いをもたらすような味がして、しかもキスが上手だ。

キートンも受け身になってばかりではない。まったく負けずに唇でチェイのキスをむさぼって、しまいにはチェイの下唇を吸った。

チェイの股間はすっかり張りつめて、石より固いほどだ。こんなに一瞬にして欲情したことなど、かつて覚えがない。十代のころならともかく、最近はまったく。

ここで踏みとどまらなかったら、引きたくても引けなくなる。それが悪いわけではない――ないが、彼は約束したのだ。

身を引き戻し、チェイは呼吸を求めてあえいだ。

キートンはチェイの肩に額をのせ、同じように荒い息をついている。

チェイは最後の誘惑に負けて、キートンの髪に指をすべらせた。

「悪かったビット。ちょっと、夢中になっちまって」

キートンがこくんとうなずいた。

「うん、これ、その、これは、あの……俺たちはこんなこと……しちゃ、駄目だよ」

チェイは微笑した。しどろもどろのキートンは本当にかわいらしかった。強引に出てさらに困らせてやりたいと思ったが、次のキスは許されないだろうともわかっていたので、頬を優しくなでるだけにとどめた。

キートンがチェイの手のひらに一瞬よりかかる。それから彼は、車から降りていった。

チェイは車の窓を下げる。

「明日の夜は、ポーカーだ」

向こうを向きかけていたところで、キートンがとまった。

「は？」

チェイはにやっとしながら、ギアをバックに入れて車を後退させる。

「六時ぐらいに迎えに来るよ。まず夕飯を食って、それから一緒にポーカーゲームに行こう」

チェイが閉めるウィンドウの向こうでキートンは首を振っていた。

ノー、なんて言わせると思うなよ。

「六時だからな、待ってろよ」

猛烈な勢いでパーキングから逃げ出しながら、チェイは満面の笑みを浮かべていた。そのうちキートンもうまくかわすようになるだろうから、今のうちに楽しんでおくとしよう。

5

ドアをノックする音に、キートンは微笑し、それからしかめっ面になった。

チェイが来るたびに嬉しがったりするんじゃないと、自分に言い聞かせていたのに。だがいくらそう思っても、チェイが毎回現れるたび、それは小さな勝利のように感じられた。しかもチェイは約束に忠実で、来ると言った時は必ず姿を見せる。

ジョナサンは言葉通り現れたことなどなかった——いや、やめよう。チェイがジョナサンよりはるかに誠実な男なのはすでに証明済みだ。キートンはチェイにチャンスを与えると言ったのだし、どんなチャンスであれ、いちいち元彼と比べるのはフェアではない。

またノックがきた。

「ビット、いるのは知ってるぞ」

「今行くよ」

キートンはこみあげてくる小さな嬉しさを押し殺しながらドアへ向かった。チェイの意固地さが、彼は好きだった。その頑固さのおかげで、もしかしたら望みがあるかもしれないとさえ思えてくる。もしかしたら、チェイはずっとそばにいてくれるかもしれないと。

キートンは自分に首を振った。昨日今日生まれたてってわけじゃあるまいし、彼はそんな世間知らずではない。この先が長いのだ。今でこそチェイはキートンのことが好きだが、ひとたび友人や家族から白い目を向けられるようになったら、手のひらを返さない保証などどこにもない。

ドアを開けた瞬間、ほとんどチェイが押し倒さんばかりに入ってきた。

「やあ、ビット」

チェイは微笑してキートンの首すじをつかむや、引き寄せてキスをした。

全身の力が溶けて、キートンはチェイと舌を絡め合わせる。すぐに理性が目を覚ましたが、不幸なことに彼の股間も目覚めていた。ものの数秒も立たない内にキリッと勃ち上がっている。キートンは少し息を切らしながらチェイを押し離した。

顔を上げると、チェイの目はすっかり狼の目に変化していた。

「チェイ」

「うん？」

チェイの手はキートンの頬をなでながら、その目はキートンの唇を見つめたままだ。

「お前の口はほんとにかわいいな、ビット……」

キートンの欲望がぴくりとする。まったく、こんな男をいつまで拒んでいられることか。目の変化や勃起をごまかすことはできない以上、チェイは本心からキートンを求めているのだ。

そして、キートンのフェロモン過剰な体もそれに共鳴しつつあった。チェイが再びキスにかがみこんだ時には、キートンの視界もぼやけ出していた。

うなって後ろへ下がり、キートンは何回かまばたきして自制を取り戻そうとした。こんなふうに、強い力で相手に引きこまれそうになったのは初めてだ。

「チェイ、あのさ、夕飯食いに行くんじゃなかったのか？」

チェイもまばたきして一歩下がったが、表情はまだ酔ったようだった。

「ああそうか、そうだな。食いに行かなきゃな。ポーカーの最中はいつも皆座って飲んでるだけだからな。だから……ゲームに出かける前に、腹に何か入れていった方がいいよな」

キートンが部屋を出られるように横によける。ドアを閉めた後も、チェイは鍵がかかっているかどうかまた確かめた。

「俺は飲まないよ。言ったよね？」

「一滴も？」

キートンは首を振った。

「全然。飲むと馬鹿みたいなことするから」

チェイはにやっとして、キートンのためにバンの助手席側のドアを開けた。

「どんなことをするんだ？」

　ドアを開けられたキートンは目だけで天を仰いだが、文句はつけなかった。チェイがいちいち彼のためにドアを開けるのを馬鹿馬鹿しいと思いつつ、何だか悪くない感じもあって、反論もせず流されている。

「けらけら笑い出すんだ。あとほら、酔った時に何かふらつく感じ、わかるだろ？　あれで、どうも落っこちるんじゃないかという気がして、這ったりする」

「這う？」

　チェイは助手席側のドアを閉めると、小走りに逆側に回って運転席に乗りこんだ。

「それは地面を、手足を付いてってことか？」

「そう。手足を付く以外に這う方法ってあんの？」

「いや、ないが、お前が四つんばいで、かわいい尻を持ち上げて這い回ってるのを想像すると、ちょっと――」

　キートンは唾を呑みこんだ。チェイはキートンの尻を気に入っているのだろうか？　もし――もし、彼がやってみせようと言い出したなら、チェイは一体どうするか――いや。駄目だ。ゆっくりと、一歩ずつ。そう決めた筈だ。

「ええと、チェイ？」

「ん？」

「その話は……よそう」

「ああ、いい考えだ、悪かった。ちょっと抑えないとな。連中も、俺がポーカーゲームに前勃てできたところでありがたくもないだろうし」

まったくだ、そんなのはキートンも御免だった。だが彼自身も欲情してないと言えば嘘になる。一体今夜はどうなってしまうのだろう？　ポーカーゲーム、それも何人ものストレートの男友達にまじって。素晴らしきかな。

「やめといた方がよかったかな……」

「いや、そんなことはない。どうせ俺の友達にはそのうち会わなきゃならないんだし」

「チェイ、俺は人付き合いが下手なんだ。他人とうまくやっていけないんだよ」

「俺の両親とはうまくやってたぞ」

「だけどあの人たちはずっと年上だろ。お母さんの方とはうまくいったとは言えないし。とにかく、年上は大丈夫なんだよ。でも同じ年代の相手となると……俺は、おもしろくないヤツだから。家で本を読んだり、南北戦争の戦略ドキュメンタリーを見てる方が好きなんだ。雰囲気をぶち壊す」

チェイがくすっと笑った。

「それは、今日のドキュメンタリー番組を見そびれるのは嫌だっていう文句か？」

「いや、あれは録画予約してきた」

「うまくいくよ、ビット。それに、救いになるかどうかはわからんが、お前といると俺の雰囲気はいつもいいぞ」

キートンは鼻を鳴らした。

「まあね、でもあんたは変わってるだろ。狼だっていうのに俺のこと怖がりもしないし」

「どういう意味だ？」

チェイが眉をひそめ、キートンに視線を投げた。

「チェイ、狼はみんな、俺を避けて通る。お父さんが何て言ったか聞いただろ？」

チェイは肩をすくめる。

「お前の方が強いって言ってたな」

まさに。だがそれを口にするほどの狼も、珍しいのだ。ほとんどの狼はキートンの強さを嗅ぎとって、彼をただ避ける。チェイはまさに例外だった。

「今夜集まるのは、群れの仲間？」

「いや。一人だけ、ボビーがそうだ。残りは人狼の存在なんて夢にも信じてない」

キートンは息をついた。それがいいことなのか悪いことなのか、彼には判断が付きかねた。

少なくとも狼だったら、彼に喧嘩をふっかけてくる心配はないのだが。

夕食の後、ビールの六缶パックをいくつかと、キートン用のミネラルウォーターを買いこみ、二人はそのままチェイの友達の家へと向かった。

ざっと全員で紹介しあってから、皆で座ってポーカーを始める。

集まったのは、二人を含めて全部で五人。ほかの面子の中ではボビーが唯一の人狼で、サイモンがこの家の持ち主、それとレミ。

レミは、控えめに言っても、実に目を引く男だった。肩までの黒髪と頬骨の高い顔立ち、見事な薄褐色の肌。その姿からアパッチにも見えたが、だがキートンがこれまで見たこともないような鮮やかな緑色の瞳を持っていた。まるでエメラルドのようだ。しかも、その体つきときたら……。チェイと同じぐらいの背丈と体格をしている。素晴らしい。実際、後ろからならチェイにそっくりに見えないこともないだろう。

だが残念なことに、レミはこれまでキートンが出会った中でも一、二を争うほど嫌な奴でもあった。

それは、テキサスホールデムのルールでポーカーをしながら、皆でスポーツ談義をしている最中だった。レミはカードの上に自分のチップを放り出してこのラウンドから抜けると、椅子の背によりかかった。その視線はまっすぐキートンに据えられている。

「なあキートン、教え子の女子大生とデートしたことくらいあるんだろ?」

いつか来るだろうと思っていた——もっともこれほど真正面からとは考えていなかったが。

回りくどい質問でキートンの性的指向についてつっついてみたり、ボロを出すように仕向けたりしてくるだろうと思っていたのだ。レミは今夜、ずっとキートンを標的にしていて、隙あらばねちねちと嫌みを投げつけていた。

キートンはちらりとチェイを見た。

チェイは肩をすくめ、手持ちのカードに視線を戻す。

「いいや、デートしたこともないし、するつもりもないね。教師が生徒とデートするのは倫理的にまずいだろ。クビにされても文句が言えない」

レミは鼻で嘲笑した。

「へええ、そうかい。でもちらっと考えたことぐらいあるだろ？　何たって女子大生だ」

キートンはぐるっと目を回した。

「いや。自分の仕事が好きなんでね」

「違うだろ、ホモだからだろ」

「レミ！」

チェイとボビーとサイモンが同時に怒鳴った。

キートンは微笑した。チェイの招待を受けた時から、こんな事態がくるだろうと彼にはわかっていた。別にキートンがオネエっぽく見えるとか振る舞っているというわけではないが、彼の小柄な体格と童顔を見ると、マッチョでストレートの男はいつも〝ゲイ〟という言葉を思い浮かべるらしい。この場合、それは事実で——そう、事実なのだ。どうこう言っても仕方ない。

キートンは積極的に肯定してやるつもりだったが、彼が口を開く前にテーブルがガタンと揺れた。

レミがぱっととび上がって、チェイをにらみつける。

「何しやがる！　てめえどういうつもりだ？」

チェイも立ち上がり、彼をにらみ返した。

「いい加減にしろ。ずっとキートンにぐだぐだ絡んでるだろ。最初はキートンが飲まないからって女の子呼ばわり、今度はこれ……ちょっとは行儀よくしろ！」

サイモンが自分のカードをテーブルに投げ出すと、うんざりと二人を眺めた。

「やめとけよ、チェイ。こいつは小学校の時からこんなんだよ」それからサイモンはキートンを見やる。「悪いな。レミは無視していいから。あんたにだけってわけじゃなくて、誰にだってこの調子だよ」

ボビーがキートンへ申し訳なさそうな視線をとばし、咳払いをした。

「ええと……チェイ？　レミ？」

「ああ⁉」

二人がそろって言い返した。どちらもわずかも引こうとしない。お互いをにらんで、視線でねじ伏せようとしていた。

「ポーカー、やるのか、やらないのか?」

ボビーがたずねる。

チェイが溜息をついた。

「……やるよ」

「おいおい、俺はちゃんと参加してたんだぜ。チェイが蹴りを入れてくるまではな」

そう言いながらレミも座った。キートンをぎろっとにらんでから、ビールをあおる。

その後、三勝負くらいはおだやかにすぎた。それからまたレミの当てこすりが始まる。一ドルの参加金《アンティ》を置き、彼はチェイとキートンを交互に見た。

「一体どこでチェイと会ったんだ?」

キートンはチェイを見てから、レミに視線を戻した。

「チェイのクリニックで。怪我をして、その、怪我をした犬を診てもらったんだ」

ボビーが椅子の上でもぞもぞした。

「ああ、君だったのか。あのオー——犬は。いや、つまり、犬をつれてきたのは? 兄貴があの晩言ってたよ。猟区管理人から聞いてきたんだ。誰かが犬を撃って、チェイが手当てしたって。助かってよかった。しっかり捜査してもらわないと、犬を撃った奴にそのへんをうろうろされるのは嫌だからね」

キートンはうなずいた。最初はチェイの父のジョー・ウィンストン、そしてこのボビー。この群れも、キートンが元いた群れと同じように噂好きの連中らしい。

「そう、それが俺だよ」

「ジャスミンにもう会ったか？」と笑みを浮かべたレミが口をはさんだ。

キートンは眉を上げる。

「ジャスミン？」

チェイが咳払いをして何か言おうと口を開いたが、レミが先にさえぎった。

「チェイの彼女だよ」

何だって？

キートンは無反応を装おうとしたが、どのくらいうまくいったのかわからなかった。まるで腹にパンチでもくらったかのように、充分な息が肺に入っていかない。ショックで人は気絶できるものだろうか？　チェイの方は見なかった。見ることができなかった。

頭を振って、彼はレミに笑顔を向ける。

「いや、まだ。でもチェイが紹介してくれたら、そのうちカップル同士でダブルデートなんかできるかもね」

確かに嫌みったらしい。だが、チェイに対してこの瞬間、いい気持ちは持てなかった。彼女がいるなら話しておいてもよかっただろう。

「いいや、ダブルデートなんかできないよ。大体、ジャスミンは俺の彼女じゃない。きっかり二回、遊びに行っただけの相手だ。つきあってるわけでも何でもない」

「でもあいつとヤっただろ」

と、レミは白い歯を見せつけるように大きく笑って、チェイとキートンをちらちら見比べた。

何てこった。キートンは腹の底から気持ちが悪くなってきた。勿論、現実的に言って、チェイが童貞でないのはわかっている。相手が女性だろうということも。だがわかっているのに何故、いざ聞くと心が痛むのだろう。チェイは彼のものでも何でもないのだ――本当に。

キートンが診察台にのっけられる前、チェイには、もしかしたら誰か本気の相手がいたのだろうか？

チェイは椅子の背もたれにもたれかかってビールを飲み、まるで何でもないことのように振舞おうとしていた。そうは言っても、キートンのところまでチェイの動揺の匂いが漂って、それがまた気持ちを逆なでする。

「一度でも寝た女とはつきあってることになるってのか？」

チェイの反論に、レミは肩をすくめた。

「わかったよ、一本取られた」

そう言いながら手札を取り上げてもう一度眺めたが、カードの上からキートンを透かし見たレミの目は楽しげに光っていた。

　一体何が気に入らないのかはわからないが、とにかくレミはキートンに狙いを定めていた。それ自体はまあいい、キートンはそれほど気にしなかった。だがそのうち、レミはチェイと昔の思い出話を始め――勿論、レミが仕掛けたのだ――二人がキートンなどまったくかなわない古くからの親友同士なのだとひけらかしはじめた。

　帰る時間になった頃には、キートンの気持ちはすっかり沈みこんでいた。それに拍車をかけるように、帰りの車内は沈黙に満ちていた。いい雰囲気ではない。

　レミが、彼を動揺させるためにわざと嫌がらせしてきたのはわかっていたが、それでも効いた。そしてレミのおかげで、始めからわかっていた筈のことがあらためてはっきりした。キートンとチェイでは、住む世界が違う。

　チェイの両親に会ってから、どうしてか、キートンはこのままうまく物事が転がって、いつかチェイがゲイとストレートの〝壁〟まで乗り越えてきてくれるのではないかと都合のいい夢を見はじめていた。

　何重にも馬鹿げた話だ。第一に、キートンはチェイが好きだ――チェイはいい奴だ。その彼が、キートンのために人生を台無しにするのをこのまま見過ごしていいわけがない。第二に、チェイの性格からすると、友達や家族の輪から締め出されたらつらい思いをするだろう。キートンとは異なり、チェイは社交的で、人づきあいが好きなのだ。第三に――いやもう、三つ目がなんだろうと関係ない。第一の理由と第二の理由だけでキートンの目を覚まさせるには充分すぎた。

「ビット、ごめんな。一体レミがどうしたのかわからないが、いつもはああまで……ムカつく奴じゃないんだ」

キートンは溜息をこぼした。まったく。チェイに呼びかけられるこのあだ名が、きっと恋しくなることだろう。どうかしてる、深みにはまりすぎた。

「気にしないでいいよ、チェイ」

バンがキートンの車の横につけた。「明日の夜は、どこかで食う物を買ってこないか。一緒に、お前が録画したドキュメンタリー番組を見よう」

キートンは目をとじ、車のウィンドウに額を押し当てた。ここでデートに同意しておいて、明日チェイが来た時にすっぽかしを食わせるのが一番楽だろうが、そんな卑怯な手段は取りたくなかった。

「断る、チェイ。もう会わない方がいい」

そう言って、チェイへ顔を向けた。

「俺たちはうまくいくわけがないんだよ。チェイ。あきらめてお互いの道を行こう」

「何？　そんなの無茶苦茶だ、ビット。俺の友達は確かに大馬鹿野郎だが、それだけで俺と縁を切ったりはできないぞ」

どうして、こんなにも難しいのだろう。予想すべきだったかもしれない——キートンの運命のメイトが誰であれ、とにかく彼に負けないほど頑固な相手が選ばれてくるだろうと。

もっとも、予想と言うならまず第一に、ゲイの相手を予想しただろうが。

「チェイ。もう決めたことだ、何を言っても変わらないよ。もう会いたくない。さよなら」

車を降りたキートンは振り向かなかった。自分の決心が揺らぎ出す前に部屋まで歩ききると、彼は、閉めたドアによりかかった。

これで正しかったのだと、そう信じたい。そうでなければあまりにも、この痛みは強すぎた。チェイのことなどほとんど知らない筈なのに、二度と会えないと思うだけで、ナイフで切りつけられたように痛む。

ドアにもたれたままずるずる座りこむと、キートンはかかえた膝に額をのせた。一体何だって、彼のろくでもない人生の中では、あらゆるものがこうもややこしくなきゃならないのか。何でチェイがゲイじゃなかった？　どうして、数日しかたっていないのに、チェイのことがこんなに気にかかる——。

胸が痛んだ。ひどく。鼻がつまって息がうまくできないし、目の前がぼやけてくる。馬鹿馬鹿しい。

何でだ。

本当に、泣くなんて。

＊　＊　＊　＊

チェイは呆然としたまま、五分ほどただそこに座っていたが、やがて怒りがこみ上げてきた。

キートンがご機嫌を損ねるたびに、毎回それにつき合ってはいられない。あいつには、さっさとわからせないと！

チェイは車から降りると、ずかずかと階段をのぼってキートンの部屋に向かった。ノックは必要ない。キートンには彼の足音も、そして匂いも届いている筈だ。

「キートン、ドアを開けるんだ！」

カチッと解錠の音がして、ドアが勢いよく開く。隙間からキートンのしかめっ面がのぞいた。

「何でまだいんの」

その目は赤くはないだろうか？　これは涙の匂いだろうか？

チェイはキートンを押しのけて部屋に上がりこんだ。

「何でかって、俺のメイトが癇癪を起こしてるからだよ」

「はァ!?」

キートンはくるりとチェイに向き直って、しめたドアによりかかった。

「痼癪なんかじゃない！　くっそ、チェイ、お前の頭の固いことったら……もうわかれよ。お前は、俺のことなんか本当は好きじゃないんだって」

「は？　お前こそ、俺のこと何もわかってないだろう。なあドクター・レイノルズ、たしかにお前は大した秀才でいらっしゃるかもしれないが、すべてをご存知ってわけじゃない。お前の固い頭にこそそいつをよっく叩きこんでおくことだな」

チェイは美しいプラチナブロンドに指をくぐらせて、ぐいとキートンの顔を引きよせた。いささか乱暴すぎたが、いい気味だという気もする。それほど腹が立っていた。

唇をぶつけるように、キートンにキスをする。舌をねじこみ、口を征服しにかかる。これでキートンにもよくわかる筈だ。

驚いたことに、キートンはキスを返してきた。彼はチェイの上腕に指をくいこませ、あのかわいらしい、チェイの欲望を一気に燃え立たせる呻き声を立てる。なんという甘い声。

キスをとめて、チェイは彼のメイトを見下ろした。キートンはやはり泣いていたのだ。その頬に涙の跡があった。チェイは少しだけ、髪をつかむ手をゆるめてやる。

なんと言えば、信じてもらえるのだろう？

結局のところ、チェイはまっすぐ、本音を言った。

「俺はな、四歳の時からメイトが欲しかった。俺はずっとお前を探してきたんだよ。お前こそ、俺が待っていた相手だ。最初は確信が持てなかったが、もう、間違いない」

キートンのあどけない顔を撫で、手で頬を包む。

「お前の夢を見ていたよ。この顔も――」身を傾け、なでていた頬にキスをする。「このそばかすも――」キートンの鼻先をチェイの唇がかすめる。「この青い、きれいな目も。かわいい金髪も。夢で見たのは、お前だったんだ。お前こそ最高のメイトだよ」

キートンがまた小さく呻いて、チェイの首に両腕を回した。

チェイがうなる。欲望が煽られている。ジーンズの前が痛いほど張りつめて、動きにくいことこの上ない。

キートンの下唇を少しなぶってから、もう一度唇を重ねた。今度のキスは甘く、やわらかで、探り合い、相手を慈しむキスだった――罰するためではなく。キートンの口腔を余さず探り抜き、それから舌をとらえる。キートンがチェイに何もかもゆだねてくれる、それがかわいくてたまらない。

また涙の匂いがして、チェイは体を離すとキートンを見下ろした。キートンの両目が涙で潤んでいる。チェイはまばたきしたが、今や、その視界は色を失ったモノクロームの世界だった。彼の目が変化《シフト》しているのだ。狼に。

「……俺のことなんか欲しくないくせに」

キートンは首を振って呟いた。

「それに俺だって、お前のことなんか欲しくない。もう帰れよ、チェイ」

そう言ってチェイを押しやろうとする。だがその口調は弱々しかった。

まったく、強情な男だ。キートンの、体も心もチェイに惹かれているのは明らかなのに、意地を張り続けている。物事をとことんまで分析しようとして。

チェイは微笑した。まさにキートンは完璧だった。とんでもなく、非の打ち所もなく完璧。頑固で、綺麗で、愉快で、頭が回って……チェイが求めるものすべてが彼の中にあった。

「俺が欲しくないなら、どうしてこんなに欲情してる？」

チェイはキートンのジーンズごしに固いそれをつかみ、自分の言葉を証明してみせる。どちらがより大きく呻いたかはわからない。キートンはすっかり固くなっていて——しかも、そこは小さい《リトル・ビット》なんてものじゃなかった。チェイはきつく握ってから、擦り上げる。

キートンは目をとじ、チェイの愛撫に腰を押しつけた。

「こんなのはフェロモンのせいだよ。くそっ、お前のフェロモンなんか大っ嫌いだ」

チェイはくすっと笑って、キートンによりかかり、その小柄な体をドアに押しつけた。

「ああ。俺のフェロモンもお前が嫌いだってさ」

そう言いながらキートンの首筋に頬ずりし、唇を這わせ、舌でなめ上げる。

キートンはチェイに頬ずりを返し、またあの小さな呻き声をこぼした。チェイはキートンのジーンズの前をもつれる指で開けにかかる。どうしてもその下にある、熱いペニスをじかにさわりたい。

ジーンズを開くと、キートンの腰までずり下げる。キートンははっと喘ぎ、腰を引いて、まばたきしながらチェイを見上げた。

チェイも少し体を引き、今あらわにしたばかりの立派なそれを見下ろした。思わず呻きがこぼれる。チェイ自身、平均以上だという自信はあるが……キートンのものは、当人の小柄さに似合わぬ堂々たる大きさだった。喜ぶべきことかどうか、悩むところだ。

だがとにかく、眺めて楽しいものではあった。これまで男のペニスに審美的な価値を感じたことなどなかったが、キートンのそれは美しい。しっかりと太く、長く、赤らんだ色がなまめかしく、下腹部へ向かってかすかにカーブしている。毛の色は髪と同じ、きれいなプラチナだった。

チェイはそれを愛しげに手の中に包み、軽く上下にしごいてから、ぐっと力をこめた。チェイ自身のものも狭いジーンズの内側でさらに頭をもたげようとする。

何も、さわるのは初めてではない。大学時代にルームメイトと擦り合ったことぐらいはあるが、その時とは比べ物にならない興奮だった。

キートンのそれがチェイの手の中でビクビクと震え、先走りがにじんでくる。

自分のせいでキートンがこんなに昂ぶっている、そのことがなおチェイを欲情させる。ただでさえキートンがいるだけで昂ぶるのだが、キートンのすべてがチェイを惹きつける。

キートンが身をよじる。その目は見開かれ、青い虹彩が広がって、ほとんど白目の部分がない。狼の目だった。

「チェイ……?」

チェイは愛撫の手をとめなかった。始めはゆっくり、やわらかに、段々と早く動かして、キートンが腰を突き出す動きに合わせてやる。キートンの口に唇をかぶせ、舌を深く侵入させながら、手と同じリズムで口腔を犯した。チェイの犬歯がのびて歯茎がうずうずする。自分もひどく切羽詰まっていたが、どうこうする余裕もなくキートンへの愛撫を続けた。

これでいい――まさにチェイの思い通りに、キートンは身をよじり、喘ぎと呻きをこぼしている。その姿が何よりもチェイを興奮させる。これほど欲情したのがいつのことか……いや、人生初めてのことだ。誰が相手でも、牙や目の抑制を失うほど我を忘れたことなどなかった。

チェイはキートンの腰骨あたりに体を押しつけ、固い感触に腰を擦りつけながら、なおもキートンのものをしごき続けた。

キートンは、もうギリギリの状態だった。情熱的に体を揺すりながら、鼓動が激しくなり、声も大きくなる。ついに、彼は少し体を引いた。その目がくいいるようにチェイを見つめる。

ドアに押し付けられた背をしならせ、深く生々しい呻きを上げて、キートンは達した。

チェイの手のひらから手首にかけて熱いものがほとばしり、精液のとがった匂いがたちこめる。キートンがドアにもたれたままずるずるとしゃがみこみ、荒い息をついた。

チェイは下唇を噛む。彼のものも、信じられないほど張りつめている。床でぐったり脱力したキートンの姿と来たら、ジーンズの前は開けっ放しでペニスがあらわになり、精液がまだ絡みついていて……その滴が、ジーンズやシャツのふちに垂れている。淫らとしか言いようがなかった。

チェイはドアに額をもたせかける。限界は近かったが、汚れてごわつくジーンズで帰りの車を運転するのは気がすすまない。深呼吸して目をとじると、額に当たるドアの冷たさに意識を集中させようとした。

そのまま、どれだけ時間がたったのかわからない。だが、カサゴソと服の擦れる音がして、それからキートンの指がチェイのジーンズのジッパーにかかった。

「ビット、何を――」

ぐいと、キートンの一動作でジーンズとボクサーパンツが膝まで引きずり下ろされる。次の瞬間、チェイのペニスは濡れた熱に包まれた。

「うわっ」

キートンに尻をぐっとつかまれ、腰を動かせとうながされる。キートンの唇がチェイのものを半分までくわえこみ、だがそれ以上は与えずに、頭を引いた。

強烈な快感だった。このままいくと、チェイの人生最短の口淫《ブロウジョブ》になるのは明らかだ。

チェイが見下ろすと、キートンのあどけない顔が丁度見上げたところで、チェイのものを吸い上げた頬がへこむ。大きな、空色の瞳がチェイを見つめていた。

次の瞬間、キートンは最高の行為に出た。チェイのものを、一インチも残さず、すべて口腔に呑みこんだのだ。その、そばかすの残るかわいい鼻先がペニスの上の濃い茂みにうずもれるのを見た瞬間、チェイの抑制が砕け散った。

陰嚢がきつく張りつめ、キートンの口の中でペニスがドクンと震えて、ついに達する。さらに、そしてさらに絶頂は波のように押し寄せた。

「キートン――――！」

キートンはすべての滴を飲み下した上、チェイのペニスがぐったりとうなだれるまで口に含んだままでいてくれた。何て素晴らしい男だ、とチェイはしみじみする。

チェイもしゃがみこみ、結局二人は、床の上で体をよせあった。チェイは腕の中にキートンを引き寄せ、きつく抱きしめて、うなじにキスをする。

「……えーと……つまりこれは、あきらめるつもりはない、ってことかな？」

キートンがそう呟きながら、チェイにもたれかかった。

「ないね。お前も、俺に慣れることだな。お前のそばから離れるつもりはないからな」

「大変だよ。チェイはきっと、いつか俺のことを嫌いになる」

「大変でも、それだけの価値はあるさ」

チェイはまた自分のメイトのうなじにキスをして、ぎゅっと抱きしめた。

「それに、お前のこと嫌ったりなんか絶対しないよ、ビット。忘れたか、俺のフェロモンはお前に夢中なんだぜ?」

6

ズボンの裾をグイグイとしつこく引っぱられ、キートンはやむなく本を閉じた。どうせ、もうすぐチェイが来る時間だ。

メガネをきちんと押し上げ、キートンはテーブルから立って、チェイのくれた最新の〝プレゼント〟を見下ろした。つぶらな金色の瞳でじっと見上げられると、笑みがこぼれてしまう。

つい昨日、仕事帰りのチェイはゴールデンレトリバーの仔犬を届けていったのだ。

二人の〝出来事《エピソード》〟——あの夜のことをチェイはそう呼んでいた——の後、チェイはせっせとプレゼントを貢ぎはじめた。キートンはやめろと言ったのだが、例によってチェイは耳を貸さなかった。

一日目のプレゼントは、アパッチの歴史と習俗に関する本。二日目は、スー族の歴史と習俗の本。昨夜は、この仔犬。

キートンもお返しをしていた。彼がチェイにあげたプレゼントはシリーズもののミステリの最新刊、そして新しい白衣。何しろチェイの元の白衣には、得体の知れないおぞましい染みが付いている。

あの〝エピソード〟の夜、キートンはチェイに説得された結果、渋々ながらも、「うまくいくわけがない」という悲観的な態度は撤回した。それを受けて、チェイはもうこれですべて決定事項だと――彼らはちゃんとしたカップルなのだと宣言したのだ。

そんなわけで、チェイはキートンへの求愛行動を元通りに全力で続行中である。チェイ当人がもう二人はカップルだと決めておきながら、少々理屈には合わないが。そしてキートンは、そんなチェイの相手をしている。チェイによればこうして段階を踏むことでお互いをよく知ることができるし、キートンの〝過剰反応〟も治るだろうということだった。

実際、本当に、シリアスなつきあいの入り口という感じがした。知り合ってすぐ、本気でデートし始めるかどうか探り合っている時のような。ただ、二人の場合、この先恋人になることは決まっている――少なくともキートンの希望としては――ところが少し違う。

まだ、先行きに対するキートンの疑いが消えたわけではない。ただひとまず、気持ちの整理はついた。チェイがそばにいると本当に楽しくてたまらなかったし、心から、チェイのことが気に入っていた。もしかしたら少々好きになっているかもしれないくらい。

困ったものだ――うっかり気を抜くと、チェイはあっというまにキートンの心に入りこんでしまうだろう。いや、すでに半分ぐらい手遅れだったが、キートンは深く考えないようにしていた。チェイを見習って、今この瞬間を楽しむことにする。

チェイの心変りについてはもうさほど心配していなかった。ここまででわかったことだが、チェイは根っから率直な男だった。自分の非ですら、たとえそれが「その靴ひでえ」というような批判であっても――数日前の実話だが――ごまかすことなく認める。

そのチェイが「どこにも行かない」と言ったなら、本気なのだろうとキートンも思う。

仔犬がぐいっとキートンのズボンを引っぱる。その時、ノックの音がした。

「開いてるよ、チェイ」

ドアが開いてチェイの黒髪の頭がひょいとのぞき、周囲を見回す。多分、仔犬を探している。

「ここにいるよ」

キートンはジーンズを引っぱっている仔犬をさした。

「やあ、ビット」

チェイがニコッとして中へ入ってきた。

仔犬は、キートンのジーンズを口から離すと床を飛びはねてチェイにパタパタと駆けより、仕事着のズボンにかぶりつくや、悪魔がのりうつったような勢いで頭を振りたくった。

「もう名前はつけたのか？」

チェイがたずねながら、キートンの唇に素早いキスを落とす。

キートンは微笑して、キスを返した。チェイがこれだけ気軽に、自然にキートンに接してくるというのが驚きだった。同じ立場に立たされたらほとんどの男が途方に暮れるだろうが、チェイは違う。この男は、そりゃもう楽しそうにしていた。腹が立つぐらい、のどかにくつろいでいる。

「ああ、ピタにしたよ」

チェイはまばたきした。

「ペタ《PETA》？　〝動物《P》の倫理的《E》扱いを求め《T》る人々《A》の会〟？」

「残念。ピタ《PITA》、すなわち〝最悪の厄介もの《ペイン・イン・ジ・アス》〟の略」

チェイはクスクス笑いながら、小刻みに頭を振ってズボンと綱引きしている仔犬を見下ろした。

「似合うね」と椅子を引いて腰を下ろす。「一晩中寝かせてもらえなかっただろ？」

「放っておいたらそうなると思って、こっちも頭を使ったんだ。ベッドで一緒に寝た」

「いい度胸だ。ベッドで小便されなかったのか？」

「いいや。家の中で粗相したらどうなるか、二人でじっくり話し合ったからね」

チェイはニコッとして、テーブルの下をのぞきこんだ。仔犬のうなり声はいつの間にかとまっている。しかもこの臭い――？

「英語が通じるかどうか、ちゃんと確かめたか？　今まさに粗相《そそう》の最中だぞ」

「うわ、やられた！」

一時間ごとに外に連れ出していたはずなのに。キートンは時計を見た。しまった、チェイにもらったアパッチについての本に夢中になっていて、この悪魔を散歩させにいくのを忘れていた。

キートンはピタを見下ろし、指をつきつけた。

「悪い子だ」

仔犬の首をつかみ上げて自分が作った水たまりを見せ、ポンと背中を叩いてから外へつれていく。

すでに家の中で全部用を足してしまったらしく、キートンに下ろされた仔犬はバッタを追いかけて駆けずり回りはじめた。キートンはしみじみ首を振る。

ドアが閉まる音より早く、チェイの匂いがその存在を知らせた。キートンの両肩に手がのせられ、肩をもむ。

「床は拭いておいたよ」

「ありがとう」

「どういたしまして。一時間のうちに、うちの群れのリーダーのジョン・カーターに会いに行かないと」

チェイは身を屈めてキートンのうなじにキスし、少し唇を這わせてから、また背すじをのばした。快感に、キートンは身を震わせる。気持ちがいい。股間がちょっと頭をもたげた。上というより少し横にだが。ズボンの中の位置を手で直したくて仕方ない。足を踏み替えてもぞもぞ左右に動いたが、どうにもならなかった。

チェイがくすっと笑う。

「何をしてるんだ？」

また、うなじに新たなキス。

「いい加減にしろって」

「何で？」

チェイの言葉が、襟元からのぞくむき出しの肌に温かく吹きかけられる。

ずるい男だ。キートンはまた身を震わせた。

「勃《た》ってきちゃったからさ」

「別に悪いことじゃないだろ？」

キートンの肩に乗ったチェイの手に力がこもり、親指が凝った筋肉をほぐしていく。

これはずるい——本当にずるい。キートンは首を前に垂れ、チェイのマッサージに体を預けた。

「悪いだろ。この後、約束があるんだから」

「この間以来、ずっとお前にさわってないんだぜ」

すねているような声が、キートンの欲望をまた刺激する。まったく、チェイときたら、信じられない。本当にがっかりしているらしい。

彼が「この間」と言う夜のことを思い出して、キートンは微笑した。

「この間って、あの〝エピソード〟以来？」

「そうだよ。それと、俺の言語センスを笑うんじゃない」

チェイの指が、抗議をこめてさらにくいこむ。キートンは首を左右に揺らしていたが、仔犬の様子を見にちらっと目を上げた。

「笑ってないって」

「いや、笑ってるだろ。顔を見なくてもわかる」

チェイの唇がキートンの首の横にふれる。

「あの時、癇癪《かんしゃく》を起こしたと言われたのも、お前は気に入らないみたいだし」

キートンは鼻を鳴らした。

「だって、癇癪なんかじゃないし！」

「お前がそう言うならそれでいいよ、ビット」

キートンはくくっと笑いながらチェイにくるりと向き直った。メガネをずり下げる。

「そうさ。覚えとけよ？　俺の言うことは絶対。そうすりゃ全部うまくいく」

チェイは明るい目で微笑んだ。キートンの眼鏡をしっかり鼻の上に戻してから、腰をつかむ。

「お前は眼鏡をかけるとセクシーに見えるよ」

「いいや、本の虫に見えるだろ。実際そうだけどさ」

「インテリに見えるよ。すごく、イケる」チェイは指の背でキートンの頬をなでた。「本を読む時だけかけるのか?」

「ん……そう。遠視で」

キートンはチェイの愛撫によりかかる。チェイは首すじをなでながら、じっとキートンの唇に見入っていた。

「狼になった時の視力には問題ないのか?」

キートンは首を振った。チェイの放つ強い欲望が嗅ぎとれて、引きこまれそうだった。もし下に視線をやれば、チェイの欲情の証拠が見える筈だ。頭がくらくらした。チェイがいつもキートンにふれてくる、そのことが好きでたまらない。

何の話をしていたのだったか——ああ、そうだ。

「いや、ドクター・ウィンストン。狼でいる時は、俺の視力に何の問題もないよ」

「ああ、そいつは理屈に合う。狼の目と人間の目は異なっているからな」

チェイは茶色の目でじっとキートンの唇を見つめたまま、じりじりと顔を近づけてきた。キートンは爪先でのび上がり、あの繊細な唇がふれてくる瞬間を、今かと――。

パッパーッとクラクションが鳴り響き、キートンははっと我に返った。

何てことだ。二人は表にいるのだ。チェイのおかげで自制を失うところだった。チェイの方は、他人にどういう目で見られるか気にしていないかもしれないが、キートンはそうはいかない。チェイの体面が心配だし、チェイが白い目で見られるようなことは避けたい。彼は一歩下がった。

チェイがまばたきして、キートンの目をのぞきこんだ。

「週末、うちに泊まりに来いよ」

うわ――断るべきだ。断るべきだと頭ではわかっている。だが、断りたくはなかった。

キートンは下唇を噛む。

「来たいんだろ。黙っててても目でわかる。あきらめろ、ビット。俺と同じくらい欲情してるくせに。一目でわかる。匂いもする。ほら、承知しろって」

チェイの親指がキートンが噛んだ下唇にふれ、唇をほどく。

チェイは、本気だと言った。気の迷いなどではないと……。

「行きたいけどさ。だけど……」

「だけど、何だ？　まさかまた〝ゲイじゃないのに〟ってのが始まるのか？」

いいや、その点はもうあまり心配していない。ただキートンは、二人の関係と引き換えに、チェイが社会からつまはじきにされるのが怖い。それに――やはりどこか心の奥底では、ある日突如としてチェイの目が覚めて、キートンへの気持ちが消えるのを怖がってもいる。

「チェイ。俺は、大学生の時、同じ大学の男とつき合ってた。あいつはストレートで――まあとにかく、当人は自分はゲイじゃないって言ってた。男は好きじゃないけど、俺のことだけは別だって。特別なんだって」

キートンは肩をそびやかした。

「とにかく、そんなようなことを言ってた。彼も人狼で。俺は、あいつこそが俺の運命のメイトなんだって自分に言い聞かせてた――俺の方じゃ何も感じなかったけど、メイトだから、彼があれほど俺に執着するんだって思って。お前と会った今じゃそんなのデタラメもいいところだってわかってるけどね。俺のことが友達にバレそうになった時、あいつは、俺とつき合ってなんかいないって否定したんだ。しかも後からわかったことだけど、その間も彼女と別れてなんかなかった。俺のことはただの、ちょっとしたお試し体験だったってわけさ。ちょっとしたネタ。あんなのはもう、嫌なんだ」

チェイがキートンにキスをした。人目のある屋外で、キートンの部屋の前で、誰に見られていてもおかしくない場所で。

優しくて、かすかで、愛しげなキスだった。

キートンはチェイの、開いた唇に向けて溜息をつく。とめて、距離をおくべきだとわかっていた……チェイのために。だが心地よくて動けなかった。体の熱がますます高まって、意識が集中できない。そろそろこのあたりでやめておいた方が、チェイのためというより自分の名誉のためだろう。

チェイがキートンを離した。

「俺はそいつとは違う、ビット。そんな目に遭わなきゃならなかったなんて可哀想に。だが、俺はずっとお前のそばにいる。お前はもう俺とセットなんだ。俺にとってこれは、ちょっとした好奇心や気の迷いなんかじゃない。お前は俺のメイトだ、ビット。俺のものなんだ。俺たちは運命だ。いや、はっきり言って、メイト云々がなかったとしても俺はお前に惚れたと思う」

——うわ。

キートンの足元で大地がぐらぐらと揺さぶられたようだった。物も言えない。いい意味で。

チェイが嘘をついていないのはわかる。真実を語っている。信じがたいことだ。

なのにキートンは、チェイの言葉を少しずつ信じはじめている。

キートンはにっこりした。

チェイも笑み返した。

「つまり、俺と週末を一緒にすごしてもいいっていう笑顔かな、それは？」

キートンはこくりとうなずいた。

「ああ、そうする。着替えとピタの水飲みボールとドッグフード取ってくるからちょっと待ってて。一緒に群れのリーダーに会って、そしたら俺の週末は丸々、お前の好きにしていいよ」

「いい響きだ。だがピタの分は何も持ってこなくて大丈夫だよ、水飲みもドッグフードも、全部うちにも揃えておいた」

本当に？　これは——まるで将来を約束する言葉のように聞こえる。

キートンがチェイにとびつくと、しっかりと受け止められた。もう息もできなくなるほどチェイにキスをする。自分の足が宙に浮いていたことにも、チェイに地面へ降ろされて体が離れた時にやっと気付く始末だった。

どうしてかチェイが笑い出し、足元を見やる。

グルル、とうなり声がしてチェイが小さく揺れ、キートンも足元を見下ろした。

ピタがまたチェイのズボンの裾をくわえ、うなりながら頭をぶんぶん振っていた。仔犬の尾は、ちぎれんばかりに振り回されていた。

＊　＊　＊　＊

二人の車がジョン・カーターの家に到着した時、家の周りにはたくさんの車が停まっていた。まるで群れの会合の日のようだ。

奇妙だった。何か、群れの皆が集まるようなことがあっただろうかとチェイは運転席で首をひねったが、何も思いつかない。

「おっと、あれってお父さんじゃない？」

と、キートンが誰かに向けて手を振る。

言葉通り、それはチェイの父親だった。前庭に数人の仲間と一緒に立っている。二人に気づいて、父も手を振り返してきた。

「……だな」

チェイは父親へ手を振ると、車をジョン・カーターの家より少し先の路肩に停めた。

「あのさあ、チェイ？」

「ん？」

「何で……こんなに大勢集まってんの？」

「さっぱりだ。俺の予定じゃ、リーダーのジョンに会ってお前を紹介するだけのつもりだったし、いつも大体そんな感じなんだ。新しい狼はまず群れの頭《アルファ》に会い、何回か満月の夜に群れと一緒に狩りをさせてもらってから、正式なメンバーになれるかどうかが決まる」

「うん、うちの群れでも同じだったよ」

「ふむ。まあ、今日どうなってるのかはよくわからないが、心配はいらないだろ。まずいことなら、父さんが知らせてくれた筈だ。行こうか？」

キートンはうなずき、二人の間にいたピタをすくい上げて抱きかかえた。「ああ、行こう」

車から降りた二人を、チェイの父親のジョーが出迎えた。

「やあやあ、子供たち。それは何だねキートン？」

キートンは微笑して仔犬をかかげてみせた。

「はじめまして、ピタです」

「やあはじめまして、おチビちゃん」

ジョーがピタの頭をかいてやる。

「チェイの動物好きは親ゆずりなんですね」

キートンがチェイへウインクした。おっと！　かわいいリトル・ビットがこんなふうにじゃれてくるとは。チェイは笑い返し、腹の底にうずく興奮を抑えて、父の肩をポンと叩いた。

「今日って、何かあるのか？　何で全員集まってるんだ？」

ジョーは仔犬から顔を上げて、チェイを見た。

「そりゃキートンが群れに入るんだから、彼を歓迎するためだよ。決まってるだろ」

は？

「でも、父さん、キートンはまだリーダーとの顔合わせもすませていないんだよ」

チェイはちらっと父の向こうにいるキートンへ目をやる。キートンは肩をすくめて、やはり成行きにとまどっている様子だった。

父はキートンの腕からピタを抱き上げ、ニコッとした。

「ジョンならキッチンでお前たちが来るのを待ってるよ。ピタはこっちで見ておくから行っておいで。俺は庭でハンバーガーでも食ってる。また後でな」

　くるっと身を翻し、歩いていってしまう。あっという間に、群れの大人につれてこられた子供たち――子狼たち――がゴールデンレトリバーの仔犬目当てに押しよせてきた。

　どうも、今日は何かがおかしい。

　何故リーダーのジョン・カーターが、キートンに会う前から彼を群れに入れると決めているのだ？　確かに、チェイの父親は群れの副官《ベータ》だが、しかしジョン・カーターが、直に会わないうちから誰かの加入を認めたことなどない。

　チェイは眉をよせる。それともまさか……父親は、キートンがチェイのメイトだと気付いているのか？

「大丈夫か？　何か不安な顔しちゃって」

　キートンがチェイの腕にふれる。チェイは彼を見て、首を振った。

「何でもない。行こう。ジョンに会って、その後でメシでも食おう。庭の方からバーベキューの匂いがするよ」

　キートンは少し眉を上げたが、反問はしてこなかった。

　キッチンには、群れのリーダーのジョン・カーターと妻のマリーがいて、調味料やプラスチックの箸、紙皿などをかき集めている。

チェイとキートンがキッチンに入るとすぐにジョンが歩みよってきた。彼が笑みを浮かべると、茶色の瞳の目元に皺がよった。

「やあ、チェイトン」

「こんにちは、ジョン」

群れの〝アルファ〟――統率者の目は、キートンと視線を合わせた瞬間、大きく見開かれた。

キートンはすぐに首を傾け、尊敬の証に自分の喉元をさらしてみせる。

ジョンは眉をよせ、けげんな顔をした。短めの白髪まじりの髪が一房、目元にかかった。

「君のような狼が、どうして自らの群れを率いていない？」

キートンは頭を上げて、ジョンを見つめた。

「俺は、群れを率いたいと思ったことはありません。実際、生まれ育った群れでは次の後継者の立場にいましたが、継ぐつもりは元からありませんでした」

群れを率いる？　チェイは眉を寄せる。何の話かさっぱりだ。

カーターはうなずき、キートンへ手をさし出した。

「ジョン・カーターだ」

キートンが礼儀正しくその手を握り返す。

「キートン・レイノルズです。お会いできて光栄です」

「私も君に会えてうれしいよ、キートン。ジョーが君のことをそれはもう褒めていたからね。そう、強い狼だとも言っていたが、しかし……」カーターは口笛を鳴らした。「自分の群れが欲しくないだって？　前にも三形態を持つ狼に会ったことはあるが、皆、群れのリーダーだったよ」

三形態？　キートンは——三形態に変身できるというのか？

チェイはまじまじとキートンを見つめ直した。どうして今まで気がつかなかった？　三形態を持つ狼というのは、とてもまれな存在なのだ。すべての人狼は人間の姿と狼の姿に変身できるが、ほんの一握りの狼は、さらに三形態目、半人半狼の姿にも変身できるという。

カーターがくすっと笑った。

「随分驚いているようじゃないか、チェイトン。気付いてなかったのか？　キートンの放つエネルギーを感じとれないのかね？」

チェイは首を振った。キートンがそばにいると、元気になる股間をなだめるのに精一杯でそれ以上の余裕などない。唯一感じとれるのは、二人をつなぐメイトの絆とそのエネルギーだけだ。

「ほおお、興味深いね。君にとってキートンが特別な存在であるせいで、感覚が混乱しているようだな」

キートンがぎょっとチェイを見た。チェイもはっとキートンを見ていた。

今のはどういう意味だ？　どうしてジョン・カーターが二人がメイトだということを知っている？

だが問い返せる前に、カーターはキートンの肩をポンと叩いて微笑した。

「私などは、君の力を感じると自然と警戒してしまうんだけどね。君にはもうバレているだろうがね？」

キートンはうなずいた。

「はい。慣れています」

カーターが笑みを深くすると、目のそばの笑い皺がくっきりと浮かんだ。

「だろうね。さて、チェイのために、これは特別だ。普段はやらないことだが」再び、キートンに手をさし出す。「群れの一員として君を迎える。ようこそ、キートン」

キートンも再びカーターの手を握り返す。

「ありがとうございます」

「おいで、妻のマリーを紹介するよ。それから庭にいる群れの皆にも君をお披露目しないとな。すんだら食事だ。気候がいいから裏庭にテーブルを出したんだよ。この秋は、外で食べられるのはこれが最後になるかもしれないな。そうじゃないか、チェイ？」

「ええ……本当にいい日ですね」

カーターが妻のところへキートンをつれていった後も、チェイはまだ呆然と立ち尽くしていた。ジョン・カーターが、どうやって二人の関係を知ったのだ？　チェイの父親が何か察したのか？　そして、キートンがそこまで強力な狼であることに何故チェイは気付かなかった？

これまで、三形態を持つ狼に出会ったことはないが、会えば一目でわかったという自信がある。狼と会えば、その狼が〝アルファ〟――支配力を持つ狼なのかどうかは見抜ける。だがキートンに関しては、そんな力をそなえていることも気づかなかった。確かに、キートンが〝オメガ〟――従属的な狼でないのは明らかだ。だが支配的なアルファの力も、チェイやチェイの父親と同じぐらい持っていないと思っていたのに。

「チェイ？　これ運ぶの手伝ってくれないかしら？」

チェイはマリーを見て、まばたきした。キートンとカーターはどこに消えた？

「勿論、マリー」

そう答えるとマリーがさしたクーラーボックスをつかみ、ドアを押さえて、調味料を詰めたバスケットと皿の山を抱えたマリーを先に通した。

「あのお友達、素敵ね、チェイ。とても礼儀正しいし。でもかなり若くない？　本当にかわいい男の子」

チェイはニッと笑った。確かに、ビットはかわいい。これまで見た中で、一番きれいな男だ――白くてなめらかな肌と、大きな青い目と……しまった。欲情しそうだ。

「ええ、本当に」

どの点に対して同意したのか自分でもはっきりしなかったのだが、マリーは聞き返さず、チェイもわざわざ言い直すような真似はしなかった。

マリーの手伝いの後は、群れの仲間たちに取り囲まれて口々にキートンについての質問を浴びせられた。誰もが聞くのは、キートンがどこから来たのか、どうしてあんな力がありながら自分の群れを持たないのかということだった。何歳なんだ、成人か、という質問も多かったが、キートンには黙っておこう、とチェイは決めた。聞けばすねるに違いない。

「チェイ」

呼ばれて振り向くと、父のジョーにリーダーのジョン・カーター、それに猟区管理人のフランク・レッドホークの三人が立っていた。フランクは撃たれたキートンを担ぎこんできた男である。

「はい？」

父がおいでと手招きする。

「チェイ、キートンと彼が撃たれた夜の話をしたんだが、密猟者による発砲だろうというフランクの意見にキートンも賛成のようだった。お前はどう思う？」

「そうだな、群れの土地にも、この居留地にも、もう何年も密猟者が来たなんてことはないけど、そうじゃないっていう証拠もないからね」

「俺もそう思うんだよ」

と父親がうなずいた。

ジョン・カーターが首をかしげる。

「キートンはまだこのあたりに来て間もないし、誰かの恨みを買っているようなことも考えにくい以上、密猟者という結論が最も論理的だろうな。だが念のため、用心するにこしたことはない。チェイ、もしまた銃に撃たれた動物がクリニックに持ちこまれたら知らせてくれ」

「わかりました、そうします」

「それと、フランク、君の方からも何かわかったら教えてくれ」

「まかせてくれ」

「じゃあこれでよし。私は我が妻《メイト》のところへ行かないと」

カーターがそう手を振って歩き去ると、後にはチェイと父親、フランクの三人が残された。

フランクが笑みを浮かべた。

「どうやらあのちっこい白い狼は、立派な大人だったみてえだな？　大学の先生だって？　いいヤツだな。さっきジョンに紹介された時、麻酔銃で撃っちまったのをあやまっといたよ」

チェイはにんまりした。そう、キートンは――彼のメイトは――ちゃんとふるまっている時は実にいい奴なのだ。

「ああ。キートンは古代文明史を教えてるんだ。気をつけろよ、アパッチ族にも興味津々でさ。質問攻めにされるぞ」

フランクが笑った。「知ってるよ。さっきジョンが、俺の兄貴が部族長だって口をすべらせたもんでね。ボビーが来てくれなけりゃどうなってたか。あの二人、こないだ一緒にポーカーした仲らしいな」

そこで腹が鳴り、フランクが苦笑いする。

「お呼びだ。ハンバーガーを頂きに行かないとな。また後で」

「またな」

ジョーがそう声をかけ、チェイは手を振った。ジョーがにこっと笑う。

「キートンはうまくやっていけそうだな。ジョンと二人でつれ回して、皆に引き合わせといたよ」

チェイはうなずいた。

「キートンは今どこに？」

「最後に見たときはバーガーを食べながらボビーと話していたがね」

「父さん、一体どういうことなんだ？　どうしてジョン・カーターはこんなにすぐキートンを群れに入れてくれたんだ？　ありがたいけど、でも何か――」

「ジョー！」

父の友人たちが数人やってきて、話しこみはじめた。チェイの存在などすぐに忘れ去られてしまう。

チェイは吐息をついて、首を振った。まあいい、後にしよう。別に父親とここでしか話ができないわけでもないし。まず何か食べて、それからキートンを探すか。

ハンバーガーとコーラを手に歩いている最中に、行方不明だったメイトを発見した。まずピタがきゃんきゃん鳴く声が耳に届いて、それからキートンの姿を見つける。

キートンは、四人の子供たちとピタと一緒に、芝生をころげ回って遊んでいた。とんでもなくかわいい光景だ。小さな子供、キートン、仔犬がひとかたまりになって、笑いながらお互いをくすぐり合っている。

本当に、なんてかわいい男だろう。笑うとどんなに魅力的に見えるか、当人は気づいていないのだろうか。

チェイはその遊びの輪にとびこみたくてたまらなかったが、子狼たちの目の前でキートンといかがわしくじゃれあったりキスしたりはあまり褒められた行為ではないだろうから、ここはぐっと我慢する。

キートンが、同年代の相手とぎくしゃくしやすいのは知っていた。だが予想できた筈だ——子供相手ならうまくいくと。

まず、ピタがチェイに気付いた。はねとびながらチェイに駆けよった仔犬は、チェイのズボンにかじりついてうなりながら引っぱり出す。

顔をほころばせて、キートンはチェイの視線を受けとめる。目がきらめいていた。

「チェイ」

立ち上がったキートンは、子供たち同士で遊ばせておいてチェイへ駆けよってくる。

「あの子たちのおかげで助かったよ」

「助かった?」

キートンが耳元に口を寄せて囁いた。

「ああ。左を見ろって」

チェイは言われるままに見る。群れの仲間の娘たちが三人、そこに立って、くすくす笑いながらキートンを値踏みしていた。

チェイは首をそらして笑い声を上げた。どうやら女の子も、キートンの苦手分野らしい。

7

実におかしな午後だった。楽しかったが、やはり変だ。

キートンはシャワーの温度を調整し、服を脱ぎはじめた。芝生を転げ回ったせいで体から犬のような匂いがしている。子狼と遊ぶのがどれほど楽しいことなのか、すっかり忘れていた。

生まれ育った群れでも、いつも大人より子供たちとの仲が良かったものだ。

今や、キートンはチェイと同じ群れの一員なのだ。昔いた群れと違って、ここでは誰もが親しげだった。本心から歓迎されているのが、伝わってくる。だが問題は、キートンがゲイだと知っても彼らは同じように接してくれるだろうか？

意外なことに、今日の出来事を振り返ってみると、心配はいらないように思えた。

リーダーのジョン・カーターなど、キートンがチェイのメイトだとわかっているふしもある。はっきりと言われたわけではないが、それを匂わせるようなことは言っていた。

ただキートンがそれに答えるわけにはいかない。はっきりとしたことは何も言えない。すべてはチェイの決めることだ――いつ、どこで、誰に二人の関係を明かすのか。

勘違いでなければ、チェイの父も二人のことを知っているようだ。キートンに百パーセントの確信はなかったが。

「なあ、ビット――」

声に続いて、ハッと息を飲む音。それから欲情の匂いがバスルームにたちこめた。キートンは笑みを抑えて、下着を全部脱ぎ、向き直った。

「何？」

チェイが口をぽかんと開け、そこに立ち尽くしていた。

「マジか……いや。とにかく。マジで？」

あまりにくいいるように見つめられてさすがに気恥ずかしくなったが、キートンの方もチェイを思う存分眺めるチャンスだと、そのためらいを振り払う。

チェイは上半身裸で裸足、仕事着のズボンだけを履いた姿だった。実に見事な胸筋だ。ゴツゴツしていない、よく締まった筋肉。色の濃い肌も、胸元も腹筋も、体毛が少なくなめらかだ。いい体。そして、だぶっとしたズボンの上からでも、その股間の膨らみはあからさまだった。

うわ、チェイは欲情している——キートン相手に。その筈だ。つい反応して、キートンの腰も熱を帯びはじめる。

チェイはまだ入り口に立ったまま、キートンを上から下まで見つめて目を大きくしていたが、その唇の端が上がって誘惑的な笑みを浮かべた。

キートンはごくりと唾を呑む。こんなに美しい男が、キートンを崇めるような熱烈な目で見つめてくるのは何故だろう？　理解できない。チェイの目に、キートンのどこが魅力的に映っているのだ？　キートンの体は……よくいっても痩せ型としか言いようがない。チェイのような鍛え上げられた筋肉もなければ、背も低く、やせっぽちで……。

「そこまでだ。何を考えてるのか顔に書いてあるが、そんなのはでたらめだ。ビット、お前はきれいだよ」

チェイは歩み出て、キートンの腰をぐいとつかんだ。唇をかぶせられ、腰がぴたりと当たる

ほど引き寄せられて、キートンの抵抗の言葉はどこかに飛び去る。

かわりに呻き、口を開けてチェイの舌を受け入れた。重なったチェイの胸は温かく、強靭だ。キートンがチェイの腹に手のひらを這わせると、チェイの心拍数が上がって息づかいが上がってきた。

自制が切れそうだ。一息ついて落ちつかないと、今すぐここでチェイに向かって抱いてくれとせがんでしまいそうだった。

キートンは身を引きはがし、見上げた。琥珀色の、狼の目を。

「その、あの、何か……俺に、用？」

チェイの笑顔は獰猛そのものだった。

「用なら色々と」

「え？」

「……いや。本当は、お前と一緒にシャワーを浴びられないかと思って、来たんだ」

チェイはキートンの返事を待ちもしなかった。綿のズボンごしにキートンへ屹立を押しつけ、腰を左右に揺する。

気持ちがいい。キートンは目をとじて、自分の腰を押し返した。肩口に温かな唇が吸いつき、歯が立てられる、その刺激がチリリと肌を抜けていく。こういうチェイの強引な一面にも煽られる。

男同士のセックスこそ初心者なのだろうが、チェイの動きにぎこちないところはなかった。相手をどう刺激したらいいのか、よく心得ている。キートンの腹筋がきつく締まり、全身の肌がぞくぞくと粟立った。凄くいい――今のは舌か？　首をのけぞらせて、チェイの舌をもっと誘う。

チェイはキートンの首すじを吸っていたが、不意に身を引いた。キートンの鼻すじを指でなでる。

何でだ？　何故ここでとまる？

キートンがぱちぱちとまばたきしながら目を開けると、チェイがゆったりとした微笑を浮かべてキートンの顔を眺めていた。

「かわいいな」

チェイの指がキートンの鼻をなぞり、視線がその指先を追っていく。

「本当に、このそばかすもかわいい」

キートンは首を振った。

「俺はかわいくなんてないって」

「いや、かわいい。俺のリトル・ビットは凄《すげ》えかわいい」

こりゃ、駄目だ。

キートンはあきれて目で天井を仰いだ。

「俺が女の子じゃないって、ちゃんとわかってるよね？」

チェイがクスクス笑ってキートンの股間を握った。キートンが息を呑む。

「勿論。よーくわかってる。間違えようがないね」

と、チェイが上体を軽く引き、キートンのそれを見下ろした。きゅっと握り、なで上げる。魅入られたように強い目で見つめたまま。

「んっ……」

チェイから放たれる熱気と昂揚感が、キートンをたまらなく煽り立てる。誰かに欲しがられるのが心地よくてたまらない。チェイの愛撫の手の中でキートンのものが硬度を増した。

「いい子だ。気持ちいいだろ、ビット？」

チェイの息がキートンの頬を熱くかすめる。キートンは身を震わせ、うなずいた。チェイの手だけでなく、何もかもが気持ちよかった。腰をゆすり、チェイの愛撫に応じる。どれだけ気持ちいいか伝えたかった。

突然、チェイが手を離して下がった。キートンに笑いかけ、ズボンを脱ごうと手をかける。キートンはチェイと離れた喪失感に思わず呻いたが、チェイのズボンとボクサーパンツが一気に引き下ろされるのを目の当たりにして興奮がまた高まった。

というか、呻いたり何か言ったりする余裕もなくなっていた。この間の夜に、チェイのペニスは目にしている――それどころか口にだってしている。だが、まじまじと見るのは今回が初めてだった。申し分ない。太くて形もいい。キートン自身のものと同じくらいの長さか。チェイの方が色が濃く、赤らんでいて、薄く小さな茂みが上にあった。

チェイの脚も、あまり体毛は濃くない。それにしても見事な脚だった。まったく――この男は何から何まで、ただ美しい。

チェイがキートンの手をつかむと、シャワーの下へ歩いていく。ガラスのドアを開けてキートンを一緒に引きずりこんだ。

「おいで、シャワーを浴びよう、ベイビー」

いい尻だ。両サイドに尻えくぼがあって、筋肉質で引き締まっていて――え？　今何て言った？

「……ベイビー？」

「ああビット、お前は俺のベイビーだ。俺のかわいいベイビー・ビット」

ドアを閉めて、チェイがタイルの壁にキートンの体を押し付けた。その呼び名に抗議する間も、タイルの冷たさに文句を言う間もキートンに与えず、チェイは両手でキートンの尻をつかみ、ぐいと抱え上げる。

キートンは反射的にチェイの肩にしがみついた。チェイに荒々しいキスで唇を奪われ、思考力が残らず吹きとんだ。チェイにかわいいと言われたこととか、ビットやベイビーという下らない呼び名への反発など粉々になっていた。全身が燃えるように熱い。浮いた体を冷たいタイルとチェイの熱い肉体にはさまれて、頭上からしたたる温かなシャワーの下、チェイのキスに唇をむさぼられている。

チェイとキートンのものが、動く体の間で重なり合い、キートンは腰を揺すり上げて互いのペニスを擦り合わせた。限界まではりつめ、固くなった性器がすべての快感を何倍にも高める。キートンはチェイの唇の中へ喘いだ。腰の奥にドクドクと快感が脈打つ。

キスが途切れ、チェイがまばたきして睫毛の滴を払った。

「すげえ、ビット。無茶苦茶気持ちいい――」

チェイの大きな手が、自分とキートンのそれをまとめて握りこむ。キートンに合わせて腰を揺すり上げながら、ゆるゆるとしごいた。

「んっ」

キートンは喘ぎ、少しは体重を支えようとチェイの首すじにすがりつく。どうにかこうにか、できるだけ腰をゆすってチェイの愛撫に応える。

チェイが下唇を噛んで、キートンの目をのぞきこんだ。チェイの犬歯がいつもより長い。目は、虹彩が琥珀色に燃え立って広がり、白目の部分がほとんどない。狼の目になっていた。引き締まった顔や高い頬骨に、肩まである濡れた黒髪がほつれてまとわりついていた。

心を奪われて、キートンはチェイの姿を見つめた。チェイが眉をよせ、首すじに力がこもって筋肉が浮き上がる――美しい姿だ。

キートン自身も絶頂の寸前で、もう体を動かすどころではない。息は喘ぐように、爪先にまで力が張りつめ、背すじがぴんとしなった。自分の体が制御できない。快感で何も考えられず、今はただ、ひたすら達したい。

幸い、チェイの方はまだ動く余力があるようで、二人の体をきつく合わせながら、愛撫の手をさらに速めた。

「いいぞ、ビット、一緒に――」

チェイの首すじがしなり、彼は深い声で呻いて、きつく目を閉じた。全身を緊張が貫き、次の瞬間、キートンの下腹部に熱いしぶきがとび散った。

生々しい匂いと、チェイのその声がキートンも一気に押し上げる。もう耐えられない。背すじを快感が電流のように駆けのぼっていく。全身にキリリと力が張りつめた。

「チェイ！」

絶頂は、あまりにも強烈だった。

頭がまともな思考力を取り戻すまで、数秒かかる。

チェイが彼によりかかり、大きな体でキートンを壁に押しつけながら、まだゆるゆると二人のものをしごき続けていた。その手の中で、萎えたものがどちらも頭をもたげ始める。

キートンの首すじにチェイの笑いがくぐもり、続いてキートンの頬を手がそっとなでた。首すじにキス、それから、チェイはキートンを抱いたまま体をまっすぐに起こした。

「自分で立てそうか?」

キートンはしまりのない笑みを返すのがやっとだった。間抜けに見えるのはよくわかっていたが、どうにもならない。チェイのおかげで全身が骨抜きだ。また立ったらマズイだろ、とか下品なジョークのひとつも返してやりたいところだが、そんな余力も残っていなかった。こくりと、ひとつうなずく。

チェイはキートンを離すと、すぐにボディソープとメッシュのボディスポンジを取って戻ってきた。キートンの体を洗いはじめる。

キートンは吐息をついて目をとじた。チェイにすべてをまかせる。自分でやる、と拒否するべきかもしれないが、そんな気分になれなかった。チェイが何をしようがかまわない。あまりにも気持ちがいい。体からすべての力がとけ出したようだった。

体を洗われ、泡をシャワーで洗い流される。続いて、チェイの指が髪にシャンプーをつけて、頭皮をマッサージし始めた。

「ん……」

本当にいい気分だ。

チェイは髪全体を泡立てると、キートンの額にキスをした。キートンは頭を上げ、唇をよせて、キスを求める。

チェイがまたクスッと笑い声をこぼして、無邪気なほど軽いキスを唇に落とすと、キートンを壁によりかからせた。タイルが冷たい。

「俺が終わるまで、そこで倒れずに待ってろよ?」

キートンはタイルにもたれかかって、うなずく。額にチェイの唇が押し当てられた。

「かわいいビット」

目を開けると、すぐそばにチェイの目があった。彼をのぞきこんでいる。チェイの瞳は、また焦茶色の、人間の目に戻っていた。

チェイがにんまりして、わざとらしく眉を上げてみせる。すっかり得意気だ。馬鹿。

キートンは肩を揺らして、また目をとじた。人生は素晴らしい。頭が真っ白に灼けるような最高のオーガズムをたった今味わったばかりだし、彼の運命の相手《メイト》はキートンが男であってもちゃんと欲情して、欲しがってくれている。新しい群れにも歓迎された。仔犬もいる。

まったく、人生は上々だ。チェイがどんな呼び名で呼ぼうが、許せてしまうぐらいに。


チェイの指が気怠げにキートンの髪を梳く。

「なあ、キートン」

その手は気持ちがよく、ベッドに横たわったキートンは今にも眠ってしまいそうだった。だがチェイが〝ビット〟ではなく〝キートン〟と呼んだからには、何か真面目な話なのだろう。

キートンはチェイの胸元から頭をもたげて、見上げた。

「どうかした？」

「どうしてお前が三形態を持つ狼だって、俺にはわからなかったんだろう」

おっと。しまった、怒っているのだろうか。

「ごめん、チェイ。大したことだと思わなくて、黙ってて……三形態目はどうせまず使わないし」

「ごめんって、何がだ？　何でお前があやまる」

「怒ってるんじゃないの？」

「は？　いや、怒ってないぞ。ただわからないんだよ。お前がどれだけ力のある狼か、俺がまったく気がつかないなんておかしいだろ。それに、お前はその手の連中みたいにいばりくさってないし、行儀がいい。おだやかだ。どうしてだ？　おかげで本当に気がつかなかった」

キートンはニコッと笑った。

「嫌なんだよ、人と争うのは。偉そうにしてる連中も嫌いだし」

チェイも笑い返して、首を振った。

「成程。戦うよりも愛せよ、って？」

確かに、チェイに関する限りその方がいい。まあそんな感じ、とキートンは小さく笑った。

「お前はさっき、生まれ育った群れでは次の後継者だったと言ってたろ。じゃあどうしてそんな立場に立てたんだ？　戦って勝ち取るしかない地位だろ」

キートンはベッドの中で座り直し、チェイの腕に頭をもたせかけた。その方がチェイの表情がよく見える。

「まぁ、ある意味、戦う羽目になったっていうかな。俺がゲイだってカミングアウトした時、俺の兄貴と取巻きは、群れにホモがいるなんて冗談じゃないって思ったらしくてね。大学の休みで戻った時に群れの集会があったんだけど、あいつら、そこで俺に襲いかかったんだよ」

チェイが目を見開いた。キートンに顔を向け、真似するように自分の腕に頭をもたせかける。

「ひどいな。実の兄貴だろう？」

「そうさ」

あの時は心底傷ついた。だがもう、キートンが家族を切り捨ててから長い年月が経っている。

「お前がいくつの時？」

「十六歳」

「襲ってきた相手は何人？」

「五人。兄貴こみでね」

「マジか、キートン、お前一人で全員叩きのめしたのか？」

キートンはうなずいた。

「ん。全員やっつけたよ。それからは……」と肩をすくめる。「誰も俺にちょっかい出さなくなった。群れの全員が、俺が兄貴より強いって知って、親父の跡を継いで次の群れの統率者《アルファ》になるのは俺だと認めたんだ」

「お前の兄さんは三形態を持ってないのか？」

キートンは首を振る。「父さんは三形態持ってるけど」

「しかし、じゃあどうして群れから出た。うまく切り抜けられたんじゃないのか？　お前は、尊敬を勝ち取ったんだろう」

そうだ。キートン自身も、あの時はそう思ったのだった。父親が彼を誇りに思ってくれていると――そんな勘違いすらしていたくらいだ。

「俺がカミングアウトした時、俺の両親は――俺がただ、親への反発からそんなことを言っていると思ったんだよ。俺は十五で高校を卒業して、大学に入った。多分、うちの親は、いつか俺の目が覚めて反抗をやめると思っていたんだろうね。そう思い通りにはいかなかったけど。院に進んだ後の春休み、俺は大失敗をしたんだよ。ボーイフレンドをつれて家に帰ったんだ」

キートンは続けた。

「親はそりゃあ取り乱して……俺を勘当するところだった。もし俺が家を自分から飛び出さなきゃそうしてただろう。親父は、俺の目の前に信託財産の書類を置いて、全部を取り上げると俺を脅したんだ。だからつきつけられた書類をぐしゃぐしゃに丸めて投げ返してやったよ。そのまま、車を置いて家をとび出し、ボーイフレンドと一緒にどうにか手持ちの現金で大学まで戻るバスのチケットを買った。戻ってからは仕事を見つけて学生ローンで学費を払って、まあ、そんな感じ。親も、親の金もなしでちゃんとやり遂げた。何が笑えるってさ、その事件の三日後には原因の男とも別れてたってことだよね」

「なんてことだ、ベイビー」

チェイがキートンを抱きしめ、腕にきつい力をこめた。

しまった、ぐっとくる。もう、あの時のことはキートンの中では整理がついた問題だったが、キートンをいたわろうとするチェイのひたむきさには心を打たれた。ベイビーと呼んだことも今回は勘弁してやってもいい……キートンはチェイの首すじに顔をうずめ、抱き返した。

チェイの顎にキスをして、視線を合わせる。

「大丈夫だよ。もう昔の話だ」

「ああ、お前はもう俺のものだ。何があっても返すつもりはない。お前が彼らを失ったんじゃない、彼らがお前を失ったんだ」

また、そんなことを言う……そんな甘い言葉をくり返されているうちに、すっかりこの男に夢中になってしまいそうだった。一体どんな幸運で、キートンはチェイに出会えたのだろう？

一体どうして、チェイと別れた方がいいなどと思えたのだろう？

キュウン、という焦った鳴き声がどこかから響き渡った。カチャカチャと、爪で床を叩く足音が突進してくる。チェイが笑った。

「お前の犬が目を覚ましたぞ」

「みたいだね」

キートンはベッドの端からのぞきこんだ。ピタが後ろ足で立って前足をベッドにのせ、ポンポンと上下にとびはねながらよじ登ろうとがんばっている。

キートンの姿を見た瞬間、クゥクゥいっていた鳴き声がたちまち吠え声に変わった。

チェイが体にかかっていたカバーを剥いで起き上がる。ボクサーパンツを拾い上げると、口笛を吹きつつドアへ向かった。

「おいで、悪ガキ。ベッドで一緒に寝たいなら、まずは外を一回りだ」

仔犬は吠えるのをぴたりとやめて、チェイに向かってぽんぽんととびはねてきた。

チェイが床からピタをすくい上げて顔にキスをし、笑い声と共に去っていく姿を、キートンは思わず笑顔で見送っていた。誰がベッドからわざわざ出て犬の——他人の犬の——散歩に出かけるだろう？　まあ、獣医とつき合ったのは初めてだが。まったく、動物好きの男って最高だ。

一人と一匹はあっという間に帰ってきた。チェイはベッドカバーの上にピタをのせ、自分は中へもぐりこむ。キートンを抱きよせ、頭のてっぺんにキスをした。

「なぁ、ビット」

「ん?」

「引っ越してこい。一緒に暮らそう」

駄目だ、と断るべきだ。わかっていた。二人の関係はまだ新しいし、一緒に暮らせばチェイだって家族や友人にキートンのことを説明しないわけにはいかない。どう考えてもまずい。だが。

「いいよ」

キートンの答えに、チェイが額にまたキスをした。

「嫌だって言わないんだな。ありがとう」

「言わなきゃとは思ってるよ」

「いや、言わなくていいんだよ。そろそろ俺の方が正しいってわかってもいい頃だろ?」

キートンは鼻を鳴らした。

「俺のことをビットとかベイビーとかかわいいビットとか変な名前で呼んでるうちは、お前の方が正しいなんてありえない」

目が覚めたら、すっかり股間がカチカチだった。

チェイにとって、特に珍しい事態というわけではない——十四歳の時から、朝勃ちはいつものことだ。だが今朝は、温かな体がぴったりとよりそっている点が違う。

すぐそばでは、キートンが肩を下に、顔をチェイに向けて寝ていた。片脚をチェイに絡め、右腕をチェイの腕の上に投げ出して、その顔はチェイの肩に押しつけられていた。キートンのプラチナブロンドとチェイの褐色の肌との対比が、息を呑むほど鮮やかだった。

ごろりと転がってキートンに向かい合うと、チェイはやわらかなプラチナブロンドに指をくぐらせた。

眠ったままのキートンが吐息をこぼし、チェイの手をねだるように顔を傾けてくる。かわいい。キートンの、少しだけ上向きの愛らしい鼻先に小さな皺がより、睫毛が揺れたが、まだ目を覚まさない。

朝一番に見るには、最高の眺めだ。キートンは嫌がるだろうが、とにかくかわいい。チェイがこれまでデートしたどんな異性もかなわないくらいかわいい。まるで天使のような無垢な雰囲気をまとっている。女性的というわけではないが、いわゆる男らしいタイプでもない——キートンに面と向かっては言えないが。

チェイはキートンの鼻頭のそばかすにキスをすると、上掛けの中へ右手をもぐりこませた。手のひらでキートンの脇腹から腰骨へとなで下ろし、それからもっと下……。

よし、見つけた。こっちもいい感じにカタい。

キートンがごろんと仰向けに転がった。足を少し開く。まだぐっすり眠ったままだ。

チェイはにんまりして、このチャンスを存分に堪能することにした。上掛けを剥がし、愛しの伴侶《メイト》の姿をじっくり眺める。

腕は筋肉質だが、目立つタイプの筋肉ではない。すらりとした細身の体で、控えめだが胸筋もついているし、腹筋はしっかり見てとれる。チェイと同じく、キートンも体毛は薄い。美しい白い肌とチェイ自身の褐色の肌とのコントラストが、チェイを惹きつける。どこにも日焼けの跡ひとつなく、ところどころうっすらと血管が青く見えるくらいだ。

腰は引き締まっていて、肩幅の方がわずかに広い。突き出した腰骨が実にセクシーだった。それどころかキートンのあらゆる部分がチェイにとってはセクシーだ。心の底からめろめろだった。

思えば少し、奇妙でもある。チェイは大学時代、ルームメイトとちょっとばかりふざけ合いもしたし、相手のジェイソンの体を見事だと思っていたが、ジェイソンはチェイと同じように体育会系の筋肉質な体をしていた。昔から、チェイはがっしりとした体つきに惹かれてきた。一方で、女性の場合は――いつもなまめかしいタイプを好んだものだ。とにかく、スレンダーなタイプに惹かれたことはこれまでない。だが今、もし選択肢が与えられたとしても、チェイはキートンを選ぶだろう。誰が相手だろうが、ためらいもせず。

キートンがスリムでもなければ小さくもない唯一のパーツは、股間のものであった。太く、今は固く、見事なモノだ。いまだにチェイは、それがいいか悪いか判断しかねている。

大学時代のルームメイトだったジェイソンも思えばデカかったが、あの時は手でしごく以上のことはしていなかったわけだし。

キートンとは、それ以上のことがしたい——正直、したくてたまらない。キートンのそれを口に含んだらどんな味や感触がするのか知りたい。あるいは……キートンのそれが自分の中に入ってきたら、一体どんな感じなのか。勿論、キートンの狭い内側が、チェイのものをどんなふうに熱く締めつけてくるのかも知りたい……。

その想像に、チェイの腹筋がぐっと締まった。キートンに入れたら——こんなに快感に敏感なのだ、チェイとつながり合ったら一体どんなふうに乱れることか……。

想像だけでぶるっと肌が震える。達する瞬間のキートンを見るだけでも最高なのに。

男相手だからといって、アナルセックスの方法が変わるわけではあるまい。当然だが女性相手なら経験がないわけでもないし、元々、割と好きだった。女と違って、男の場合は一つだけ、つぶさないように気を使わなければならない器官はあるが、それさえ注意すればいい筈だ。

ふむ……自分の下で快感に身をよじるキートンを思い浮かべてしまい、さらにチェイの腰がうずく。

キートンの太腿の内側へ手を這わせ、プラチナブロンドの産毛のかすかな感触と、やわらかな肌の手ざわりを確かめる。キートンはさらに脚を広げ、チェイの目の前にしっかりと張りつめた陰嚢までさらけ出した。

チェイは太腿をなで下ろし、拳の背で軽く睾丸をなでた。玉がきゅっと締まり、キートンが少し身をよじって逃れようとする。

もう一度なでる。またキートンが身をよじった。

チェイはにんまりする。くすぐったいのか。いいものを見つけた。

寝ていると、好きに色々確かめられていい――キートンに「でもお前はストレートだし」とか「こんなことしたいわけがない」とかゴチャゴチャ言われることなく、じっくり遊べる。

もしキートンに、大学のルームメイトとの話をしたら何て言うだろう、とチェイはふと思う。後で是非、話してみなければ。びっくりして目を見開くキートンの顔を見るためだけにでも。うろたえているキートンは物凄くかわいいのだ。

チェイはベッドの下の方に移動し、肩で押しやってキートンの脚をさらに広げさせた。男のモノをなめるのはどんな感じなのか、前から好奇心があった。肩をすくめる。ここまで来たら、知る方法はただひとつ。

チェイは身を屈めると、キートンの睾丸を舌でなめ上げた。

キートンはやはり身をすくめたが、さっきほど逃げようとはしなかった。ほほう。

もう一度なめてみる。それから、ぱくりと口に含んだ。軽く吸い上げる。チェイ自身、そうされるのが好きなのだ。

キートンが眠りの中でうなった。

チェイはキートンの屹立まで舌を這わせ、先端をぺろりとなめた。じっくりと、根元から先まで唇を動かしてたどっていく。なめて、味わい、確かめた。

しまいに、右手でペニスを握って、口にくわえてみた。先端だけ含み、顔を少し上下に動かす。見るのもよかったが、こうして舌でふれてみても実にいい感じだ。奉仕するのもいいものである。

「えええええっ、何？　一体何してんだチェイ！」

見上げると、見開かれた青い目がチェイをまじまじと凝視していた。唇に先端をくわえたまま、チェイはクスッと笑う。

「あっ」

キートンが呻いて、ベッドにぼすっと頭を沈めた。

「そ、それ……」

チェイは舌で唇を濡らし、さらに顔を伏せていく。口をきつくすぼめながら再び顔を上げた。キートンの太腿の筋肉が張りつめている。その反応に気をよくして、チェイはもう一度同じ動きをくり返した。キートンの様子をじっと見たまま。

キートンはシーツを握りしめ、全身の筋肉をぎゅうっと収縮させた。こんな状況でなければまるで痛みをこらえているようにさえ見える。

「チェイ、何もお前がそんなことしなくても――」

今回はもっと深くくわえてみた。ほとんど全部――もう少しのところで息がつまりかかったので、チェイはやむなく頭を戻す。

「あっ、凄くいい、それもういっぺん！」

思わず笑い出しそうになるのをこらえ、チェイはもう一度、そしてまたもう一度と同じ動きをくり返した。何しろ心得がないので、自分がされて気持ちのよかったことをはじからためす。キートンのペニスが唾ですっかりぬるぬるになると、口と同時に右手でもしごきながら軽く握りこんでやった。

異性を相手にするよりも、同性の方が反応がわかりやすい。要求の意味がよくわからない、ということもないし、チェイ自身、男がどんなふうにされると気持ちがいいのかわかっている点も楽だ。

キートンはベッドの上で頭を左右に振り始めた。シーツにくいこんだ指の関節が白くなっている。身をよじり、呻くキートンを見ていると、チェイはまるで世界の支配者になったような気持ちになる。

キートンの呻き、そのひとつひとつが舌に伝わる。キートンの鼓動も聞こえる。荒い息づかいも。

一瞬ずつ、チェイの欲望も高まる。キートンの快感を目にするだけで欲情する。チェイの屹立からも先走りがにじみ出し、チェイは少しでもと腰をゆすってマットレスとの摩擦で快感を得ようとする。

「チェイ、もう、もう、イクって――もう……っ」

キートンの頭がまた上がり、チェイに目でせがむ。

チェイは手加減することなく、より強く吸い上げた。キートンを絶頂に追い上げ、味わいたい。自分のメイトの味を知りたくてたまらない。

時間はかからなかった。キートンは背をしならせ、切れ切れの呻きを唇からこぼす。その絶頂がチェイの口の中へほとばしった。

舌の上に拡がる塩味に、チェイは一瞬ぎょっとする。だが引こうとはしなかった。キートンがベッドにぐったりと崩れるまで口で愛撫を続ける。

もうすっかり自分もギリギリだった。チェイは半分だけ萎えたキートンのペニスから顔を上げ、体をよじのぼるように上へ移動すると、キートンの腰をまたいだ。自分のペニスを握り、強くしごく。どうしてかはわからないが、とにかくキートンの肉体にマーキングしなければならないという得体の知れない衝動につき動かされていた。その動物的な衝動がどこから来るのかはわからない。だがマーキングを思っただけで、チェイはさらに興奮する。

キートンがぱちりと目を開け、呻いて、チェイへ両腕をさしのべた。

チェイは我を失う。背中をそらせて、何とかもう一度しごいたが、そのまま達していた。キートンの目をのぞきこむ。

精液がとび散り、チェイの手とキートンの腹を濡らした。キートンの腹にそれをなすりつけたい衝動をこらえて、チェイは前にぐったりと倒れた。左手で体を支え、右手はまだ自分のペニスを握っている。

深い息をついて、チェイは目をとじた。キートンと暮らす毎朝がこんなふうに始まるのだったら、絶対に早死にする。

望むところだが。

やがて呼吸がおさまってきた。キートンがチェイを引きよせ、チェイは半身をキートンに、半身をベッドに預けて横たわる。

キートンがチェイの顎にキスをした。はっきりとはわからない——だが、その囁きはこんな言葉に聞こえた。

「ありがとう、チェイ」

自分の方こそありがとうと言いたいと、チェイはそう言おうとした。だがその時——。

「……あのな、ビット」

「ん？」

「お前の犬が、俺の爪先をかじっているんだが」

8

キートンはベッドを整えると、電気を消して寝室を後にした。掃除が大好きというわけではないが、別にやるのは構わない。とりわけ、チェイの気分がそれでよくなるのなら。チェイはちょっとした片付け魔だったのである。

一方のキートンも、洗濯にはこだわりがある。そんなわけで、料理を除けば、同居する上での二人の役割分担はきわめてうまくいっていた。

誘われた一週間後、キートンはチェイの家へ引越した。大した面倒はなかった。キートンが住んでいた部屋は三ヵ月契約だったし、ほとんどの家具も部屋の備品だ。余計な出費もなく——残り二月分の家賃が無駄になったほかは——引越しはいともあっさり済んだ。

だが、残念なお知らせもあった。キートンもチェイも、料理がこの上なく嫌いだったのである。

これは由々しき事態だった。何しろ二人はひたすらに料理を避け、二人とも飢え死にしそうになったところでやっと夕飯らしきものをとりつくろいにかかる、という始末だった。

今のところ、その夕飯も、切っただけのハムやソーセージ、新しいデリバリーピザや昨夜のデリバリーピザの残りのことでしかない。キートンはどうにかチェイをそそのかして料理を習わせようともくろんでいるのだが、今のところ目的は果たせていなかった。キートンが料理教室の話を持ち出した途端、チェイは返事の代わりにデリバリーピザの番号を短縮ダイヤルに登録したからだ。

チェイが駄目なら……犬に料理を覚えさせるのに、どのくらいかかるだろう？　あの仔犬は頭がいいし。トイレの躾ももうすっかり済んだし。後は、キートンたちのベッドではなく自分の寝床で寝るようにと教えるだけ——。

ベッド。そう、ベッド！

夜のベッドは最高だった。もっとも、キートンとチェイはまだ最後までセックスはしていない。そこに至る前にあまりにも盛り上がるもので、ゴールにはたどりつけていないのだ。だがまあ、手でしごいたり、互いに押しつけて擦り合ったりは山ほどしている。

思い出して、キートンはぶるっと肌を震わせると、洗剤を取ろうと身を屈めた。チェイとのセックスを考えるだけで欲情しそうだ。洗濯機にスプーンひとすくいの洗剤を放りこんで蓋を閉める。つい、にやにやしていた。今、チェイはどこだろう？　出かける時間の前に、ちょっとは何かする余裕があるだろうか。

今夜は、チェイと出会ってから初めての満月だ。自分の伴侶《メイト》と一緒に月下の狩りに出かけるのも待ち遠しくてたまらない。

不意に、首の後ろに温かな唇が押し当てられ、二本の腕で抱きこまれた。右腕がキートンの胸元を抱いてぐいと筋肉質な体に引き寄せながら、左手がキートンの股間をつかむ。

チェイだ。見つけた――というより、チェイがキートンを見つけたのだが。同じことだ。

「どこにいるのかと思ってたんだよ」

「んん？」

キートンは洗濯機のタイマーを仕掛け、背後のメイトへともたれかかった。

チェイがキートンのうなじから肩口まで、唇を這わせていく。キートンの肌がぞくりと粟立った。

「ドッグ・ドアの設置は終わったのか、チェイ？」

「んんんん、ん……」

胸元の手がすべって、服ごしにキートンの乳首をつまんだ。

「ひゃっ」

キートンは声を立てていた。情けないが、どうしようもない。乳首は弱い――チェイはある晩、それを偶然発見して以来、機会を逃さずもてあそんでくる。

チェイの左手がジーンズごしにキートンのそれをなで、さらにきつく抱きよせていく。キートンのものがしっかりと頭をもたげた。腰の上にも、チェイの屹立が当たるのを感じる。チェイが、まぎれもないキートン相手に欲情していると、こうしてはっきり伝わってくるたびにうっとりする。

キートンの首すじに頬を擦りつけ、肌をしゃぶったりかじったりしているチェイの黒髪がキートンの肩に落ちかかった。ちくちくとくすぐったいが、悪い感触ではない。キートンは後ろにのばした腕をチェイの首に回そうとしたが、チェイは体を引くとキートンをぐるりと半回転させた。向かい合わせになる。

それからキートンの尻をつかみ、荒々しい手つきで引き上げた。チェイは本当に欲情しているようだ。互いの腰をぐいと合わせられて、キートンの両足が宙に浮く。キートンはあわてて後ろ手に洗濯機をつかみ、体を支えた。

「お前のせいだよ、ベイビー。狩りの前に何か食ってくかって聞きに来ただけなのに、お前が洗剤取りに屈んだ腰つきときたら、もう……くそ、そそりすぎだ」

低く、熱っぽく囁き、チェイはキートンと合わせた腰を揺すり上げた。

すっかり欲情しているのはチェイだけではない。チェイのなめらかで色っぽい声に反応し、キートンも盛り上がっている。チェイの大きな焦茶色の目をのぞきこみながら、彼は腰をゆすった。チェイの放つ色気にくらくらしてくる。

「上を脱げよ」

命じながら、チェイは目を閉じる。再び開けた時には、その目は狼の琥珀色に輝いていた。

「えっ？」

「脱げって」

チェイがうなる。

「駄目だよ、落っこちる」

「大丈夫だ。支えてるから。ほら、俺の首につかまれ」

キートンは言われたように洗濯機を離してチェイの首に右手でしがみつきながら、左手で自分のシャツをまくり上げた。チェイが首を傾けてキートンの乳首に唇をかぶせ、歯で軽くはさんでしごく。その間もずっと、腰を揺する動きはとめない。

乳首に痛みに近い刺激を受けて、キートンの全身がビクッと震え、鋭い吐息がこぼれた。ジーンズの中のものがうずき、全身を熱が駆けめぐる。

チェイは逆の乳首に移り、それから顔を上げた。彼の犬歯は長くのびていた。満月の訪れとともに、チェイの中の狼が強さを増している。

早めにすませないと、このままでは狼相手に洗濯室の床でやらかす羽目になりかねない。どう考えてもマズいし、何よりそうなっても自分をとめられる自信がない。キートンは首をのばしてチェイの肩口に噛みつき、腰をさらに強くくねらせた。

「もっと激しく、チェイ……」

チェイも、もうギリギリの筈だ。キートンだってそうなのだから。キートンの目も狼の目に変化する――視界がかすみ、彼は目をとじた。

ついにチェイの呻きがキートンの肌にくぐもり、キートンに向けて腰を突き上げながら、彼は達した。追いかけるように、キートンも絶頂に押し上げられる。チェイに抱きついた全身が張りつめ、一気に下着の中へ吐精していた。

「ああっ、チェイ――」

膝に力が入らなくなり、キートンはずるずると崩れる。チェイもキートンと一緒に床へ崩れこんだ。

一瞬、何がどうなっているのかわからなかった。それからやっと、キートンの脳が事態を呑みこむ。チェイの変身が始まっていたのだ。床にぐったりとしたキートンの目の前で、チェイの姿が雄々しい黒狼へと変わっていく。

狼になっても格好いいなんて、反則だろう……。

キートンは微笑して、チェイがかぶっているシャツをはがしてやる。チェイはジーンズからのこのこ這い出した。腹のあたりの毛がべったりと精液で濡れていて、キートンは笑った。

「そのままにしとくと、乾いちゃうよ」

黒狼がうなって、キートンの顔を舐めにかかる。

「わかった、わかったって。拭いてやるから。俺の足腰が立つまで待て」

言われて、チェイはキートンのそばの床に座ると、キートンの顎や唇、首すじをぺろぺろ舐めた。

キートンはチェイの耳の後ろをかいてやりながら、黒い毛皮に顔をうずめ、昂ぶった神経を鎮めて自分の目を人間のものに戻そうとする。二人とも狼になったら不便でしょうがない。

「てことは、今日は俺が運転役だな……」

狼の温かな体によりそって、キートンは少しの間そのまま横たわっていた。二人ともうとうとしていた時、洗濯室のリノリウムの床にカチャカチャと爪の音が鳴った。ハッハッという息づかいがキートンの耳に届き、外遊びから帰ってきたばかりの犬の独特な匂いがする。

きゃん、とチェイが悲鳴を上げた。

続いてグルルルルと、まだ幼いうなり声が凄む。

チェイがまた悲鳴をたて、床からとび上がった。キートンが目を開けると、ピタの体がころころと床を転がっていくところで、仔犬は乾燥機に背中からゴツンとぶつかってとまった。

チェイに視線を戻す。黒狼は床に座って、前足で右耳をさすっていた。思わずぶはっと吹き出したキートンを、チェイがうらめしそうににらみつける。

ピタがこりずにぴょんと立ち上がると、尻尾を振りふりチェイへとびかかった。遊ぶ気だ。まったく、チェイが人の姿だろうが狼の姿だろうが、この仔犬にとっては何の変わりもないらしい。ピタはチェイの胸元に思いきりかじりつくと、うなりながら毛皮を噛んで頭を振りたく

った。

起き上がって、キートンは笑いがとまらなかった。ピタはこの狼がチェイだということに気付いているのだろうか、と疑問がかすめたが、きっとわかっているだろう。狼の姿でも、チェイの匂いは変わっていない。

そのせいもあって、ピタはチェイが遊んでくれると思いこんでいるのかもしれなかった。チェイはピタと遊ぶ時、いつも床に低く伏せて相手をしているからだ。

黒狼のチェイはついにうなりを上げ、仔犬の首すじをくわえて持ち上げると、キートンのところへ持ってきた。キートンの膝の上にぽとっと犬を置き、キートンの顎をなめて訴える。

「わかった、わかった、ごめんって。笑ってない――いやでもおかしくて……はは、ごめん――」

キートンはまた笑い出してしまう。

笑いの発作が何とかおさまると、立ち上がった。仔犬は、結局ひとまず洗濯室に入れてドアを閉めた。何しろピタは、チェイにとびかかるのをやめようとしないのだ。最初犠牲になったのはチェイの耳、次は尻尾だった。チェイはすっかり動転してしまい、やむなくキートンは情けをかけてやることにしたのだった。

キートンは自分とチェイの体を拭き、着替えると、明日の朝のためにチェイの着替えも持った。

インパラに乗りこみ、群れの土地まで運転していく。車は木々の間に停めた。チェイの父、ジョー・ウィンストンの車の隣だ。この間、チェイからここの土地のことは聞いていた。人里離れた場所で、車を置きっ放しでも安心できる場所だと。

「さて、ついたよ。誰か待った方がいい？」

そうたずねると、狼の姿のチェイは助手席で首を振った。

「俺たち二人だけ？」

こくりと、チェイがうなずく。

「わかった。じゃあ行こうか」

車から降りると、キートンは回りこんでチェイの側のドアを開けてやった。鍵と財布は助手席のシートの下に放りこんでおく。チェイが外へ出ると、キートンは助手席のシートに腰をおろして靴と靴下を脱いだ。

視線を上げると、チェイがじいっと彼を見ていた。キートンは微笑し、手をのばしてチェイの頭をなでる。

「なあ、チェイ。一つ、話しておかなきゃならないことがあるんだ」

狼は小首を傾げた。

キートンは深く息を吸い込み、シャツを脱ぐ。もっと早いうちに言っておけばよかったのだが。この話がチェイを動揺させませんようにと、心から祈る。

「俺さ。狼の姿と、半狼の姿の時だけ、テレパシー使えるんだよ」

チェイの目が大きくなった。

「わかってる、ごめん。先に話しておけばよかったんだけど。とにかくその……もし気持ち悪いと思うなら、お前に念話で話しかけるのはやめるから――」

チェイがやってくると、前足をシートにかけて立ち上がり、キートンの頬をぺろぺろとなめた。キートンは安堵の溜息をつき、メイトの首をぎゅっと抱きしめる。

すぐに離し、立ち上がって残りの服を脱いだ。車のドアをしめ、狼に変身する。完全に狼になってからチェイを見やると、チェイは何故かくいいるようにキートンを凝視していた。

キートンは首をかしげたが、すぐにチェイが〝話しかけられる〟のを待っているのだと気がつく。狼の姿でなければ、思わず微笑したところだった。キートンは尾をぱたんと振って、チェイに歩みよる。

『ええと……どっちに行く？　この辺は俺よりずっと詳しいだろ』

チェイの頭の中にそう話しかけた。息をつめて反応を待つ。

テレパシー能力を持つ狼はほとんどいない。キートンと彼の父は念話のやりとりができたが、能力のない普通の狼がキートンへ返事をすることはできない。キートンの兄は、キートンから一方通行で話しかけられるのをひどく嫌がったものだった。

だが、チェイはさすがにチェイだった。彼はキートンの鼻先をなめると、軽く肩をぶつけてうながしてから、さっと走り出した。

『おい、待ってくれって――』

それから数時間、二人は自然の中を思う存分に探索し、楽しんだ。やがて一羽の兎を狩り、分け合う。

幾度か、キートンは誰かに尾行されているような気配を感じたが、何の匂いも嗅ぎとれなかった。誰かはともかく、相手は風下にとどまっているようだ。チェイにも聞いてみたが、やはりチェイも何も嗅ぎとれなかった。どこかの若い狼が一緒にふざけて遊んでいるだけだろう。

夜も更け、二、三時頃になると、チェイはキートンを小さな岩穴へとつれていった。二匹の狼はそこで身をよせあって丸まり、眠りに落ちた。

＊　＊　＊　＊

あまりにも強く欲情しすぎていて、目を覚ます前からチェイの腰は空を泳いでいた。

ぼんやりと、背中に感じる体温に気付く。そして鼻腔に満ちた伴侶《メイト》の誘惑的な匂い――全身が熱い。

チェイは起き上がり、そばにいる小さな白狼を見下ろした。

キートンは前足の間に頭を伏せ、体の下に後ろ足を丸め、尻尾をのばして眠っていた。チェイはほとんど何も考えず、その白い体をまたいで立つとキートンの首すじに鼻面をうずめた。

キートンの耳がピクンとはねたが、体はじっとしたままだった。チェイの頭の中に、甘い南部訛りが響く。

『えーと……チェイ？　水をさすようで悪いけど、俺たち、この状態だと指も使えないし話もできないし、潤滑剤《ルーベ》の準備もないいんだよ。家まで帰った方がいいんじゃないかなーとか思ったりするんだけど――』

しまった。一体、どうしてしまったのだ？　狼の姿でできるわけがない。

いやまあ、できないことはないだろうが、ここでは無理だし、それが二人の初めてというのは絶対に御免だ。いっそここで人間の姿に戻って……いや、その後、素っ裸で車まで歩いて帰るのも嫌だ。

結局、チェイはキートンの上からどくと、行こうと鼻先でこづいた。

言いたいことははっきり伝わった様子で、キートンはぽんと立ち上がるとチェイの鼻っ面をなめた。

『ついてくよ』

チェイは一秒たりとも無駄にしなかった。岩穴から地面へ駆けおり、東を目指して走り出す。キートンがついてきているのは匂いからわかっていた。というか、チェイの意識はキートンの匂いでいっぱいだった。キートンの匂いのことしか考えられなくなりそうだ――しかも今のチェイの感覚が確かだとすれば、キートンも彼と同じぐらい欲情している。

『なあ、お前のシッポ、凄くいい眺め……』

間違いない、キートンもすっかりのぼせている。

可能なら笑ったところだが、狼のチェイはひたすら疾走の足を速めた。

二人が車を停めた場所に駆け戻った時、すでに辺りには群れの仲間がちらほらと戻っていた。チェイの父親までいる。まあ少なくとも、皆、チェイの勃起は若さゆえの朝勃ちだと思ってくれるだろう。別に、何か言われるような問題でもないが――人狼同士、互いのそういう状態は無視するのが礼儀だ。

とにかく、誰にも話しかけられないよう願った。今のチェイは、ただ一刻も早く家に帰りたい。

チェイよりも先にキートンが人間の姿に戻り、車のドアを開けて二人の服をつかんだ。その丸い、締まった、小さな尻――いや見ていない、今は尻に見とれている場合ではない。

……今呻いたのは自分の声か？

「お早う、坊やたち。昨夜はいい夜だったかね」

チェイの父のジョーが、自分の車のボンネットごしに声をかけてきた。

キートンは手を振り返し、パンツを履き、おかげで誘惑的な尻は布に覆われた。ありがたい。

「お早う、ジョー。いい狩りができましたよ。そっちはどうでした？　次は一緒に行きましょう」

チェイが狼の姿から人間に戻っている間に、父が歩みよってきた。チェイは内心、まずいことになったと呻いたが、ここで父に素っ気ない態度をとって車にとびのるわけにもいかない。無駄に怪しまれるだけだ。

別に、キートンのことを知られるのはかまわないのだが、今ここで説明したい気分ではなかった。今はキートンを家に連れ帰って、一秒でも早くまた服を脱ぎたい。

チェイはキートンの向こうに手をのばして車のシートから下着とジーンズをわしづかみにし、手早く着こんだ。

「やあ、父さん……」

「お早う、チェイ。朝飯でも一緒に食わないか？」

お断りだ。無理だ。メニューに裸のキートンがのっかってない限り。

「ええと……」

キートンがシャツを着こんで、チェイの分を手渡しながら答えた。

「次の時でいいですか？　早く家に帰って、仔犬を散歩に出してやらないと。家の中に閉じこめてきちゃったんで」

よし、見事だ、ビット。

チェイはTシャツを頭からかぶって引っぱりおろしながら、うなずいた。

「ああ、今ごろピタはトイレに行きたくてうずうずしてるかも」

「床に洪水を起こしてないといいな」

とジョーが笑った。キートンも笑う。

「そうじゃないよう祈ります。トイレの躾をやり直さなきゃ」

「じゃあ、こっちは朝食を食べに行くとするよ。気が変わったら電話してくれ」

ジョーは彼らに背を向けて車の方へ戻りはじめたが、ふと足をとめた。

「そうだ。来週、二人でうちに夕食を食べに来なさい。お母さんと話して、何曜日がいいか知らせるから」

そう言って手を振ると、父は車に乗りこんでしまう。

キートンはスニーカーの紐を結んでいたが、チェイを見上げて眉をくいっと上げた。くそう、眉毛までエロい。チェイはうなった。エロい眉毛って何考えてるんだ、正気か。股間に血が集まっているおかげで脳に血が足りていない――か、ネジが外れたか。とにかく今は本能優先だ。

チェイは肩をすくめて、靴下と靴を身に付けた。

「元々、週に一度は親のところにメシ食いに行ってる。ここ二週間ほどご無沙汰してるが」

「とにかく帰ろうか」

「大賛成」

熱をこめて答えてから、チェイは周囲への気配りとして無難につけ足した。

「急がないとな。ピタが腹すかしてるだろうし」

キートンがウインクした。運転席に乗りこんでエンジンをかける。

「チェイ、そっちの席の下から俺の財布取って」

チェイは助手席に乗るとドアを閉め、シートの下を手探りした。

「何でだ？　コンドームでも入ってんのか？」

「ありえないだろ」

チェイの問いに、キートンは鼻を鳴らす。人狼は人間の疾病には感染しないので、コンドームで自衛する必要がないのだ。

「まあな。だがもしお前が潤滑《ルーベ》剤付きのコンドームを持ってるんなら、使えないかと思ってさ……」

車を道へ出しながら、キートンがチェイの言葉に目を見開いた。

「それってつまり、チェイ、俺たち、今日こそ——」

「ファックするかって？　ああそうさ。つまりお前がよければ、最後まで、ってことだが。勿論」

車のスピードが上がった。

「俺に文句あるわけないよ。っていうか、ずっと待ってた」

チェイはキートンへ視線を投げる。ジーンズの前の膨らみが目に付くと、もう自分を抑えられなかった。左手をのばしてそれを包みこむ。

間違いない、キートンは欲情している。わかってはいたが、こうして実際に確かめると……その熱く固い感触にひどくそそられる。

「くそ、ビット。もっと急いでくれ――」

キートンのとばす車は記録的な早さで家に帰り着いた。二人は家の中にとびこんでドアを閉め、ほとんどその瞬間、キートンが文字通りチェイの体によじのぼってきた。

チェイはキートンの尻を両手でつかみ、ぐいと自分に引きつける。キートンの口がチェイの首すじに吸いつき、腰に絡みついたキートンの脚がさらにきつく締まった。チェイはキートンの体を上下に揺すって、互いの腰を擦りつける。

すでに下着の中はぬるついている。二人でひとまず、これを発散しないと。今の状態では、キートンの締まった尻に入れる前に打ち上げ花火みたいに発射してしまうのがオチだ。

チェイはキートンを抱え上げたまま、ベッドルームに向かって歩き出した。

「お前、本当はドッグ・ドアの鍵なんてかけてないんだろ？」

「むむ、んふ」

キートンはチェイの首を吸い、それから顔を上げてじっとその痕を見つめた。ひとつ首を振り、また吸いつく。チェイの肌を震えが走った。伴侶《メイト》が、彼にマーキングしているのだ。

ベッドにたどりつくとキートンをおろした。シャツを脱ぐチェイを、キートンがベッドに肘をついて見つめる。シャツの次には靴を脱いで蹴り、チェイはジーンズと下着をまとめて引き下ろした。

キートンはチェイを凝視しながら、右手でジーンズの上から自分の股間をなでていた。その姿は、まさに食べごろ。

「ビット、さっさと脱げよ」

言うなり反応する間も与えず、チェイはキートンの靴をつかんでむしり取り、靴下、ジーンズと次々剥いていく。ズボンを引きはがした勢いでパンツも外れ、キートンの見事なペニスがぶるんとはねた。キートンはTシャツを胸元へまくり上げながら、ベッドに倒れこみ、自分のものをゆるゆるとしごきはじめる。

チェイは喉の奥でうなると、ベッドによじのぼってキートンの脚の間に陣取り、膝立ちになった。自分のペニスをつかみ、キートンの手の動きにあわせて自分の手を上下に動かす。

キートンは下唇を噛み、きゅうん、と鳴き声のようなものを立てた。青い目を見開く。手を早めながら、魅入られたようにチェイの手と、屹立を見つめていた。

「すっげえ、いい眺め――」

呻きながら、キートンのそれも先端が滴にぬらついている。

チェイはうなった。右手の中のペニスは鉄も貫けそうなほど固くはりつめ、ドクドクとうずいている。左手をのばしてキートンの陰嚢を包み、軽く握りこんだ。

「イケよ、かわいいビット。イケよ、そうすりゃお前をファックできる――」

キートンが達した。大きな呻き声を上げ、腰がベッドから浮く。全身に力が張りつめ、手の中に、下腹部に、白濁した液がとび散った。

端麗な顔に浮かんだ陶酔の表情と、濃密な精の匂いでチェイも達する。二度ほど自分の手の中に突き上げたが、それが限界だった。

「うっ、ああっ――ビット――！」

前に身をのり出し、彼はキートンの肌に白く散る自分の精液を見つめた。

キートンが、自分の腹部にひろがった精液を指ですくい取ると、口元に運び、指を一本ずつ丁寧になめる。

「んふ……」

このままでは勢いのままにのしかかってしまいそうだった。まずい。チェイはぺたりと座りこみ、自分のメイトの姿をただ見つめた。

キートンは起き上がってまとわりついていたシャツを脱ぎ、床に放った。達したばかりだがペニスは半分勃ったままだ。チェイの方はと言えば、まったく萎えてもいなかったが。

「チェイ、入れてほしい……中で、感じたい。無理にってわけじゃ、ないけど」

「文句があるわけないだろ。俺はもうずっとこの時を待ってたんだぞ」

「そうなのか？　なら何だって我慢してたんだ？」

「お前が、急ぎたくないって言ったから」

キートンはうなって、チェイのペニスを引っつかんだ。チェイは鋭く息を呑み、腰を押しこむ。

「俺の言うことなんかさっぱり聞かないくせに、何でそこだけ聞くかなお前は……！」

ぶつぶつ言いながら、キートンは前に身をのり出し、チェイのそれを口にくわえた。

チェイの全身がぞくりと震える。快感の後でひどく過敏になっているものをキートンの熱い口に包まれ、天にものぼる心地だった。さっきイッたばかりとは思えないほど固く猛っている。指でキートンのプラチナブロンドをもてあそびながら、かわいい口がそれをしゃぶる様子を見下ろした。

くそっ——うまい。巧みな舌使いだった。チェイのすべての体験をしのぐ、最高のディープスロート。

「ビ、ビット、凄えいいんだけど、待てって——」

チェイはキートンからやっと体を離すと、ナイトスタンドの引き出しへ手をのばした。この中に潤滑剤《ルーベ》がありますように——。

ビンゴ！　潤滑剤《ルーベ》とコンドームが入っていた。コンドームは不要だ。異性相手の避妊用に置いてあったものである。人狼は人間の疾病には感染しないが、人間の女性を妊娠させることはできるので、用心は欠かせない。

「どんなやり方が好みだ？」

チェイは、我ながら甘ったるい声でたずねた。キートンの腕をつかんでベッドの上の方に引き上げ、押し倒して、キスをする。

「どうやりたい？」

「え？　俺？　俺は、別に……そっちの好きなやり方で、何でもいい。まかせるよ」

言いながら、キートンの視線があちこち泳いで、やっとチェイを見た。

チェイはキートンの唇をなめる。

「いや、駄目だ。お前は、どんな体勢が好きなんだ？」

キートンがごくりと唾を呑んで、答えた。

「あ、仰向けで、向かい合ってしたい……もし、嫌じゃなければだけど」

「嫌？　俺は全然嫌じゃないが、どうしてそんなことを言う？」

チェイはまばたきする。キートンは肩を揺らしただけだった。

「いやいや、誤魔化せると思うなよ」

チェイは自分のものをぐいと握り、すぐには硬度を失いそうにないそれで軽くキートンの足をはじく。

「こいつもまだ待てそうだしな。さて、ゆっくり聞こうか」

キートンがうんざりとうなって、目だけで天井を仰いだ。

「何でもないんだって……」

チェイは座りこんで、首を振った。彼のメイトは、何かを気にしている。どうあっても聞き出さねば。

あまりキートンが意地を張らなければいいのだが。いざとなるととんでもない強情っぷりを発揮する男だが、今のチェイは実のところ、本気で、心底、さっさとキートンの締まった尻をファックしたくて仕方ないのだ。

キートンが、ふうっと溜息を吐き出した。

「だってさ……顔が見えてちゃ、相手が女だってごまかすのが難し——」

「はあ？」

キートンがたじろいだ。

一体どこからそんなとんでもない考えが出てきたのだ？

お前はゲイじゃないストレートだ——という話題はてっきり過去のものになったと思いこんでいたのだが、チェイの勘違いだったようだ。彼は手にしていたジェルのボトルを落とすと、キートンの両足をつかんで押し上げ、膝を曲げさせた。のり出して、キートンの陰嚢をぺろりと舌でなめ、ちゅばちゅばと吸い上げる。

キートンの膝をさらに、胸につくほど押し開き、半分に体が折り曲がったような体勢を取らせると、チェイはさらに奥へ舌を這わせた。キートンの尻の割れ目をなめ上げ、窄《すぼ》みを舌先でなぶる。

「うわっ、わあああ、ちょっと、チェイ！」

キートンがじたばたと身をよじった。チェイに近づこうとしているのか押しのけようとしているのか、まるでわからない。

どちらにせよ逃がすつもりはない。チェイの舌はなおも締まった窄《すぼ》みをなぞってから、キートンの陰嚢までたどる。舌の愛撫を受けて、キートンのそれはまた勃ち上がっていた。チェイはそのペニスを口にくわえて、吸い上げてやる。

「わ！」

チェイは頭を起こし、茫然としたキートンの目をのぞきこんだ。

「どうだ？　これでもまだ、俺がお前を女だと思いこもうとしてるとでも？」

キートンの口がぽかんと開く。それから、のろのろと首を左右に振った。

チェイはニッと笑う。

「よし。わかったら、二度と言うなよ」

キートンはうなずく。その瞳はうっすらとかすんで見えた。

チェイはキートンの足をおろすと、潤滑剤《ルーベ》を拾い上げた。ジェルを自分のペニスに塗る。キートンが焦れたように呻くので、おもしろくなって必要以上の手間と時間をかけた。それに、気持ちもいい。このままこれを、今すぐ……キートンの、締まった尻に――。

集中しろ。自分を叱咤し、チェイは屹立から離した手にさらにジェルを絞り出した。

キートンは自分で太腿を引きよせながら、チェイの動きを不安そうに見つめている。

「いい子だ、安心しろベイビー。俺にとってお前はお前だよ、ほかの誰でもない。そんなこと思ったこともないよ。これまでも、これからも」

チェイはジェルのついていない左手で、宙に浮いているキートンの足先をつかみ、足の甲にキスを落とした。

「それにな、こんな気持ちになったのはお前が初めてなんだ」

キートンの足の親指を含んで、しゃぶる。ジェルに濡れた人さし指で、キートンの奥の窄みをさぐり、内側へ押し入った。

キートンがハッと息を呑む。

ぴたりと吸いつくような、何とも言いがたい感触だった。もうじきここに入るのか、と期待に満ちたチェイのペニスがさらにそそり立つ。指を増やし、伴侶《メイト》の顔をじっと見つめて、大丈夫かどうか表情を読んだ。

問題はないようだった。キートンのペニスはしっかりと固いままだ。目は閉じ、唇には淡い笑みがあった。まったく、本当にきれいな男だ……。

「指をもう一本増やしても大丈夫か、かわいいビット？　平気そうか？」

「指はいいから、もう入れて、チェイ――」

「本当に？」

「うん……」

チェイは三本目の指を奥へ入れながら、キートンの表情をじっと見つめる。キートンが吐息をこぼした。

指を抜くと、チェイはすっかりほころんだ穴に屹立の先端を当てた。ぐ、と腰を進める。キートンの体は、やわらかくチェイを呑みこんでいく。

「すげえ、中、いい――」

ゆっくりと挿入していく。今すぐ奥まで貫いてしまいたいという衝動を押さえ付けて。たっぷりと時間をかけて挿入しながら、チェイは、メイトの体が締めつけてくる、きつく、甘い感覚を味わった。

キートンが呻いた。

「動いて……動いて、チェイ――」

その望みをかなえてやる。チェイはまず優しく腰を揺さぶった。男相手でこそなかったが、前にアナルセックスはしたことがある。だが今回は、まるで違って感じられた。比べものにならない筈だ、今抱いているのはキートンなのだ。彼の運命の伴侶《メイト》。

キートンは、喘いだり吐息をついたり、とんでもなくかわいい音を立てている。

チェイ自身も一気に快感が高まっていくのを感じた。キートンの屹立の先端からにじみ出す精液の匂いが鼻腔に届く。彼はキートンの膝裏にぐいと手を入れると、引きよせながら、同時に激しく突き上げた。

「あっ、あっ――」

キートンがこぼれそうなほど目を見開く。チェイはもう一度、同じ動きで突き上げた。キートンの全身に力が張りつめ、チェイをきつく締めつける。

チェイもうなり声を立て、さらに激しく動きながら、キートンの顔にあふれる歓びの表情を見つめた。キートンの弱い場所はここなのだと、笑みを浮かべて覚えようとする。考えたこともなかった――性感を刺激する方も、こんなに気持ちがいいなんて。

「いいか、ビット?」

「ん、いい――もっと、チェイ、激しく――」

チェイの背骨をぞくぞくと痺れが駆けのぼっていく。

とんでもなくエロい。どうしようもないくらいに。ぐんと腰を強く突きこんだ。

「ビット、自分でしごけ。見せてくれ」

キートンは命じられるままに屹立をつかみ、チェイの突き上げに合わせて手でしごく。ひどく淫らな眺めだった。

手を動かしながら、キートンは下唇を噛む。熱い体がチェイをさらに強くくわえこみ、もっと、と懇願してくる。

キートンの唇からこぼれる言葉は、もう一切意味を成していなかったが、何を求めているのかはよく伝わってくる。チェイはさらに荒々しい動きでキートンを突き上げ、翻弄した。たちまちキートンの全身が震え、こぼれる声も大きくなっていく。奥がきつくチェイを締めつけた。あふれ出す精液の、濃密な匂いがあたりにたちこめる。

キートンはいつもきれいでかわいい——だがこの瞬間、キートンの顔に浮かんだ表情の美しさは、チェイの心を一瞬で貫き通した。

チェイはまるで苦悶のような呻きと共に達し、伴侶《メイト》の体の奥に一気に熱を解き放った。

ぐったりと、キートンの上に崩れ、荒い呼吸をつく。余韻すら激しく、全身を揺さぶる。

キートンが両腕をチェイに回して抱きしめ、チェイに優しく頬ずりした。唇がふれあい、重なり合う。チェイはそのキスの中に呻きながら、さらに深くキートンに舌を絡めた。

もう、完全に、恋に落ちている。

チェイはまるで浮かんでいるかのような、うっとりとした心地に包まれていた。ドアの方から、はっと息を呑む音が聞こえてくるまでは。

「何やってんだお前ら！」

9

寝室の入り口に、チェイの友人のレミが立っていた。腕にピタを抱いている。キートンをにらみつけながら、彼は仔犬を床へおろした。ピタはすぐさまベッドに突進してくると、床でポンポンとはねながら吠えた。

レミは口を開け、また閉じた。何度かそれを繰り返して、やっとキートンへ指を突きつける。

「てめえが、てめえが悪いんだ！　チェイをたぶらかしやがって――」

「出ていけ！」

チェイが怒鳴り、上掛けをつかんで二人の体の上にバサッと投げかけた。キートンの奥からチェイのものが引き抜かれる。

「っ……」

キートンは快感に息を呑み、慌てて口を閉じた。

意外にも、レミは言われた通りくるりと背を向けてベッドルームから出ていった。チェイが座りこみ、髪をぐしゃっとかき回す。

「くそっ」

チェイが眉をひそめた。

「……ごめん」

「何でお前があやまる」

「何でって……レミに、バレちゃってごめん」

だがチェイは首を振った。

「いや。お前があやまるようなことは何もない。悪いのはレミだ。あいつはいつも勝手に上がりこむ。ノックの仕方も知らない。それにな、別にいいんだ、これでよかったよ」

チェイは身を屈め、キートンにキスしてきてから、ぴしゃりと彼の尻を叩いた。

「さ、起きて服を着ろ」

それからベッドをおり、床ではねているピタをすくい上げて顔をつき合わせる。

「それと、お前。いい子だから、落ちつけ」

キートンはふうっとため息をつき、重い足取りでバスルームへ行って身づくろいをした。戻ってみると、チェイはすっかり服を着てベッドに腰かけ、彼を待っていた。

「なあ、ビット……」

気が進まない。嫌な予感がする。これは、きっとひどいことになる。

「ん？」

キートンはにこっと微笑した。チェイの呼ぶ、そのあだ名が好きだなんて、口に出しては絶対言うつもりはないが。

チェイが立ち上がり、キートンの腰に腕を回す。額に唇を押し当てた。

「ありがとう」

親指で、キートンの鼻すじをなぞる。

「まったく、そばかすまでかわいいな」

「自分がイカれてるって、自覚ある？」

キートンはぐるっと目を回した。チェイが顎のラインを唇でたどる。

「俺の長所の一つさ。ほら、おいで。レミと話さないと。家から蹴り出してやるところだが、あいつとは二〇年のつき合いだ。一番の親友だった」

「だった？」

チェイはキートンを見つめて思わせぶりに眉を上げてみせる。ニッと笑って、キートンの手をつかみ、そのままリビングへ向かった。

レミはリビングでカウチに座っていた。二人が入っていくと顔を上げ、彼らがつないでいる手を見るや、キートンへうなった。

「てめえ、一体こいつに何をしやがった」

チェイが片手で制する。

「レミ、よせ。キートンのせいじゃない」

「は？　ふざけてんのか？　こいつのせいに決まってんだろ！」

レミが怒鳴り返す。

キートンはこくんとうなずいた。それから我に返る。何ということだ、うっかりレミに同意してしまった。

「レミ、いいから聞け。これはお前にどうこう言われる筋合いのないことだ。だが友達だから、話してやる。いいか、一度しか言わないぞ」

チェイはキートンの手を離すと、カウチに座り、レミの方へ斜めに身を向けた。ピタがぽんぽんとはねて駆けより、グルルとうなりながらチェイのズボンの裾にかぶりつく。キートンは微笑して、仔犬を抱き上げるると、はす向かいの椅子に腰を下ろした。

レミは手で顔をなで下ろした。性格がねじ曲がっているのが残念になるくらい、本当にいい男である。彼は前に身をのり出し、両膝に手を置いた。

「何でなんだ、チェイ？　母親への反抗か？　こんなことやって怒らせたいだけなんだろ？　俺みたいなハーフの友達を家につれていくだけじゃ済まなくなって、今度は白人の恋人を作ったってわけか？　しかも、男の！　お前はゲイですらねえのに！」

チェイが溜息をついた。

「母さんとは何の関係もないことだよ。それと、頼むからそのゲイだゲイじゃないの話はやめてもらえるか？　そんな問題でもないんだ。キートンは俺の恋人だ、だからずっと俺と暮らす。それだけだよ」

「は？　その年でいきなり女嫌いになったってのか？」

「女が嫌いなわけじゃない。ただ、ビ——キートンの方がもっと好きだってだけだ」

レミはぎろりとキートンをにらみつけ、それからチェイに向き直った。

「何なんだ！　さっぱりわかんねえよ。何だってこいつと？　お前、弱みでも握られてんのか？」

チェイが目をとじ、鼻のつけ根を指でつまんだ。

キートンはチェイを抱きしめて大丈夫だと言いきかせてやりたい衝動をこらえる。大丈夫ではないのだ——レミは、始まりにすぎない。チェイの母、レナ・ウィンストンははるかに大きな嵐となる筈だ。

チェイが手をおろし、レミを見やった。

「レミ——」

「だって、考えてもみろよチェイ、どう見たって変だろ？　お前は男にその手の興味なんか持ったこともねえだろうが！」

「一度だけしか言わないからよく聞けよ。おとなしく受け入れるか、駄目ならここから出て行ってくれ、お前次第だ。俺はキートンを愛している、こいつと別れるつもりは——」

キートンの息がとまった。目を大きく見開いてチェイに視線をとばす。かわいそうに、レミときたら誰かにみぞおちに一発叩きこまれたような顔していた。いや、こいつに同情する必要などない、こんな根性悪に。

チェイは、二人の反応に気づかずしゃべり続けていた。

「――ない。この家は、もうキートンの家でもあるんだ。こいつはここに、ずっと住むんだよ。もしお前がキートンへの態度を改めないなら、お前はもうこの家では歓迎されないと思え」

「友達よりそいつを選ぶってのか？」

「お前がキートンを侮辱するのをやめないなら、それも仕方がない。お前は昔からの友達だ。だが、キートンに対してそうやって汚い口を叩いて苦しめるのは許さん」

レミが怒りの形相でソファからすくっと立ち上がった。

「友情をドブに捨てるってのか、この……この……」とキートンを指さし、「ホモ野郎のために！」

チェイもソファからとび上がった。怒りが全身からあふれ出している。

「そこまでだ！　出ていけ、さっさと出てって、礼儀をわきまえるまで戻ってくるな！」

レミは最後にもう一度キートンをにらみつけてから、ドスドスと大股に家を出て行くと、玄関のドアを力一杯叩きつけた。

キートンは目をとじる。頭を椅子にもたせかけた。

……最悪の展開。何てことだ。

膝の上のピタがキートンの胸に手をついて立つと、顎をペロペロとなめはじめた。キートンはピタを抱き上げて床へおろし、チェイを探して視線をとばす。

チェイは、窓のそばに立って、外を眺めていた。

どんな言葉をかければいいのかキートンにはわからなかった。そばにいってなぐさめた方がいいのだろうか？　おかしなことに、キートンはレミに同情したい気分だった。あの男にとっては青天の霹靂で、すっかり頭に血がのぼっていた筈だ。

チェイがゆっくりと窓から振り向いた。

「悪かったな、ビット。あいつの態度の言い訳になるわけじゃないが、レミの父親ってのが本当にひどい男で……あいつはかなりキツい子供時代をすごしてこなきゃならなかったんだよ」

「いいよ、俺にあやまらなくても。でも今日のことは、ほんの序の口だってわかってる？　ますます悪くなるんだって」

チェイは無言でうなずいた。

「なあ、本当に孤立してもいいのか？　友達から見離されても、家族とうまくいかなくなっても？」

その言葉に、チェイが小首をかしげる。

「つまりお前はそうだったのか？　ゲイだとカミングアウトして、友人に見離された？」

「いいや。俺には友達なんて元から一人もいなかったからね」

「一人ぐらいはいるだろう」

「俺にはいないよ」

キートンは首を振る。

「また、どうして」

「第一に、うちが金持ちすぎたから。それもやたら目立つ金持ち。次に、俺は人狼としても強すぎたから、俺のそばではみんなおどおどしてた。そこに加えてゲイだときたもんだ」

キートンは肩をすくめた。

「まあほら、親しくつき合いたいタイプじゃなかったってわけ」

「でも恋人がいたろ？」

「一人だけね。それもお互い親しいってわけじゃなかったし」

チェイが眉を上げてたずねた。

「相手の男が、カミングアウトしてなかったからか」

「うん。あいつは、自分はゲイじゃないって言い張ってた。まったく、俺がちょっとでも好きになった相手ってみんな、どうしてか俺から一歩引きたがるみたいでね」

チェイが歩みよってくると、キートンへ右手をさしのべた。キートンはその手を見下ろし、視線でたどって、チェイの顔へとまなざしを上げていく。

それから、彼はチェイの手を取った。チェイはぐいと引いてキートンを立たせると、自分が椅子に座り、膝の上にキートンを引きよせた。

キートンの鼻先にキスをしてから、彼は椅子によりかかってキートンを抱く腕に力をこめる。

「俺はどこにも行かない、ビット。そろそろ、俺がお前を見捨てるんじゃないかと用心するのはやめろ。そんなことは絶対に起こらないから」

その言葉を完全に信じきれればいいと思う。キートンがチェイを信じていないというわけではないのだが――だがどうしても、迷いは残る。

「だって、そう簡単には割り切れないよ。俺は……俺のせいで、お前の人生をぶち壊してる気がする。もう、俺のせいで友達が一人いなくなった。この先、もし親まで……」

チェイの手がキートンの頭を包み、胸元に引きよせて、またキスをした。

「これは運命だよ、ビット。もしこれで友達や家族が俺を離れるなら、皆にとって俺はその程度の存在だってことだ。お前が男だってことは、俺には大した問題じゃない。はっきり言うとな、お前が狼でもかまわなかっただろうと思うよ――つまり人間に変身できる人狼じゃなくて、普通の狼だったとしてもな。俺たちの間にあるものはセックスだけじゃないんだ」

キートンはチェイを見上げて、その顔をよく見ようと少しだけ体を離した。

「それって、俺を本気で好きだって言ってる？」

　あからさまなのはよくわかっていたが、こらえきれなかった。もう一度チェイの口からあの言葉を聞きたい――今度はレミとの口論のついでではなく、きちんと自分に向けられた言葉として。

　チェイが微笑した。

「ああ、ビット。お前を愛してるよ。でも俺が言ってるのは別のことだ」

「うん？」

　チェイは吐息をつく。

「俺が言いたいのは、俺は決してお前を見捨てないということだ。たとえ友人や親たちが嫌な顔をしたからといって、俺は逃げ出したりしない。お前が一番大事だからだ。ああ勿論、楽な道じゃないことはよくわかっている。それでも、お前のためなら――俺たちのためなら、俺は喜んで戦うつもりだ」

　わあお――凄い。

　だがチェイの言いたいことはキートンにもよくわかった。チェイとの間にある絆の強さは、一度も、ほかの誰とも感じたことのないものだった。頭では、それが人狼の遺伝子レベルでの結びつきによるものだとわかってはいたが、それでもキートンは思わずにはいられない。たとえ彼らが伴侶《メイト》でなかったとしても、チェイと恋に落ちたに違いないと。

キートンはチェイにキスをして、微笑した。チェイの人生を叩き壊す原因になってしまうのは、今でもまだ心が重いが。

「わかったよ。俺も、そばにいる。でも言っとくけど、本当に大変なことになるからね」

チェイはくすっと笑ってキートンをきつく、息ができないほどの強さで抱きしめた。

「ああ、わかってるさ、聞きあきたよ。誰もが俺を嫌いになってそっぽを向くんだろ？　わかったよ。まるで壊れたレコードみたいだぞ」

ふん、とキートンは鼻を鳴らす。

「全員に嫌われるとまでは言ってないさ」

「お前はどうだ、ビット？　俺を嫌いになるか？」

それを言うチェイの目にはいたずらっぽい光が溜まっていて、唇には笑みがあった。まったくこの男は、とキートンは笑って返す。

「それってつまり、俺に永遠の愛を誓わせようっていうお前なりのひっかけ？」

チェイは目を見開き、いかにも傷ついたふりをしたが、瞳の邪悪なきらめきで芝居が台なしだった。

「俺がそんな卑怯な真似をするとでも？」

「お前は目的のためならどんな真似でもする男だよ、その点は間違いないね」

キートンは笑い声を立てた。チェイが不意に微笑を消し、キートンを真摯に見つめる。

「お前を愛してるよ、ビット。俺は本気だ」

うわ。

キートンは息ができなかった。暴れる心臓が胸からとび出しそうだ。チェイが自分から、そう言ってくれるなんて。

自分は？　チェイを愛しているだろうか？　愛していると、そうこたえるべきシーンだとはわかっている。だが……チェイに、心の一番脆いところまでさらけ出しても大丈夫だろうか？

「何も言わなくていい、キートン。俺が、お前に言っておきたかっただけだから」

キートンはこくんとうなずいた。もはや乗りかかった船だ。もしいつか、チェイがキートンを必要としなくなる日がくれば、きっとキートンの心は死んでしまうだろう。この言葉を言うかどうかは、何も変えはしない——もう気持ちは決まっている。チェイに告げるかどうかの違いだけで。

「俺も愛しているよ、チェイ」

チェイは輝くような笑顔になった。

「お前がそれを言ってくれるとはな。この、どうしようもない強情っぱりめ」

「はあ？」

キートンはあきれ果てて口を開けた。

「言っとくけどな、まだお前のフェロモンのことは大ッ嫌いだからな！」

チェイが、楽しげに目を細めてクスクスと笑う。両手でキートンの顔をはさむと、キスをしてきた。

チェイといる限り、人生に退屈はない——その考えを最後に、キートンもまともな思考を放棄してうっとりとキスに溺れた。

10

「なあ、ペンギンのゲイカップルがいるって知ってるか？」

……は？

キートンは読んでいた本から顔を上げてチェイを見た。

「今何て言った？」

パジャマ姿のチェイはカウチに寝そべって読書中だった。ひとつうなずくと、彼は手にしていた雑誌——動物や獣医関係の何かだ——を腹の上に置く。

「ペンギンさ。現実の話だよ。動物の間でも、様々な種にホモセクシャルな関係が確認されている」

キートンはぱちぱちとまばたきして、眼鏡を鼻の上に押し上げた。

「猿や牛にも、実はイルカの中にもゲイカップルがいる。その上——何だ、どうして笑う」

「チェイがそういうタイプだとはね」

「え?」

キートンはにんまりした。ゲイの動物について詳しいとは、さて、ほかにはどのくらい物知りなのだろう。獣医の基礎知識というより、ディスカバリーチャンネルか何かのドキュメンタリーで仕入れた知識という感じだ。いやまてよ、もしかして今読んでいた雑誌からか?

「チェイ、それってその雑誌に載ってた話?」

「いや、今読んでたのは新型の人工孵卵器の記事だよ。それで、ペンギンのゲイカップルの話を思い出したんだ。そのペンギンたちは卵のかわりに石を抱いて孵化させようと試みたんだぜ」

キートンは笑みを深める。よしよし、素晴らしい。人好きのする、一見体育会系の姿の下には、雑学好きのちょっとマニアックな顔があるらしい。

「チェイ、印刷技術を発明したのは誰?」

「何でだ」

「いいから言ってみな」

「ふむ……ヨハネス・グーテンベルク?」

キートンはにやつきそうな口元を引き締めた。

「寝台車を発明したのは？」

「ジョージ・プルマンだろ」

合格！　これは大したものだ。キートンは頬が痛みそうなほど満面の笑みだった。

「綿繰り機は？」

「イーライ・ホイットニー。何なんだ、この下らないクイズは」

「人間の体にある骨は何本？」

「二〇六本。犬は約三二〇本、猫は約二五〇本、馬にはおよそ一七五本の骨がある」

完璧だ。二人の気が合うのも当然。

「ドクター・チェイ・ウィンストン。つつしんで申し上げるけど、お前は立派な雑学オタクだ」

チェイはあきれた様子でぐるっと目を回し、また雑誌を手にすると記事に目を戻した。ぼそっと呟く。

「お互い様だ」

キートンは読んでいたアパッチの歴史の本にしおりをはさみ、サイドテーブルに置いた。ついニヤついてしまう。普段のチェイは、本の虫という印象からはほど遠い。獣医師学校を出ているのだから頭のいい男だとはわかっていたものの、知識の幅広さはキートンの予想外だった。

キートンは笑いをこぼした。

「俺はネクラな本の虫で歴史マニアだよ、別に秘密でも何でもない。オタクで結構！　いつものシャツにポケットが付いてれば胸ポケットにポケットプロテクターまで入れちゃうね」

「ポケットプロテクターは別に変じゃないだろう……」

チェイがうなって、顔を雑誌で覆った。ポケットプロテクターはビニールのペンケースで、ペンをずらりと挿してポケットに入れるのがいわゆるインテリオタクのファッションなのだ。

「その顔からすると、さてはポケットプロテクター持ってるね？」

「白衣のポケットに入ってるよ、悪いか」

キートンはメタルフレームの眼鏡を外し、本の上に置くと、チェイのカウチににじりよった。チェイの顔を覆う雑誌を取り上げながら、横に腰をおろす。

チェイはキートンを引き寄せて鼻の頭にキスをした。

「いいだろう、ゴルディロックス。俺が脳みそまで筋肉じゃないってわかって楽しいか？」

童話の主人公の名前で呼ばれて、キートンはまばたきした。言い返そうと開けた口をぴしりと閉じる。何があってもこの呼び名に反応してはいけない。したら終わりだ。チェイはキートンの反応ほしさに次々と馬鹿げたニックネームで呼んでくるのだ。無視さえしていれば大体は流れるが、怒ったりすれば延々とその名で呼ばれ続けるのがオチだ。

しかし……ゴルディロックスはひどい。

「どうだ、ゴルディ？」

「よせよ！　やめろ、そんな名前で俺を呼んでいいと思うなよ！」

「さもなきゃ？」

チェイの両目がいたずらっ子のようにきらめく。キートンは精一杯凄んでみせた。

「ただじゃおかないぞ」

クスクスと、チェイが笑う。動じていない。

この際、チェイにも何かおぞましいあだ名をつけてやろうか。思い知らせてやれば、キートンをあだ名で呼ぶのをやめてくれるかも――いや、多分無理だろう。チェイのユーモアセンスはねじくれ曲がっている。どんなあだ名も気に入りかねない。

キートンはふうっと溜息をついた。

いきなり、チェイがキートンの胸元に手をのばし、指でくすぐりはじめる。キートンは甲高い声を上げて振り払おうとしたが、本気ではなかった。二人はもつれ合うように床へ倒れこむ。キートンもチェイをくすぐり返してやろうとしたが、チェイの方がリーチが長いしキートンより二十キロ以上も重く、結局力負けしたキートンは仰向けでチェイにまたがられてしまった。

笑いころげながらもつれあう二人に、今度は仔犬が盛り上がった。ピタは全力で吠えながらぐるぐると駆け回り、駆け抜けながらキートンの顔をなめ回す。チェイの右手を抑えつけて動けないキートンの鼻の頭に、かぷりと噛みついた。

「いててててっ」

一瞬、チェイと争う手をとめ、キートンはピタの尻をひっぱたく。ピタは床に胸をつけてがばっと伏せ、しっぽを振りながらキートンへ向けてうなった。

チェイが大声で笑い出す。

「遊ぶなら自分も混ぜろってさ」

「そうみたいだね。鼻噛まれちゃったよ、仔犬の歯って結構痛い……」

チェイはキートンをくすぐっていた手をとめて、鼻先にキスをした。

「よく知ってるさ。俺なんかこの間、耳を噛まれたんだぜ？」

キートンは思わず小さく吹き出す。

「そうだったね」

「笑いごとじゃないぞ」

「でも笑えるよ。でっかい黒い狼が仔犬の一噛みでコロリ。あれは本当におかしかった」

ニヤニヤしているキートンを、チェイが呼んだ。

「よし、ゴルディロックス――」

「う、あのさ、こうしない？　お前は俺のことを二度とゴルディロックスとは呼ばない。そしたら群れのみんなには、お前が生後七週間の仔犬に噛まれてきゃんきゃん鳴いてたことは黙っててやるよ」

それを聞いたチェイが溜息をついた。

「いいだろう。キスしてくれれば、取引に応じる」

「えー、どうしようかな」

キートンは悩むふりをした。チェイが床に両手をついて上体を支え、キートンをのぞきこんだ。軽くうなって、キートンの下唇に歯を立てる。

「いいからさっさとキスしろ、ビット」

チェイの舌がキートンの唇を割って内側へ侵入する。

キートンは吐息と共に口を開け、チェイを受け入れた。キスは優しく始まり、ゆったりとした動きでチェイの舌が口腔をなぞり、軽く歯を立てる。いくらもしないうちにチェイの欲情の匂いがたちのぼってきた。その匂いのせいで、キートンの熱も高まる。

チェイが呻いた。キートンの腿に固い感触がくいこみ、キスはたちまち激しくなる。ごろりと身を反転させてキートンを上にすると、チェイはキートンのシャツを剥ぎとってカウチに放り投げた。キートンの肩口に吸いつきながら、手で背中、尻と、至るところをまさぐる。

チェイの愛撫を求めながら、キートンは素肌の感触を楽しんだ。キートン自身にも、もうさわってほしくて仕方ない。体をずり下げるとチェイの唇が肩から外れ、キートンは固くなったものを互いのズボンごしに押しつけあった。

チェイが息を呑み、またごろりと体を返す。自分が上になるとキートンの横の床に座り、背を丸めて、キートンの胸に当てた唇で下へとなぞった。腰のところまでくると、キートンのジム用のショートパンツと下着をまとめてはぎ取る。

ショートパンツのゴムウェストから、キートンのペニスがぶるんと現れると、チェイはそれをいきなり口に含んだ。

「あっ」

キートンは鋭く喘ぎ、チェイに吸われる間、腰が動きそうになるのをこらえた。

「ん、チェイ、こっち来て……」

のび上がってチェイの足を引っぱり、どうしてほしいのか伝える。

チェイは足をのばし、キートンのそばに、体の向きを逆にして横たわった。これでキートンもチェイのものに届く。体を横向きにし、キートンはチェイのパジャマのズボンの紐をほどいた。パジャマを引きずり下ろし、勢いよく出てきたチェイのペニスに唇をよせる。

チェイがキートンの陰嚢をぴちゃぴちゃとなめる。キートンは喉の奥で小さく呻き、チェイの熱いペニスを口に含んだ。くわえながら、自分よりもチェイの快感に意識を集中させようとする。深く、浅く、チェイのペニスがキートンの口を犯す、熱くなめらかな感触。その間もチェイはキートンへの愛撫を続けている。

抑えられずに、キートンはチェイの顔に向けて腰を突き出す。深くくわえてほしくてどうしようもない。キートンの期待通り、チェイはキートンのそれを口に含んだ。半分くわえこんで、根元に手を添え、ぎゅっと握りこむ。

キートンは呻き、チェイのペニスを激しくしゃぶりながら頭を左右に振った。完全に我を失って、腰をがくがくと揺らしていると、チェイがふと頭を引いてキートンから口を離した。それでもキートンはなめるのをやめない。

「……なあ、ビット」

「んふ？」

くわえたまま、キートンはもごもごと返事をする。

「ピタがこっちを見てるんだが」

あやうくむせ返るところだった。キートンは顔を上げ、チェイを見下ろす。チェイは困り顔でキートンの腰の向こう側を見つめていた。

「気にしなくていいだろ。いいからしゃぶれって」

「いや。犬が見てる」

キートンは呻いて体を起こした。ピタが二人に加わりたいというなら大問題だが、でなきゃ気にしなきゃいいだろ――とは思うのだが、チェイは仔犬の目のあるところで続きをする気はないらしい。

「ベッド」

キートンはそう言ってチェイを右手で引っぱり上げ、そのまま廊下をずんずん歩き出した。ベッドルームにたどりついた二人はほぼ同時にベッドに倒れこみ、すぐさま続きをはじめる。チェイの口にペニスを包まれて、キートンは喘いだ。お返しとばかりにチェイのものをくわえる。ものの数秒と立たないうちに、二人は呻きながら、互いの口に猛るものを突きこんでいた。

チェイの左手がキートンの尻をぎゅっとつかみ、もっと腰を動かせとうながしながら、右手でキートンの後ろの窄みをさすり上げた。これは気持ちがいい——男相手の経験は浅いにしても、チェイは実に巧みだった。確かにディープスロートのフェラはできないかもしれないが、そんな技術的な欠点は情熱と工夫で補って余りある。

チェイはキートンのものに右手指を添え、一緒にしゃぶって唾液を絡めた。何をしようとしているのかわかった瞬間、キートンの心臓がドキリと激しく打つ。

期待通り、チェイは濡らした指をキートンの後ろへのばし、穴をさすって、焦らした。その指が、ゆっくりと内側へ入ってくる。キートンの背すじがぞくぞくと震えた。思わず開けた口から、チェイのペニスが外れる。

「あっ、もっと——」

チェイはくわえた口と、挿れた指とを動かしながら、深く、浅くと同じタイミングで愛撫をくり返す。吸い上げながら、指で奥をえぐった。

キートンは自分の腰を見下ろし、チェイの唇を自分のペニスが出入りする様を見つめた。こんな見事な男が自分の伴侶《メイト》で、今こうして彼のものをしゃぶっているなんて――なんて凄い。見ているだけで、キートンは絶頂に押し上げられる。全身をしならせ、強く突き上げて、キートンはそのまま達した。

チェイが指を引き抜き、ベッドに頭をぐったりと沈める。荒い息をついていた。

キートンも数秒、息を整えた。震えの残った体が落ちつきを取り戻すのを待つ。

「……大丈夫？」

聞きはしたが、チェイの返事は待たずにそのペニスをつかんだ。先端に滴がにじんでいる勃起を口に含み、そのまま根元まで一気にくわえこむ。チェイの腰が浮き、鋭い喘ぎがこぼれた。

「ああ、最高だ――」

何秒もたたないうちにチェイも達し、キートンの口に熱い、濃い精液をあふれさせた。

キートンはそのまましばらく、萎えたものを軽くしゃぶっていた。半ばうとうとしかかっていると、チェイが手をのばしてキートンを引っぱり上げる。

どうやってか、とにかく、二人は正しい体勢でベッドにもぐりこんだ。キートンの背中にチェイがぴたりとよりそい、後ろから両腕を回している。チェイはキートンの首すじにキスをして、さらに肌をきつくよせた。大切そうで愛しげな仕種にキートンの心が満たされる。

これぞ、人生。肌寒い秋の土曜をすごすのに、これほど最高の方法はない。

うとうとと、眠りに落ちかかった時、またチェイの声がキートンを呼んだ。

「ビット。また、犬が俺を見てる」

＊　＊　＊　＊

腹が減って、胃に穴が開きそうだった。

チェイはうなって、キートンを起こさないよう慎重にベッドから起き出す。いい一日だったのに、ここにきて困ったことになった。

料理は大嫌いだし、しかもチェイの記憶が確かならば、買い置きの食材は今朝のサンドイッチで使い切ってしまっている。昨夜、キートンが冷凍ワッフルと甘いポップ・タルトというインスタントな組み合わせで夕食を強引にこしらえたので、今朝は渋々ながらチェイがサンドイッチを作ったのだった。

今日も、夕食を食べたいなら、何か作らねば。しかし面倒くさい。誰か雇ってやってもらうとか？　たとえ料理が得意でなくとも、この際、簡単な一皿でも作れれば誰でも歓迎の気分だった。

ベッドルームを出ると、チェイはリビングルームへ行って脱ぎ散らかされた服を拾い上げた。パジャマのズボンをはき、上は裸のまま、とぼとぼとキッチンへ向かう。

パントリーの棚を眺めて、結局買い置きのチーズ・マカロニに決めた。これに何か肉でもあれば、夕食をでっち上げられる。

冷蔵庫の中をじっと見つめている最中、外で物音がした。またお隣の猫か？

よし、見に行こう。食い物が出現してくれないかと空の冷蔵庫を見つめているよりはましだ。チェイは冷蔵庫をしめると、のどかにリビングへ引き返した。ピタが大あくびをしながら廊下をやってきて、チェイを見つけて尻尾を振った。

「おはよう、ピタ。お前も腹が減ったのか？」

ピタは床をとびはね、チェイのすねに頭突きをして、なでろとねだった。チェイは笑って仔犬の耳の後ろをかいてやる。

その時、ガタンと大きな音が響き、一人と一匹はぎょっとして玄関へ向かった。隣の猫がまた何かやらかしたのか。

チェイは玄関のドアを開けた。

家の前の私道を、男が走って逃げていくところだった。一体――。

「おい！」

男はちらっと振り向いて、さらに走るスピードを上げた。ピタがうなりを上げ、すっとんで外へ追いかけていく。

「やめろ、ピタ！」

チェイはピタを追って走り出した。道の半ばで犬に追いつく。謎の男の方はすでに姿がなかった。

空気を嗅いでみる。人狼の匂いだが、知っている相手ではない。

さらに追跡しようかとも思ったが、してどうなる？　ざっと周囲を見回しても、何か壊されたりいじられた気配はない。このあたりは泥棒やいたずらなどのない、治安のいい地域だ。少しばかり古びてはいるがいい町並みである。

風がざわっと吹き抜け、足元の落ち葉を巻き上げた。チェイはぶるっと身を震わせる。外はかなり冷える。すっかり秋も深まってきた。

ピタを小脇に抱えると、ぐるりと家の周りを見て歩いた。やはり何も異常はないし、すべて普段通りに見えた。幸い、何かされる前に追い払えたようだ。

あの男――人狼――は、たまたまこの町に立ち寄って、気まぐれに悪さをしようとでもしたのだろうか。人狼だからといって犯罪者でないとは言えない。もしくは一晩のねぐらを探していたホームレスか。このあたりでは珍しいが。

念には念を入れて、チェイは自分とキートンの車に傷などないことを確かめた。大丈夫そうだ。肩をすくめると、家に戻ることにした。抱いたピタの頭をかいてやる。

「いい子だ、あいつをとっつかまえるつもりだったんだろ、お前は？」

戻ると、玄関先でスウェットとTシャツ姿のキートンが待ちかまえていた。

「一体何しに出てたんだ、チェイ。上に何も着ないで、しかも裸足で！」

言いながらキートンは寒さに腕をさすっている。髪があちこちはねて逆立っていて、それがまたかわいい。

「お早う、ビット」

チェイはキートンの額にキスをしてピタを手渡し、家に入った。キートンも続き、玄関のドアをしめる。

「外で何してたんだよ」

「物音がしたんで、見にいったんだ。男が逃げていくところだったよ。ピタなんか、そいつを追いかけてとび出しちゃって」

キートンが目をみはった。

「え、本当？　それで、つかまえた？」

チェイは首を振る。

「駄目だった。だがピタはがんばったよ」

その仔犬はキートンの腕の中でじたばたしはじめ、キートンはピタを床に下ろしてやった。

あっというまに家の奥へとつっ走っていくと、ドッグ・ドアがバタンと開いて閉まる音が聞こえてきた。

「外に出して大丈夫かな?」

キートンに聞かれて、チェイは肩をすくめる。

「平気だろ。追い払ったし。何かに手をつけられた様子もなかった」

「うーん……」キートンはまだ腕をさすりながら、チェイの横を歩き抜けた。「相手の匂いは嗅げた? 知ってる相手だった?」

チェイはキートンについてキッチンへ行く。キートンは冷蔵庫の前で立ちどまり、中をしげしげとのぞきこんだ。

「ああ、嗅いだよ。人狼の匂いだった。だが知らない奴だ」

キートンは屈んで冷蔵庫の中のものをガサゴソとあさっていたが、また背すじをのばして眺め、もう一度身をのり出した。この家の物資不足と買い物の必要性に、まだ気付いてはいないようだ。

「群れのリーダーに知らせた方がいいと思う? それとも警察に言うとか……」

「言ったところでなあ。俺に嗅ぎ分けられないってことは、うちの群れの誰かじゃないし、別に何かされたわけでもないようだし。それに、もう来ないだろ。俺に顔を見られたからな」

「どんな男だった?」

キートンはまた二の腕をごしごしさすっている。

「はっきり顔を見分けられたわけじゃないが、背丈は一七二センチぐらい、引き締まった体格で、ダークグリーンの上着に黒いデニム、赤い野球帽をかぶっていた」

「ふむふむ。そいつはうろついてるだけで何もしてかなかったってこと？」

「多分な。大体、家の周りにそう簡単に持っていけるようなものもないしな。とりあえず明日、群れのリーダーのところに電話して、このあたりにほかの群れの人狼が来てないかどうか確かめておくよ」

「それがいいね。あと、ピタのドッグ・ドアも、鍵かけて寝よう。念のために」

自分の名が聞こえたかのように、ドッグ・ドアが開く音がした。ピタがはねるようにキッチンへ転がりこんでくる。

「ああ、そうしよう。用心にこしたことはないからな」

チェイは棚によりかかって、冷蔵庫へ駆けよる仔犬の姿を眺めた。ピタは前足を一番下の段にかけて、冷蔵庫の中に首をつっこむ。

キートンはしっしっとピタを追い払い、それからまた冷蔵庫をじっとのぞきこんでいたが、やがて立ち上がってチェイへ向き直った。

「食う物が何もない」

11

クゥン、クゥンと切羽つまった鳴き声で、キートンは目を覚ました。

一体……？

またクゥンという声がする。さらに、ドン、ドンと鈍い振動も。

まばたきをくり返し、キートンは時計を見た。八時。うわ、と口の中でうなる。

チェイへのばした腕は、しかし空振りした。ベッドにはぬくもりすら残っていなかった。

おかげで、ドンドンという音の正体がわかった。日曜の朝八時から筋トレ？　どうかしてる。しかもヘヴィメタルをかけながら、よくできるものだ。

ピタがまた哀れっぽく鳴いた。

「……しょうがない」

キートンは体を起こし、手のひらで顔をなでおろした。まったく。ベッドの中でもっと頑張ってチェイを消耗させなくては。あれだけ激しい一夜をすごした後なのに、翌朝の八時からけろりとして筋トレにいそしまれてはキートンのプライドがずたずただ。

ピタの方も、寝ている間にチェイに置き去りにされたらしい。キートンはベッドから降りると、仔犬を外に出してやろうと裸のまま廊下をぺたぺたと歩き出した。ドッグ・ドアの鍵を開けてやる。舞いこんできた冷たい風が、キートンの朝勃ちをしっかりと冷やした。外はかなり寒いようだ。

　何か着るかと動き出したが、腹が鳴って立ちどまる。現在地からならキッチンの方が近い。悩ましいところだ。

　肩をすくめると、キートンは裸のままキッチンへ向かった。昨夜のピザの残りがある筈だから、ベッドに持ち帰って食べるとしよう。テレビでも見ながら。日曜の朝っぱらからトレーニングに励むようなイカれた男にいちいちつき合ってはいられない。

だが、キッチンにたどりついたキートンを待っていたのは、テーブルの上で開けっ放しになったピザの空箱だった。

「あの野郎っ……！」

　一切れぐらい残しておいてくれてもいいだろうに。頭にくる。元来、キートンは朝方のタイプではないのだ。

「起きたらひとりぼっちだし、犬に泣きつかれて、嫌いな音楽を大音量で聞かされて、外は寒いし、挙句に食うものまでないときたか！」

　キートンがキッチンに背を向けたところで、ピタがドッグ・ドアから帰ってきた。一人と一匹は、そのままずかずかと、客用の寝室へ向かう。今は改造してチェイのトレーニングルームになっているのだ。

ドアを開けた瞬間、轟音のような音楽がキートンにぶつかってきた。グレイ・ミイラだかホワイト・ゾンビだかそんな名前のへヴィメタバンドだ。ピタの趣味にも合わなかったらしく、仔犬はあわてて寝室へ逃げ戻っていった。根性なしめ。キートンはぐるっと目を回す。

チェイは、黒い短パンとスニーカー姿でベンチに座り、ダンベルで二の腕を鍛えている最中だった。

汗に濡れた筋肉がたくましく動く。キートンはまばたきした。これは……目の保養。股間のモノも同意して熱を帯びる。だが、胃の方はそれほど乗り気ではないようで、相変わらず食料を要求しつづけていた。

キートンはステレオに歩みより、ボリュームを下げた。チェイが見上げてにっこりする。

「お早う、ビット。起こしちまったか？」

「いや、ピタに起こされた」

「あっ、悪い！　筋トレが終わったらお前の分のドーナツを買いに行くつもりだったんだ。ピザは俺が全部食っちゃったから。ごめんよ」

おっと。なんてかわいいことを言うのだ。よし、ピザのことでチェイを絞め殺すのはやめておこう。

とは言えまだ、一人きりの目覚めも、嫌いな音楽も根に持っていた。そして外の冷たい気温にも——だがまあ、思えば寒いのはチェイの落ち度ではないわけで、キートンはそれも水に流すことにした。

チェイがダンベルをおろし、キートンに歩みよる。身を屈めて、唇でキートンの唇をかすめた。一瞬、無視してやろうかという考えがかすめたが、あまりにも子供っぽいし、勿体ない。キートンは唇を開いてチェイにキスを返した。ピザの味がする――ごちそうさま。

またキートンの腹が鳴った。チェイが微笑して、顔を離す。

「じゃあ、ちょっと着替えてドーナツを買いにいってこようか？」

まったく、惚れ直しそうだ。よし、趣味の悪い音楽も許してやろう。

「いいよ、俺が行ってくる。お前にもドーナツ買ってきてやるよ。一緒にベッドで食べてくれるならね」

チェイはキートンの、半ば反応している股間をつかんでぎゅっと握った。

「ごめんな、ちゃんと起こしてやれなくて」

キートンの肌を震えが抜けた。これは、独りぼっちで目をさましたことも大目に見てやらねばなるまい。チェイの手に腰を押しつける。たちまち固くなったものをしごきながら、チェイが目にいたずらな光を浮かべた。

「ベッドで一緒にドーナツを食うなら、俺と輪投げして遊ばないか？」

キートンは鼻を鳴らす。

「お前が自分のドーナツで何をしようが勝手だけど、俺のドーナツは使うなよ、腹ぺこなんだ。ただしベッドにをアイシングをこぼしたら俺はゲストルームに引越す」

チェイが笑い声を立てて、愛撫の手を速めた。キートンは目をとじ、わきあがる快感に身をゆだねる。もう今朝のことは許した。それどころか、明日や明後日のことまで先回りして許してもいいくらいだった。それほど気持ちがいい。

顎の先をチェイの歯がすべり、手に力がこもる。動きが早まった。キートンの膝は今にも快感に負けて崩れそうだ。チェイの手の中に強く突き上げ、喘ぐように息を吸いこみながら、達する。


チェイがキートンにもう一度キスをして、手を離した。キートンは小さくよろめいて、ドアフレームをつかむ。何だか、十トントラックにはねとばされたぐらいの衝撃の気分だった。

タオルを手にして戻ったチェイが、キートンの体を拭いはじめた。床と、自分の手も拭く。

「なあ、さっきお前も言ったゲストルームのことだけどさ。俺も考えてたんだよ。ほら、こっちのゲストルームは俺のトレーニングルームに改造しちゃっただろ。だからあっちのゲストルームはお前の部屋にしたらどうだ？　仕事用に使うとか、書斎にしてもいい」

キートンはきょとんとまばたきした。え？　チェイの言っていることがひとつも頭に入ってこない。彼の片割れはまだ冷静なようだ。

やっと、何を言われたのか理解したところで、キートンは肩をひょいと上げた。たしかにゲストルームの改造はいい考えかもしれない。もしかしたら……チェイが、キートンを伴侶《メイト》だと家族や友人たちに紹介した後にならこ。


「考えとく」

そう答え、キートンはチェイの短パンの前のふくらみを見下ろした。

「それ、やってあげようか――」

申し出たキートンの腹が鳴る。

「気にするな。お前が戻ってくるのを待つさ。まず先に何か食い物を買ってこいよ」

チェイに反論しようとしたが、またもやキートンの胃が反抗の音を立てた。

「……わかった。しょうがないな。腹減ったよ」

キートンはチェイの顎にキスをして、くるりとドアへ向かう。その尻をチェイが軽く叩いた。

実に素晴らしい朝だ。起きた時の嫌な予感など、的外れもいいところだった。

服を着に戻る前に、キートンは車の鍵を取りに向かう。二〇〇四年式の銀色のシボレー・インパラを買ったのは、リモコンでエンジンがかけられる点が決め手だった。離れたところからエンジンをかけておけば、乗りこむ時には見事、車内は暖まっているという次第。技術の進歩は素晴らしい。

まあ、それだけで車を決めたわけではないが。見た目もいいし、スピードも出る。

玄関ホールのテーブルにキーを見つけると、キートンは車のエンジンをかけ、服を着ようと廊下を引き返した。とりあえずスウェットを着て靴を履き、財布をつかんで家から車までを走る。うぐ、寒い。冬は嫌いなのだ。まあ実際にはまだ秋だが——それでも寒い。

ありがたいことに、車内は快適に暖まっていた。ドーナツショップまでの道はがらんとすいていて、まともな人間はまだ全員ベッドに残っているようだ。キートンだって、もし料理ができたなら今ごろはベッドにもぐりこんでいた筈である。

料理を習えとチェイを説得してはいるが、それが駄目ならキートンが料理に挑戦するしかないか。いちいち食事を買いに出なくてすむようになれば、その分の時間をもっと有効に使えるし、地元のバーガーショップの店員全員が顔見知りという人生はわびしい。デリバリーピザ屋にも名前を覚えられている。

ドーナツショップの前に車を停めた時、ブレーキの反応がやけにたよりなかった。点検に出した方がよさそうだ。普通、ブレーキペダルはこんなに下まで届かないだろう。

キートンは肩をすくめる。ブレーキオイルにエアが混入したとか？

エンジンはかけっ放しで車を降りると、リモートで車をロックした。チョコレートのかかったドーナツを一ダース、グレイズのかかったものを一ダース、丸いプチドーナツを二ダース買いこむ。これだけあれば明日の朝食までもつだろう——いやチェイのことだ、今日の昼食までだろうか。チェイの甘い物好きときたら、キートンの母親すら足元にも及ばないほどだ。ドーナツなら自分の体重分ぐらいはぺろりと平らげかねない。

帰りの道すがら、キートンはプチドーナツを口に放りこみ、ラジオのチャンネルをあちこちに合わせた。まったく何だって、どこもかしこも同時にCMを流すのだ。

前方では、赤いバイクの少年が路肩を走っている。何となく、キートンはそのバイクが車の前へとび出してくるような嫌な予感がした。とりあえず、用心のためにブレーキを踏んでスピードを落とそうとする。

何も起こらなかった。スピードは変わらない。

一体……？

キートンはブレーキをさらに踏みこむ。車のスピードは少しだけ落ちたが、充分ではない。しまった、ブレーキがいかれたに違いない。

キートンがブレーキペダルを思いきり踏みながらハンドブレーキに手をのばした瞬間、少年の乗った赤いバイクがふらっと車の前に出てきた。

間に合わない。キートンは左へハンドルを切った。

車は、巨大なオークの木めがけてまっすぐ突っこんでいった。

＊　＊　＊　＊

「チェイ・ウィンストンさん？」

チェイが顔を上げると、ダークグリーンのナース服を着たネイティブアメリカンの看護師が目の前に立っていた。

チェイはうなずき、立ち上がる。

「そうです」

「こちらへどうぞ。あなたを呼んでますよ」

看護師は壁のボタンを押すと、開いた二重ドアの向こうへとチェイを案内した。

「退院の前に、ドクターからあなたに話があります。注意点などを説明されるでしょう。あ、それと、保安官も話を聞きに待ってますけど、まずは患者さんに会うのが先ね？」

部屋の前で立ち止まり、彼女はチェイに向き直った。

「キートンはまだ頭が混乱していて、意味のわからないことを言ったりするでしょうけど、脳震盪のせいですよ。運ばれてきてすぐにＣＴも撮ったし、結果も問題ありませんでした。二、三時間もすれば、段々いつもの彼に戻りますよ」

チェイはうなずいた。今はただメイトの顔を見たい。

病室に入ってきた彼を見て、キートンが微笑した。

「ああ、チェイ。怪我してないよね、大丈夫だよね？」

額の傷にガーゼを貼られたキートンは、いつもよりいっそう顔色が青白いようだったが、病室の無機質な照明のせいかもしれない。横たわっている彼はひどく小さく見え、青い目を眠そうにまたたかせていた。

「え？」

チェイはベッドに歩みよると、キートンの右手を取り、傷を避けて額にキスをした。

「俺は何ともないよ、ビット」

「そうなんだ。お前もケガしたんじゃないかって心配でさ」

「俺は一緒じゃなかったんだよ。お前は一人で運転してたんだ、ビット。ドーナツを買いにいったんだよ」

キートンの笑みが消えた。少し気分が悪そうに、胃の上を押さえる。

「うん……今はドーナツはいらないや。先に食っていいよ、チェイ」

本当に混乱しているようだ。事故のことも覚えていなさそうだった。チェイは安心させようと微笑み、またキスをしてやった。

「ドーナツはもうないよ、ビット。気にしなくていい、今は休め。許可が出たらすぐに家につれて帰ってやるから」

「ふうん――やあ、ジョー！」

キートンが左手を勢いよく上げて、ぶんぶん振りはじめた。

てっきり幻覚でも見ているのだろうと思ったら、チェイの背後から聞こえてきたのは本当に父親の声だった。

「やあ、キートン。具合はどうだね？」

ジョーはベッドの向こう側へ回りこみ、宙に浮いたキートンの左手を取ってなだめるようにぽんぽんと叩いた。

キートンはチェイの父親へ顔を向け、あくびをする。

「車はだめ。チェイは元気。俺は——ドーナツ食べすぎ？」

ジョーがぎょっとした顔でチェイを見た。

その気分はよくわかる。チェイだってこんなキートンを見ると心配になるが、少なくともキートンの混乱の理由は知っている。

「休めば大丈夫だよ。今は混乱してるだけだ。意識を失うぐらいの衝撃だったそうだ。看護師はすぐにCTを撮ったと言ってたし、脳出血はない。父さんは一体どうしてここに？」

聞かれて、ジョー・ウィンストンは眉をひそめた。

「どうして？　息子の伴侶《メイト》が事故に遭ったからに決まっている」

チェイは息を呑んだ。

キートンがけらけら笑い出した。

「わあ、すごい！　お父さんにはバレてたんだー」

歓声を上げてチェイの手を引っぱる。見下ろすと、キートンはにんまりしていた。

「よかったね、もうどう言おうか悩まなくてもいいよ。知ってるんだって。それに、怒ってないと思うよ？　怒ってる感じじゃないもん」

　ふあああああ、とあくびをして、キートンは今度はジョーを見上げる。

「怒ってる？」

「いや、キートン。怒ってないよ」

　ジョーはキートンの髪を軽くかきまぜて、チェイへ顔を向けた。

「まだお母さんには言っていないんだがね。すまんな、そこまでの度胸がなくて。だが……わかるだろ」

　キートンが小さないびきをたてはじめた。チェイはキートンの額から前髪を払ってやる。

「わかってるよ。母さんは……納得してはくれないだろう」

　父は首を振る。

「ああ、しないだろうな。だが誰にも変えられないことだ。母さんも、認めて受け入れるしかない。狼は伴侶《メイト》を選べないんだからな。お前の方はどう思ってるんだ？　お前は平気なのか？　平気そうに見えるが、しかしこれは……」

「ああ、俺は大丈夫だよ。最初は少し慌てたけど、もう今は……」

　チェイは首を傾けて、続けた。

「今は、完全に気持ちは決まってる。キートンは俺のメイトなんだ。わかるだろ？」

　父に、どうか理解してくれと懇願のまなざしを向ける。ジョーは微笑み返した。

「ああ、チェイ、わかってるよ。お前は昔からメイトを待ち続けてきた。本当によかったな。正直言って、孫を甘やかせないのは少し残念だが、キートンは実にいい子だし、息子がもう一人増えるのもいいものだ。それに、お前たちのあの仔犬はとんでもなくかわいいし、あっちの子供や孫を楽しみにさせてもらうよ」

そう、父はチェイに向けてウインクする。

涙が出そうになって、チェイはまばたきした。認めたくはなかったが——自分自身にすら——もしキートンのことを知られたら、父に拒否されるのではないかという恐怖は常にあったのだ。

ジョーはベッドを回りこんでくると、チェイを引きよせて、ハグした。

「もっと早く言ってくれればな」

チェイはうなずき、右手でキートンの手を握ったまま、左腕で父親にハグを返した。

「怖かったんだ。今から思えば。レミが、俺たちのことを知って——あいつは……もう、友達じゃない」

ジョーはハグをほどいて、溜息をついた。

「少し様子を見ることだ。レミとは長いつき合いだ、性格もよく知ってるだろ。あの子が落ちつくまで時間をやれ。そのうちわかってくれるよ」

チェイは肩を揺らした。

「いいんだ。俺はキートンを手放したりしない。たとえレミとの友情のためだろうが、母さんの心の平和のためだろうが。何のためでも、絶対に」

「ああ、それが正しい、チェイ」

「父さんはどうしてわかったんだ？」

問いかけると、ジョーは優しい笑みを浮かべた。

「お前をよく知っているからだよ、チェイ。キートンがクリニックに運びこまれた時、電話をかけてきたろ？　あの時にわかった。お前の声で、そうなんだなとわかったよ」

「それでジョン・カーターも知ってたんだな」

それは質問ではなかったが、とにかくジョーは答えた。

「ああ、話しておいた」

突如として、寝ていたキートンがはっと両目を開けた。チェイの手にすがりつく。

「どうしよう！　ピタは？」

「ピタは家にいるよ、ビット」

チェイはキートンの手をさすってやる。

「あ……そう。心配しちゃった」

キートンはぐるりと周囲を見回してから、チェイを見上げてきょとんとまばたきした。

「ここどこ、チェイ？」

「病院だよ、ビット」

「なんで？」

「お前は交通事故に遭ったんだ」

「そうなの？」

「ああ、そうだよ」

ジョーが咳払いした。こわごわとたずねる。

「チェイ。……その、大丈夫なのか？」

顔を上げたチェイは、父の不安に満ちたまなざしに気付いて説明する。

「ああ、問題ないよ、父さん。グレード3の脳震盪だったから――」

「あ、こんにちは、ジョー」

キートンに挨拶され、父は目を見開いてキートンを見下ろした。

「……やあキートン」

チェイは身を屈めてキートンの額にキスをする。

「しっ、いいから。父さんがびっくりしてる」

「ごめん」とキートンが大あくびをした。

「ミスター・ウィンストン？」そう呼びかけながら、保安官が病室に入ってきた。

「何か用かね？」

ジョーが返事をする。チェイは咳払いをした。

「父さん、多分、俺のことを呼んでるんだよ」チェイは保安官へ向けて右手を差し出す。「チェイ・ウィンストンです」

父は眉をよせ、口の中でぶつぶつと「だってミスターって呼んだじゃないか」と呟いた。チェイは思わずニヤッとしてしまう。父にとっては、チェイが「ドクター」ではなく「ミスター」と呼ばれるのは我慢ならないことなのだった。息子がドクターだというのは父の大いなる自慢で、皆にそう呼ばれていてほしいのである。

「保安官のベンソンです。看護師の話によれば、あなたがミスター・レイノルズの同居人だと？」

「ドクター・レイノルズ」

と、父が訂正した。博士号を持つキートンも肩書きはドクターである。チェイは苦笑して、父親の脇腹を肘でつついた。

「ええ、そうです。キートンと一緒に暮らしてます。彼は俺の……パートナーなので」

保安官は驚いた顔でさっとジョーを見てから、素早く気を取り直し、チェイに視線を戻した。

「少し外で話ができますか？　うかがいたいことがいくつかあって」

「いいですよ」

チェイはキートンへ目を向けたが、キートンはまた眠りに戻っていた。

「父さん、一緒に来る？　それともここに残る？」

ジョーは保安官に向けて右手を差し出した。「チェイの父の、ジョー・ウィンストンだ」

保安官は握手してうなずく。「ミスター・ウィンストン、あなたもご一緒で構いませんよ」

「いや、いい。チェイと話をしてくれ。私はここに残るよ。こっちの息子が目を覚ますかもしれないから、ついていないと」

チェイはまたたいて、父親に軽く頭を下げた。

「じゃあ、ちょっとだけ行ってくるよ。キートンが何を言おうが動揺しないでくれ。もし起きたら安心させてやって。あと、医者がやってきたら知らせてくれ」

「まかせとけ」

ジョーはキートンのベッドのそばに椅子を引きよせ、腰を下ろした。


チェイは、ERの小さな病室によろめくようにして戻った。

胸が裂けそうだ。本当に、できるならキートンのところまで走りよって、抱きしめ、二度と離したくない。

「チェイ、何があった？　まるで亡霊でも見たような顔をしているぞ」

ジョーが立ち上がってチェイに歩みよってくる。

「キートンの車のブレーキラインは、切断されてた。……あれは事故じゃなかったんだ」

「――」

ジョーが息を呑み、ドサッと椅子に座りこんだ。

チェイは父の横を抜けて、ベッドのそばへ行く。眠るキートンの痣と傷だらけの顔を見つめて、チェイの心はずしりと重く沈んだ。

やっと運命の相手にめぐりあった。ただ一人の伴侶《メイト》に。

なのに誰かに奪われようとしている。誰かが、キートンを殺そうとしているのだ。

12

病院から無事退院して数時間後、何回かのうたた寝の後、キートンはぐったりとカウチでのびていた。カウチの端に座ったチェイを背もたれがわりにして体を預けている。チェイはキートンのそばから片時も離れようとしないのだ。キートンも文句はなかったが。

「ほら、ビット。考えろって」

キートンは両手を顔にのせて、うんざりと呻いた。チェイの胸元に頭をもたせかけている。まだめまいがした。

「考えてるよ！　考えてもわかんないんだって。俺を殺そうとする相手なんて誰も思いつかないよ。俺はそんな大物じゃない」

キートンの腰を抱くチェイの腕に力がこもり、肩にチェイの顎がのせられた。

「いいから、ベイビー。お前を嫌う奴の心当たりくらいあるだろ？　たとえば、生徒の中にいないか？　最近誰か落第させたりしなかったか？」

キートンは首を振り、すぐに後悔した。目が回る。

「いいや」

「じゃあ、見方を変えよう。お前が撃たれたことと、ブレーキラインの切断は関係あると思うか？　そうなら犯人はお前が狼だと知っていた筈だ」

「関係ないと思うけど。チェイ、だって、ありえないだろ？　俺は引越してきたばかりだよ。こっちで初めて会った狼がお前だ。ああ、本当はあの猟区管理人が最初だけど、ちゃんと顔を合わせたのは後からだし」

チェイは口をつぐみ、しばらくじっと考えこんでいた。その間もキートンを抱く腕はゆるまない。昼でキートンの耳朶を軽くもてあそんでから、顔を引いた。

「この間の満月の夜のこともある。誰かが、俺たちの後をついてきていた……」

「関係ある？」

「あるだろ。誰かがお前を銃で撃って、誰かがお前の車のブレーキに細工したんだぞ。これが偶然の一致か？」

「偶然だろ。俺を撃ったのは密猟者だし、満月の夜についてきてたのはほかの狼だよ。もしかしたらお前のお父さんが、俺たちの様子を見守ってくれてたのかも。ブレーキは……まあ最低だったけど、やっぱり何かのミスとか偶然かもしれないだろ……」

　また眠気に襲われる。キートンはあくびをしてチェイにぐったりもたれかかり、楽な姿勢になろうともぞもぞ動いた。

「保安官は、誰かが故意にやったと見ているようだったぞ。それに、俺が見かけた不審な男のことを忘れたか？」

「わかったよ、じゃあブレーキは切断されたとしよう。でもやっぱり心当たりはないって。この町で俺を嫌ってるのはレミだけだし、いくら何でもレミだって俺を殺したりはしないだろ。あいつ、性格は曲がってるけどそこまで馬鹿じゃないし、俺のために刑務所行きになるような真似はしでかさないって」

「ああ、俺もレミは違うと思う。だが一連の出来事はつながっている筈だ。密猟者は普通、撃った獲物を置き去りにはしないものだし、満月の夜につけてきてたのも親父じゃなかった。病院で会った時に確かめておいた。だからキートン、もっと真剣に考えろ」

チェイはキートンの額から前髪をかき上げた。指先が傷にふれ、キートンはびくっと身をすくませる。

「いてて。考えてるってば」

チェイが耳元にキスをして、なだめた。

「悪い。でももっと考えなきゃ駄目だ。事態は深刻なんだ、キートン」ふっと溜息をつく。「もし俺の勘が正しくて、物事がつながっているとすれば、相手はお前が狼だということを知っている。お前の話じゃ、銃撃の前はこっちの町の誰もそれを知らなかった。そうなると犯人は、お前の地元のジョージアからの誰かだ。俺が見た不審な男も人狼だった。なあ、昔の群れの中にお前を殺したいような相手の心当たりはないか？　お前の兄は？」

キートンは熟考してみた。兄は嫌な奴だし、キートンを嫌っているのは確かだが。

あくびがこみ上げて、彼は首を振った。

「いや、群れの中に心当たりなんかない。兄貴にも、俺を殺そうとする動機がないよ。もう俺たちは何の関係もないし、俺は家と縁が切れてるし。俺を殺してつかまるリスクを冒さなくたって、兄貴の欲しいものは全部もう手に入ってる筈だ。それにいくらあいつでも、血のつながった弟にこんな真似はしないだろ。レミと同じように、性格はねじ曲がってるけどやっぱり馬鹿じゃない。馬鹿なことをする時もあるけど、そこまで根っから考えなしじゃない」

チェイはうなって、髪をぐしゃぐしゃとかき回した。すっかり行き詰まった様子だったが、正直、キートンの方は意識を保っているだけでも一苦労で、誰がブレーキラインを切ったのかなど考えるのも面倒くさかった。

チェイの腕を取ると、キートンはその腕を胸元に引きよせた。背後からぎゅっと抱えこまれる体勢になる。キートン自身だけではなく、チェイをも落ちつかせるためだった。

「ガレージの中を片付けないと、キートン。お前の車も俺の車も中にしまえるようにしよう」

「俺の車？　ぺしゃんこだけど」

「知ってるよ」

チェイはキートンの顎をつかんで顔をしげしげと眺めてから、キスをした。額をこつんと合わせる。

「俺たちで解決しないと。とても保安官には言えた話じゃないからな。実はほかにも変な出来事があるんですが、撃たれた時、ビットは狼の姿で――なんてな」

チェイはまたカウチの肘掛けにもたれかかる。キートンはくすっと笑った。

「そりゃ見物だね。保安官はきっとお前を逮捕するよ」大あくびをして、「いい点もあるよ。俺が狼だってことは、並の人間よりずっと殺しづらいってことだ」

「そんなんじゃ気休めにもならない。今日みたいなことが起こるなんて、俺は考えたこともなかったよ」

「俺もさ。……眠い」

そのままうとうとしてしまったのだろう、気がつくと、チェイの手がキートンの腕や胸元をなでさすっていた。ぼんやりと遠く、テレビの音も聞こえている。

チェイは、キートンの目覚めを感じとった様子で、キートンの首に唇でふれ、軽く歯を立ててきた。キートンは首を傾けて、チェイに首すじをさらす。

「ん、それいい……俺、どのくらい寝てた？」

「二十分くらいのもんだ」

チェイの唇が首の肌を吸い上げる。

「んん、ん……」

キートンの腰が熱を帯びはじめていた。チェイが顔を離してたずねる。

「調子は？」

答えのかわりに、キートンはチェイの手を取って勃起しかかっている股間へ導いた。チェイがくくっと笑って、服の上からそれを握りこむ。

「こっちの調子を聞いたわけじゃないけどな。でも、気分はいいってことだよな？」

「ん、ふ……」

振り向いて、キートンは伴侶《メイト》の唇を求めた。数時間ぶりに意識もはっきりしていて、チェイの体温によりそうのが気持ちいい。今はブレーキが切断されたことも、誰かに狙われていることも考えたくなかった。今はただ、メイトの熱が恋しい。

ズボンの上のチェイの手が動き、内側へとすべりこんできた。じかにキートンのものを握りこみながら、唇を熱いキスで奪う。チェイの舌がキートンの舌をゆるゆると擦り、同じようにゆったりとしたリズムで手を動かした。

キートンの吐息はキスに呑みこまれる。腰をゆすりあげ、彼はチェイをさらにうながした。チェイの愛撫に身も心もゆだねてくつろぐ。自分の手でするのと同じなのに、チェイの手の方がはるかに気持ちがいいのはどうしてなのだろう？

「何てこと――！」

玄関で、ドサッと音がした。ピタがワンワンと吠えまくりながらフローリングの床を猛烈な勢いで駆け回りだす。チェイがはっとキスから顔を上げ、玄関を見やった。

キートンはまばたきする。事態がよく呑みこめていなかった。まだ脳震盪のせいでぼんやりしているのか、それともチェイの存在に意識が集中していたせいか、彼は玄関のドアが開く音を聞いた覚えがなかった。

チェイの凝視の先を追うと――そこにはチェイの母、レナ・ウィンストンが、開いた玄関のドアの前で立ちすくんでいた。

これはまずい。

「母さん、犬がとび出す前にそのドアを閉めてくれないか」

言いながら、チェイはキートンのズボンから手を引き抜いた。どうせ、キートンもすっかり萎えている。

レナは床に落とした車のキーを拾い上げ、くるりと二人に背を向けた。一瞬、キートンは彼女がそのまま出ていくのではないかと思ったが、レナは開いていた玄関のドアを閉めると、また二人の方へ向き直った。

「どういうことなの。買い物から帰ったらキートンが怪我をしたってお父さんに聞いて、何か必要な物はないかと寄ってみたのよ。それなのに、どうしてこんなひどいことをするの！」

キートンの背後で、チェイがふうっと長い息を吐き出した。ピタは相変わらず吠えながら駆けずり回っていて、キートンはカウチの横でパチンと指を鳴らした。ピタが突進してくる。膝に抱き上げてやると仔犬は静かになった。

チェイの激しい動揺が、匂いとなってキートンに伝わってくる。深いところに根を張った恐怖も。

チェイを思って、キートンの心もずきりと痛んだ。チェイによれば、ジョーはさっき病院に見舞いに来てくれていたそうで、しかも二人の関係をもう知っていて、大らかに受け入れてくれたという。キートンの記憶には、何となくジョーの顔が残っているだけだったが。

レナは、ジョーのように好意的に受けとめてはくれないだろう。それはわかっていた。チェイだって、心の底ではよくわかっていた筈だ。

キートンは、励ましの気持ちをこめてチェイの膝に手をのせた。

「チェイトン・モンゴメリー・ウィンストン！　答えなさい。一体どういうことなのか。今すぐ！」

チェイがキートンの手をつかみ、ぎゅっと握りしめた。キートンとカウチの間から抜け出して床に立ち、キートンを見下ろす。

「大丈夫か？　気分は？」

キートンはうなずいた。レナが一番忌み嫌っているのはどちらだろう。キートンが男だということか、それとも白人だということか。

チェイが、母親へ向き直った。

「母さん、わめかないでくれないか。座ってきちんと話し合うなら、俺も答える。でもそこで怒鳴りつづけるつもりならお断りだ」

レナの全身がこわばった。

キートンは彼女に同情する。レナはどうしたらいいのかわからないのだ。勿論、激怒しているだろう。だが同時に、彼女は傷ついてもいる。

張りつめた、長い沈黙の後、レナは胸の前で腕組みした。

「お父さんはこのこと知ってるの？」

「ああ、母さん。父さんは知ってるよ。キートンが俺の伴侶《メイト》だってね」

……言いやがった。

キートンは思わず呻きそうになって、何とかこらえた。

ともあれ、これでジョーも妻の怒りの対象になったわけだ。いい人なのに。自分がチェイの心痛の原因になっているのも嫌だったが、ジョーにまで迷惑をかけていると思うとたまらなかった。

レナのことだって、さして好きなわけではないとは言え、キートンも彼女を傷つけたいわけではない。レナは心底、息子を愛しているのだ。ただ少し——許容範囲が、狭いだけで。

「メイトですって?」

レナがキートンへ指をつきつける。

「あんなのがメイトな筈ないじゃない。こんな、忌まわしい……! そんなこと言って私を傷つけたいだけなんでしょ?」

チェイが溜息をついた。力のない、淋しげな溜息だった。

「母さん、どうして俺が母さんにそんなことするんだ」

「お前は昔から私よりもお父さんになついていたじゃないの」

レナの頬を涙がつたい落ちる。声はかすれていた。

「まさか、母さん、それは違うよ。そんなふうに思わないでくれ」

チェイは母へ手をさしのべて歩みよろうとする。だが、レナは後ずさった。

「さわらないで！　今のお前なんかにさわられたくないの。こんな忌まわしいことはやめなさい、チェイ。まちがってる。あなたがするべきことは、まずその子をこの家から追い出して──」

チェイは首を振った。まだ口調はおだやかで、声は囁くようだった。

「いいや、母さん。そんなことはしない。母さんも、どうかキートンのことを受け入れてくれないか。キートンはここにいる。ずっとだ。どこにも行かない。彼は俺のメイトだし、俺はキートンを愛しているんだ」

レナはキートンをにらみつけた。

「あなた、さぞや気分がいいことでしょうね」

それからチェイへ顔を向け、息子と同じほど静かな声で返した。

「私にはとても無理。あなたが自分の人生を、こんなことのために投げ捨ててしまうのはとても見ていられない」

それが最後の言葉だった。レナはくるりと身を翻すと、そのまま家から出ていった。

チェイはただそこに立って、閉じたドアを長い時間見つめていた。

その姿に、キートンの胸は張り裂けそうだった。ピタを床に下ろし、彼は慎重に立ち上がる。まだふらふらするが、それでも今、彼のメイトが彼を必要としているのだ。

チェイのそばに行き、後ろから抱きしめる。キートンはチェイの背に頬をもたせかけた。

キートンの腕の中で振り返って、チェイはキートンを抱きしめ返す。

「馬鹿だな、ビット。お前はまだカウチで休んでなきゃ駄目じゃないか」

まばたきで涙を隠しながら、チェイはキートンをカウチの方へ押しやった。だがチェイをこのまま放っておくわけにはいかない。家族からの拒否がどれほど痛むのか、どれほど深く傷つけられるか、キートンは誰よりも知っていた。

強い輪郭の顎を手で包み、キートンはチェイの顔を引きよせてキスをした。

「悲しまないでくれ、チェイ」

＊　＊　＊　＊

キートンの手に頬を包まれながら、チェイは目をとじて、涙があふれるのにまかせた。

キートンの唇がかすめるようなキスをして、顎に、そして頬にもふれていく。その間、彼の手はチェイから一時も離れることなく、チェイの腕や胸元を撫でさすっている。愛していると、チェイに伝えようとしている。

キートンがチェイの涙を拭い、下がった。チェイの手をつかんで軽く引っぱり、彼は寝室へとチェイをつれていく。

ベッドにのぼろうとしたところでキートンが軽くよろめいた。チェイはすぐさま両手で支えてやる。転んでまた怪我などさせられない。

キートンをベッドに腰かけさせると、チェイは彼の前の床に膝をついた。キートンの腹に顔を押し当て、両腕を回してきつく抱きしめる。キートンもチェイの背を抱き返しながら、髪に優しく指をくぐらせた。チェイの頭にキスを押し当て、そのままキートンは、長い間チェイを抱きしめていた。

やがて、体を起こす。

「チェイ、立って」

逆らわず、チェイは立ち上がった。キートンが彼の服を一枚ずつ脱がしていく、その手に身をまかせる。この瞬間、何よりもキートンが必要だった。キートンにふれている必要があった。

母からの拒絶については、後で考えることにしよう。今は、目の前でチェイの服を剥いでいくキートンの姿に意識を集中させる。キートンを見つめるだけで、ほとんど痛みに近いものが心に満ちた。キートン自身、今日はひどい目に遭ったというのに、それでもこうしてチェイの傷を癒そうとしてくれているのだ。

そのキートンの気持ちは、チェイの傷に届く。そう、キートンこそ、彼の人生の中で何よりもかけがえのない存在だ。

キートンはチェイの服をすべて脱がせると、唇をチェイの胸元まで這わせていく。ゆっくりと下がって、チェイの勃ち上がってきた屹立の頭にキスをしてから、また逆にたどって上まで戻ってきた。チェイの顎を甘噛みして、キートンは一歩下がった。チェイの目の前で服を脱いでいく。すらりと締まった小柄な体は本当にきれいだった。白い体を目にするだけで、チェイの呼吸も鼓動も速まっていく。

すべて脱ぎ捨てたキートンがチェイの手を取ってベッドへ引いた。チェイは形のいい締まった尻についていく。ベッドの頭側によじのぼると、キートンはチェイをベッドに引き上げ、押したり引いたりしながら最後はチェイをヘッドボードによりかかって座らせた。

それから、チェイの太腿をまたぐ。座りこんだキートンの屹立がチェイの下腹部に当たった。

誘われたも同じだ。チェイはすぐさまそれを右手で握った。

「んっ……」

キートンが呻いて、首を前に垂れ、チェイと額を合わせる。数秒はそのまま動かずチェイにされるがままになっていてから、チェイの手を押さえた。首を振る。

「いいんだ。今回はお前のためだから。何もしないで、ただ感じてて」

チェイが反論に口を開きかけた瞬間、キートンがチェイに強引なキスを仕掛けてきた。隙をとらえて、舌を深くチェイの口にねじこむ。歯をなぶり、舌を、唇を激しくしゃぶった。時間をかけてキスを味わいながら、チェイの口腔を犯す。

濃密で甘いキスに、思わずチェイの体から力が抜け、キートンの濡れた屹立からも手が離れた。キートンへ情熱的なキスを返しながら、チェイはキートンの下唇を吸い上げる。

キートンが体をねじり、キスは続けたまま、ナイトスタンドをごそごそあさり始めた。チェイはキートンの背をなで、手のひらを這わせていく。背骨のごつごつした突起、細いが引き締まった筋肉、なめらかな肌。

キートンがキスから顔を上げ、絞り出したジェルをチェイのそれに塗りはじめる。キートンの目は狼に変化していた。

それを見た瞬間、チェイの目も反応を起こす。あまりに一瞬の強烈な変化に、何度かまたたいてチェイはやっと目の焦点を取り戻した。いつも狼への変化を起こすのはチェイの方が早いのだが、今日はキートンの方が先に自制を失った――そのことに興奮する。普段のキートンは自分の中の狼の手綱をしっかり握っているが、そのコントロールがゆるんだのは脳震盪の影響なのか、それともキートンの理性が揺らぐほどチェイを求めてくれているからか？　後者であってほしい。

キートンはチェイの屹立に潤滑剤《ルーベ》を塗ってからも愛撫の手を休めず、何回かしごいた。チェイのそれはもう先端にぬめりがにじみ、痛いほどキートンを求めている。愛撫がゆるむと、チェイは思わずねだるように腰を浮かせ、キートンの手が離れると不満の呻きを上げていた。

「しっ……」

キートンが囁きでなだめ、チェイの口をかすめるようになめる。ジェルを指に絞り出すと、ボトルは放り出した。膝立ちになり、キートンは自分の後ろへ右手をのばす。

チェイの喉から呻きがこぼれた。キートンが何をしているのかはわかっているが、どうしてもこの目で見たい。

首を曲げ、キートンの肩の向こうをのぞきこむ。というか、そうしようとした。今すぐ、キートンの白くすらりとした指があのきつい穴に侵入しているところが見たい。想像しただけでさらに昂揚する。

キートンが、指をさらに深く沈めようと腰を引き、こもった吐息をついた。チェイは思わずのばした手で探り、キートンの指が体の奥へ沈んでいく場所にふれる。短くうなって、キートンの指に自分の指を添えると、一緒に挿入した。

「んっ」

キートンが息を呑み、腰を上げる。

「駄目だって、チェイ……」

指を引き抜くと、彼はチェイのペニスをつかんで支え、その上へ自分の体をゆっくりと沈めはじめた。

キートンの顔に浮かぶ喜悦の表情に、チェイのものはますます猛り立つ。

「くそっ、ベイビー……」

今すぐキートンの熱い体を突き上げ、ずぶずぶと奥まで沈めたい。だがぐっとこらえ、キートンにペースをまかせた。目をとじて体の力をどうにか抜こうとする。自分のものを少しずつ包みこんでくる濡れた粘膜の熱さから気をそらそうと、手当たり次第に別のことを考えた。

やがて——やっと、キートンの尻がチェイを根元まで呑みこんだ。チェイは目を開け、キートンの青い目をまっすぐのぞきこんだ。勿論、狼に変化した目では色は見えないのだが、そんなことは関係ない。キートンの目の青さはチェイの心に灼きついている。

視線を強く絡めあったまま、キートンは腰を持ち上げ、再び沈みこんだ。キートンの屹立の先端がぬるりとチェイの腹筋を擦る。濡れた痕が残った。

つい見下ろすと、キートンが上下動をくり返すのに合わせて、充血したペニスがはずんでいるのが見えた。白っぽい滴が先端ににじんでいる。

チェイは親指でその滴をすくい取り、口に含んだ。塩味がひろがり、チェイの犬歯がむずむずと反応する。牙がのびはじめていた。

「んっ……」

キートンが呻いて、チェイの唇に自分の唇をかぶせる。すぐさま、キートンの犬歯も鋭くのびてきて、互いの唇をちくちくと刺激した。

体を引き、キートンが腰を落として座りこむ。チェイの太腿に両手を置いて背をしならせた。きつく、内奥の筋肉を締めながら、腰をゆっくり持ち上げていく。

チェイの胸の中で、すべての息がとまった。信じられないほどの快感に襲われていた。

彼はキートンのペニスをぐっと握りこむ。

「来いよ、ベイビー。腰を振れ。キスしてくれ……」

キートンはうなり声をこぼして、チェイの望みにすべて応えた。チェイの肩をつかんだ手で自分を支え、腰を上下に、リズミカルに動かす。チェイの唇を甘噛みし、舌を深く突き入れてきた。

互いを牙で傷つけないよう唇を離したまま、二人は舌だけでキスを続ける。

チェイは、キートンの腰の動きに合わせてキートンのペニスをしごいた。軽く頭を引いてキートンの表情を見つめる。すっかり上気した肌を汗に光らせて、キートンの唇からちらりと牙の先がのぞいていた。彼はチェイのものを奥に深々と呑みこんではぎゅっと締め上げ、また腰を浮かして、その動きをくり返す。その顔は美しく、まるでおとぎ話の王子やこの世ならぬ精霊か何かのように――いや、天使のように、チェイには見えた。牙のある天使。

魅入られて、チェイはキートンを見つめつづける。手を動かすのも忘れていて、それに気付くとあわててキートンのものを擦りはじめた。

キートンが目を見開いた。二人の視線が固く絡み合う。

あいている左手をのばして、チェイはキートンの陰嚢をすくい上げ、その後ろを指で刺激した。

　キートンが背をしならせて、深い、甘い呻きを立てる。チェイのものが締めつけられ、キートンが放った白濁がチェイの手を、腹を汚した。この上なく美しい姿だった。

　チェイも、その一瞬に達する。陰嚢がきつく張りつめ、彼は自分を熱く包みこむメイトの体の奥に一気に放っていた。絶頂の強烈さに、ほとんど目がくらんだ。

13

「でもさ、少なくとも俺の親父はさすがだろ？」

　そんなことを言い出すチェイの黒髪を指で梳きながら、キートンは微笑した。確かにそうだ。だがそのジョーも、今ごろ、真実を知った妻からこっぴどく絞り上げられている最中に違いない。

「うん、本当にいいお父さんだよね。なあ、チェイ？　大丈夫か？」

　チェイはちらりとキートンへ視線を投げた。

「それは俺の質問だよ。具合はどうだ、ビット？　頭は痛くないか？」

「大丈夫。少しまだふらつくけど、大したことはないよ」

「腹は減ってないか？」

チェイは頬杖をついて、キートンに顔をよせた。キートンは首を振る。少し空腹ではあったが、今はまだこうして、チェイと一緒にベッドでくつろいでいたかった。

チェイが頭を傾けて、キートンにキスした。

「ありがとう、ビット。具合が悪いのに、俺の面倒を見てくれて。本当は、逆でないとならないのにな」

キートンも肘をつき、顔を起こして自分のメイトと視線を合わせた。のばした指でチェイの唇をなぞり、チェイの眉根に溜まった憂いをやわらげようとする。

「伴侶として、当然のことをしただけだよ」と肩を揺らして、「俺は嫌われた息子だったかもしれないけど、両親同士はとても仲が良かったからね。本当に愛し合ってた。少なくとも俺には、伴侶をどういたわるべきかのいいお手本はいたってこと」

チェイがキートンの頬を指でなぞった。

「まったく、誰かがお前を嫌うなんて信じられないよ。お前の親も、兄貴も、レミも、俺の母さんも。どこかおかしいんだ。そうに違いない」

キートンを思うチェイの真心に、キートンの心が貫かれる。

キートンはニッと唇の端を上げた。チェイの気持ちを、キートンのそばにずっといるというその言葉を、もはや疑うことはできなくなっていた。

「お前は、私情で目がくらんでるからそう思うだけだよ」

「まあ少しはくらんでるかもしれないけどな。でも俺は、この手の勘は外したことがないんだ。だから……皆の方がおかしいのさ」

「何の理屈にもなってないよ」

キートンはくくっと笑う。だが不意に笑える気分ではなくなって、彼は表情を引き締めた。

「でも、チェイ。真面目な話、本当に皆の方がおかしいんだよ。お前は悪くない。たとえ、全員がお前が悪いと言ったって――」

チェイが身をのり出してキスをし、キートンに腕を回すと一緒にごろりとベッドへ倒れこんだ。

「わかってるよ、ビット。レミも母さんもそのうち折れてくるさ――もし駄目なら仕方ない。それは俺じゃなくて向こうの問題だ。頭でそこまではわかってるけど、やっぱキツいな」

キートンは起き上がって、チェイの太腿にまたがった。チェイがキートンへ向けた顔は優しく微笑していたが、内心どれほど傷ついているか、キートンは知っている。

「わかっていても割り切れるもんじゃないからね」

「ああ、本当に。だがそのうち落ちつくさ。お前がいるから」

「俺だけで足りる?」

「充分だ」

チェイがキートンを引きよせてキスをする。唇を深く差し入れた。濃密なキスで、今の言葉が本心なのだと、深く、真摯にキートンへ伝えてくる。

キートンはチェイの胸元に手を置き、顔を上げた。股間がまた元気になってしまっている。チェイが笑って、両手でがっちりとキートンの尻をつかんだ。ぐいっと自分の胸元までキートンを引きずり上げる。

「ちょ、何するんだよ」

キートンは腰を引いてチェイの力に抗った。

「何してると思う?」チェイの指がいっそう強く尻にくいこんできた。「おとなしくしろよ」

手を離し、チェイがずり下がった。キートンと自分の枕をまとめて頭の下に押しこみ、キートンの二の腕を引きよせる。二人の唇が重なった。

キスの感触に吐息をこぼして、キートンは少しだけ腰をくねらせる。勃ち上がりかかっているものをチェイの下腹で刺激した。少しだけ。……気持ちいい。もう少し、強く押しつけた。

チェイがくくっと笑って、顔を離した。またキートンの尻をつかんで引きよせる。

「おいで、エロしっぽ。ヘッドボードに手をついて、前によりかかれよ」

エロしっぽ?

あきれたキートンは目で天井を仰いだ。まったく、チェイのネーミングセンスと真面目につき合っていたらそのうち精神崩壊しそうだ。

　とりあえず、言われたままにヘッドボードに手をついて前に体を倒す。その体勢を取ると、ペニスが丁度チェイの口の高さに来ることに気付いて、キートンは目を見開いた。これは——素晴らしい考えだ。

「お、やっと気がついたな」

　チェイがからかう。キートンの尻から離した右手でキートンのものを握った。口を開け、キートンに少しまた前に出ろとうながしながら、軽く先端をくわえて吸った。

　キートンはぐっと体を倒し、角度を変えて、もっと深く入れる体勢を取る。チェイはすぐさま応じてくれた。キートンのものを半分ほどぱくりとくわえて、そのまま頭を引く。それを数回くり返して、唾液でたっぷりと濡らすと、手での愛撫もくわえた。

　キートンは、自分のペニスがぬらぬらと光りながらチェイの唇の間を行き来する様子をじっと見つめた。こらえきれなくなって、ぐいと腰をつき出す。チェイの口を犯すように動きはじめた。チェイは逆らわず、キートンの尻をつかんでいた左手を少し下へ動かすと、後ろからキートンの睾丸を軽く引っぱった。

「あっ、凄い、チェイ、気持ちいい——こんなの初めて、こんなにいいなんて知らなかった——」

　チェイが手をとめた。ポン、と音をたてて口からキートンのペニスが外れる。

キートンは不満のうなり声を立てた。見下ろすと、チェイの当惑したような目に出会う。

「何でやめんの……」

実に情けない声だったが、自然と出てしまった。

「初めてってどれのことだ、キートン？　この体勢がか？　それとも口でされるのが？」

「どうでもいいだろそんなの！」

キートンは自分の屹立を引っつかむとチェイの口元につきつける。チェイはその先端にキスをしたが、頭を引いた。腹の立つ野郎だ。

「ビット、お前の言う初めてってのは、つまりお前はほかに誰からも口淫《ブロウジョブ》をされたことがないって意味か？」

「ん？　うん……」

ここまで快感に追いつめられていなければ、気まずい思いをしただろう。だが今のキートンはそれどころではない。

「チェイ、たのむから話は後にしようって」

キートンはヘッドボードについた右手で体を支えながら、左手で固いペニスをつかんでしごいた。チェイの唾液でぬらついていて、手が楽に滑る。もしチェイがしてくれないと言うのなら、自分でやるしかない。

チェイはキートンの尻をぎゅっと強くつかんでから、キートンの手を払いのけてペニスを口にくわえた。同時に彼は、自分のものにも手をのばしてしごき始めた。

数秒、キートンはただ見つめていた——チェイの唇が、彼のものをぬめぬめと擦りながら動いている。それからキートンはチェイの口の中に突きこんだ。何度も、何度も。

あっというまに、ひりつくような快感が背骨をのぼってくる。睾丸がきつく張りつめて、ぐっと引き上げられるような感覚があった。チェイが呻きながら首を前後にゆすり、キートンをさらに追いつめる。手でまたキートンの陰嚢を刺激した。

絶頂は、強烈そのものだった。チェイを窒息させないようキートンは必死だったが、正直チェイの無事まで気を使う余裕はない。背をしならせ、腰を思いきり突き出して、キートンは伴侶《メイト》の口腔へ放っていた。

幸い、チェイは元気なようで、ごくりと喉を鳴らしてできるだけの分を呑みこんでくれた。キートンのものから口を離すと、こぼれた残りの精液まできれいになめとる。

キートンは、ベッドに仰向けで倒れこむ。ぐったりとして荒い息をついた。目をとじていると、チェイがガサゴソと動き回っている音が聞こえる。本当ならキートンも起きてチェイの面倒を見るべきだ——メイトを欲求不満のまま放っておくわけにはいかない。

その時、温かな手がキートンの太腿をつかみ、濡れた指が尻の谷間をさすった。キートンはつい笑って、膝を胸元まで曲げ、チェイへ自分の体をさらけ出す。

チェイの指が窄みを丸くなでさすってから、内側へと入ってきた。

「平気か？」

「うん」

キートンはうなずく。チェイはしばらく人さし指だけの抜き差しを続けた。気持ちいい――うっかりまどろんでしまいそうなほどだったが、チェイが時おり深く差し入れた指でキートンの性感を探り出そうとする。

チェイの指が二本に増えた時も、ほとんど違和感を感じないほどキートンの体はほぐれていた。チェイの指はさらに深く、さらに狙いすまして快感の場所をとらえていく。萎えた筈のキートンのものまで息を吹き返しつつあった。まだ切羽つまってはいないが、それにしてもとにかくすべてが気持ちいい。

目を開ける。チェイが、きらきらした瞳でキートンを見つめ、微笑した。

「俺のビット。本当にかわいいよ」

馬鹿じゃねえの、という顔をしてやるところだったが、チェイがまさにその瞬間を狙って指ではなく屹立をぐっと押し入れてきたので、キートンは何もできなかった。先端のふくらみがぬるりと奥を押し開いていく。かすかな、痛みのような刺激はあったが、キートンが腰を押し返すと違和感はすぐに溶けた。

チェイが深く、リズミカルにキートンを貫きはじめる。根元まで沈めてえぐっては、ギリギリまで引き抜く。その間ずっと、二人の視線は絡み合ったままだった。

「さて、教えてもらおうか、ベイビー。お前はどこまで体験済みだ？」

「俺は……え？　何？　どういう意味？」

「つまりな、セックスでお前がこれまでやったことのないことは何だ？」

キートンは目をぱちくりした。本気か。本気で今、この話を？

「ええと……俺――俺……下ばっかりで、一度も……挿れたことがない」

「一度も？」

チェイが目を見開く。キートンは首を振った。顔中が熱い。真っ赤になっているに違いない。

「そうか。お前の元彼ってのは、随分と自己中心的な男だったらしいな」

チェイはそう言うが、キートンは不満も疑問も覚えたことはなかった。キートンは相手のものをなめるのもしゃぶるのも好きだし、挿れられるのも好きだ。好きだから、それだけでよかっただけである。元彼のジョナサンはキートンに口でしてくれたことすらなかったが、そんなことは気にもとめなかった。キートンは一度も求めず、ジョナサンも立候補はしてこなかった、それだけだ。

キートンは肩を揺らす。チェイが身を乗り出し、おかげで貫く角度が変わって、キートンの肌を震えが走った。

「だって……ジョナサンは、ゲイじゃなかったし」

「ほほう？」

チェイが鼻先であしらう。顔を近づけ、キートンの唇をぺろりとなめた。

キートンは言い返す気にもなれなかった。ジョナサンのことなどどうでもいい。首を持ち上げ、彼はチェイへキスを返す。チェイの突き上げに全身を揺さぶられながら、キートンはチェイの下唇を吸い上げた。

チェイが口を開け、何か――多分ジョナサンについてかキートンの経験の少なさについて――言おうとしたが、その瞬間、キートンはぎゅっと奥を締め上げてやった。チェイは声も出せない。

キートンはクスクス笑って、チェイの唇に舌を這わせた。

「卑怯だぞ、ビット」

「恋と戦争ではすべての武器を使え、ってね」

「お前に言いたいことがあったのに――」

「後で聞く。今は黙って、動けよ」

「まったく」

キートンはまた内奥を締めた。チェイがうなって、キートンの顎に歯を立てる。

そう言いながらも体を起こすと、チェイはキートンの両膝を腕ですくい上げた。

「待った」

チェイが物問いたげな顔でとまる。

「うつ伏せがいい」

「おやおや、本日はやけに気難しくていらっしゃるな。黙れ、動け、うつ伏せでやれ？」

くすっと笑って、チェイはキートンの脚をおろすと自身をキートンの中から引き抜いた。

う、とキートンは快感に呻く。

「気難しくなんか――」

チェイに一瞬にして体をひっくり返されて、キートンは一瞬何が起こったのかわからなかった。気付いた時にはもううつ伏せで、チェイが後ろから、ゆっくりと彼の中へ入ってくるところだった。頭がくらくらする。

「待った」

とキートンは枕をわしづかみにして、後ろのチェイへつきつける。

チェイがキートンの肩をかじって、笑い出した。キートンを抱えながら体を持ち上げると、キートンの腹の下に枕をつっこむ。

「これでよろしゅうございますか。ほかに何かございませんか、姫？」

キートンはチェイの太腿をつねり上げた。二人して、さらに大きな笑い声を立てていた。セックスがこんなにおもしろいものだったなんて、どうして今まで知らずにいたのだろう？

「続けてよろしい」

「本当に？　部屋の気温はよろしいですか？　何かお飲み物をお持ちしましょうか？」

「チェイ――」

チェイは両手をベッドについて、ぐっとキートンにのしかかった。うなじにキスしながら、キートンの奥を深々と貫く。

「これでいいか、ビット？」

「ん、んんっ……」

凄くいい。腹の下の枕もキートンの屹立を擦って、丁度いい刺激を与えてくれる。

「もっと――」

「ちっさいのに態度はでかいよな」

チェイの声は荒くざらついて、濃密で、エロティックだった。そんな声でからかわれても、ただ煽られるだけだ。

焦らしている余裕はなくなったようで、チェイはキートンをぐいと突き上げると、キートンの首すじに歯先をくいこませた。

キートンは腰を前後に揺さぶって、背後のチェイを受けとめては前の枕へ屹立を突き込んだ。枕のなめらかな生地に擦り上げられながら、チェイの固いものにぎっちりと満たされる。

もはや、聞こえるのはチェイと自分の尻がぶつかる生々しい音と、ベッドのきしみだけだった。二人のかすれた息づかい、くぐもった呻き。二人の汗が混ざって匂いたち、セックスの濃密な香りがあたりにたちこめた。

前兆の、痺れるような快感が沸き上がってくる。チェイが突き上げの角度を変え、狙いすましたように深く、その場所を強くえぐった。まさに一撃だった。キートンは背をそらせて、体の下の枕めがけて達する。

かすれた叫びがこぼれた。快感が全身を揺さぶっている。

うなじを噛んでいたチェイの歯がさらに強くくいこんだ。犬歯がのびて肌を刺す。刹那、チェイの全身が強くこわばった。

チェイがキートンのうなじを噛んだまま、うなって達した。しっかりとつながったままキートンをかかえ、ごろりとベッドに転がる。チェイはキートンの腰を抱いて横倒しになり、自分の体重でキートンを押しつぶさないようにしていた。チェイのそういうところが、キートンは好きだ。二人の体格差にいつも気を使ってくれている。

チェイは背中からキートンをぴったりと抱き、両腕で抱きしめた。うなじから口を離し、荒い息をつく。やがて、噛んだ場所に唇を押し当て、優しくなめた。

二人はそのまま、何も言わずに横たわっていた。

チェイがキートンをぎゅうっと抱きしめる。

「愛してる、ビット」

「俺もだよ、チェイ」

「凄く、凄く用心してくれよ。警戒を怠るな。いいな？」

キートンはうなずいた。チェイが肩口にキスをする。

「絶対に、お前を失うわけにはいかないんだ」

キートンは目に涙が盛り上がってくるのを感じた。彼だって、チェイを失いたくはない。もう長い間、こんなふうに心の底から幸せだと思えたことはなかった。

ついに自分の居場所を見つけたのだ。ここに。家族を、そして帰る家を。

「どこにも行かないよ」

体に回されたチェイの手を口元に引きよせ、キスする。

「よかった」

また静寂が戻ってきた。力を失ったチェイのものが、キートンの奥から抜ける。くすぐったいくらいだった。

キートンは微笑する。タオルを取ってきて二人の体をきれいに拭うべきだったが、あまりに満たされていて、チェイの腕の中から動きたくなかった。

だが――。

「てめえ、キートン――やりやがったな！　それ、俺の枕だろ！」

キートンはくすくす笑いながらベッドからとび出した。やっぱりそろそろ起きた方がいいようだ。

14

最悪な一日だった。

朝、チェイがクリニックにつくと、すでに三匹の患者――患畜――が待っていて、そのまま午後までせわしなく働きづめだった。キートンのことも心配で仕方がない。受付係のシェリルはやたらとチェイをにらんでくるし、アシスタントのティナは迷子のようにクリニックの中を四六時中さ迷っている。もう一人のアシスタント、トミーまでちらちらとチェイの方をうかがっていた。

昼すぎになると、やっと忙しさにも一段落つき、チェイはキートンの様子はどうかとオフィスから電話をかけた。

何とか、今日は大学は休めと説得してきた。それでもキートンは家にひとりぼっちで、誰かがその命を狙っているのだ。

電話のボタンを押す。四回、呼び出し音が鳴ってから、キートンが出た。

『もしもし？』

喘ぐような声だった。チェイは眉をひそめる。

「何で息を切らしてるんだ？　今何してる？　安静にしてなきゃ駄目だろうが。犬の相手も家の掃除も今すぐやめて、とにかく何だろうがやってることをやめろ」

電話の向こう側から答えたのは、完全な沈黙だった。

「……おい？」

『考え中。電話を切るべきか、どうしてそんなに機嫌が悪いのか聞くか。どっちにしようかな。今この瞬間は、かなり切りたい気分』

「ほお？　それは自白と取るぞ。何をしてたんだ？」

小さな笑い声が聞こえた。

『ぎゃあぎゃあ騒いだらすぐ切るからね？　ガレージを片付けてたんだよ』

チェイは溜息をつき、鼻のつけ根をつまんだ。まったく、頭が痛む。深呼吸をしたが、苛立ちは消えず、もう一度深く息を吸った。

『チェイ？』

「怒鳴りつけてお前に電話を切られるか、気分を落ちつけて調子はどうか聞こうか考えてる」

キートンが、また笑った。

『じゃあ、どうする？　電話を切る？　それとも俺の調子がどうか知りたい？』

「どうしてガレージなんか片付けてるんだ」

『自分で言ってたろ、ガレージを片付けなきゃって。だから今やってるだけ』

チェイは机につっぷしたくなった。

「あれは、一緒にやろうって言ったんだ。一人でやれとは言ってない」

『だから一人じゃない。ピタが手伝ってくれてるよ』

チェイは思わずニヤリとした。声からするとキートンは調子がよさそうだ。それどころか上機嫌だった。今すぐキートンのそばへ行きたい。こんなところでスタッフや患者にじろじろと見られているのはもううんざりだ。まあ実際の患者――患畜――たちは普段通りなのだが、飼い主たちは様子がおかしかった。

「ピタは犬だ。数には入らないだろ」

キートンが鼻を鳴らした。

『ピタが聞いたら怒るよ、それ。本当に手伝ってくれてるんだから。ピタがくわえられる大きさのものをあげるだろ、そうするとそれをゴミ箱まで運んでいくんだよ』

チェイはまばたきした。

「ピタがゴミ捨てを?」

『まあ実際にはゴミ箱が高すぎて届かないから、ゴミ箱の周りに積み上げてるだけ』

「本当に?」

『本当』

チェイは笑いをこぼした。

「凄え。大したもんだ」

『感心するのは早いよ。まずピタに物をくわえさせたら、しばらく引っぱりっこして遊んでやらないとならないんだから』

その光景を想像して、チェイは笑い声をたてた。肩のこわばりがふっととれる。朝からの不機嫌も吹きとんでいた。キートンにかかると、チェイの気持ちはすぐ上向きになる。

「それで、具合はどうだ、ビット?」

『元気だよ。起き抜けはちょっと頭が痛かったけど、薬飲んだし今は大丈夫。ただ退屈しちゃってさ。ガレージ片付けておけば、新車買ったら中に停められるだろ。そうそう車のことだけど、明日、俺の仕事上がりに迎えにきてくれれば——』

チェイはうなった。まったく、キートンは明日から仕事に戻るつもりなのだ。

「明日も休めよ」

『やだよ、もう充分休んだ。そんな体力のいる仕事ってわけでもないし。それでさ、俺と一緒に車買いに行ってくれる?』

「ああ、車を見にいこう。何買いたいか決まってるのか?」

『全っ然。もしお前がとってもいい子にしてたら、選ばせてあげてもいいよ』

チェイは微笑した。キートンがわざとらしく、茶色い睫毛を無邪気そうにまたたかせている様子が目に浮かぶ。

「警戒は怠ってないだろうな？　ちゃんと身の安全に注意してるな？　ガレージのドアは開けて作業してるだろ？」

『ああ、開いてる。ちゃんと用心もしてる。鼻も目も耳もしっかり周りに注意を向けてるって』

「よし。片付けで足すべらせて頭打ったりするなよ」

『だいじょーぶ。もうすぐ手伝いも来るし』

「手伝い？」

『うん。お前のお父さんが来てくれるって』

その言葉に、チェイの胸が誇らしい気持ちに満たされる。

「父さんが？」

『うん。今週は仕事が休みなんだって。今日、車を買いにつれていってくれるって言われたけど、やっぱり車はお前と一緒に行って、一緒に選びたいし』

チェイは目を閉じた。ああ、やっぱりこの男を愛している。

その時、オフィスの入り口からアシスタントのティナが首をつき出して中をのぞきこみ、右、左と確認した。チェイと目が合うとビックリした顔になり、さっと消える。

チェイは思わずうなった。今日はこればかりで、もううんざりだった。スタッフときっちり話し合わなければ。

「よし、ベイビー。俺はもう行かないと。用心しろよ。後でな」

『了解、また後で、チェイ』

チェイは電話を切ると、椅子にもたれた。デスクに両足をのせて大声で呼ぶ。

「ティナ！　トミー！　シェリル！　ちょっと来てくれないか」

最初にオフィスへ入ってきたのはティナだった。にっこりして小首を傾げる。

「座ってくれ」とチェイは椅子をさした。

次はトミーだ。本人よりもその赤毛が先に入り口からのぞいた。彼は……居心地が悪そうだった。

「座って」とチェイはティナのとなりの椅子をさす。

三人目のシェリルは、あからさまに刺々しい目つきでチェイをにらみながら入ってきた。

「何ですか？」

チェイはぐるりと、三人のスタッフの顔を見渡した。

「何か問題でもあるのか？　朝から三人とも様子がおかしいぞ」

シェリルが腰に両手を当てた。

「問題があるのはそちらじゃないですか、ドクター・ウィンストン？　どうなんです？　色んな噂がとびかってますよ」

「噂？」

チェイはシェリルに向けて片眉を上げる。シェリルがにらみ返した。

「ええ。あなたがゲイだって」

「それがどうかしたか？」

「まさか——本当なんですか？」

「ああ」

シェリルがつっかえ、ゴホゴホと咳をして、一気に激昂した。その反応からすると、てっきりチェイに否定されると思いこんでいたらしい。

「私、やめます！　こんなところで働けないわ、あんたみたいな——」

チェイは微笑してさえぎった。

「その先は聞かない方がよさそうだ。さっさと出ていってくれ」

怒りの息をつき、シェリルはくるりと背を向けると勢いよくオフィスからとび出していった。バタバタと私物をかき集め、ドアを叩きつけてクリニックから出ていく。

ティナがまばたきして、目を大きくした。

「うっわ！　ヤな女だとは思ってたけど、ほんっと……」肩を揺らす。「どうせ、チェイのベッドにもぐりこめる可能性がなくなったから頭にきてるだけでしょうけど」

チェイは眉を寄せた。ティナは、チェイがゲイだということを気にしている様子がまったくない。だが、なら彼女はどうして朝からおかしな行動を？

「ティナ、君はどうなんだ？　何であちこちの部屋をのぞいて回ってた？」

ティナはぱっと目をみはって、胸元を手で押さえた。

「私？」

「ああ、君だ」

ティナはひょいと頭を傾けて、顔を赤らめた。

「もしかしてチェイ、自分のせいだと思った？　いや、まあ、まったく興味がないってわけじゃないけど、そりゃまあ……でも私はピタを探してたのよ。あの子どこ？」

チェイは思わず小さく笑っていた。

「じゃあずっとピタを探してうろうろしてたのか」

「そうよ。あ、驚いたけどね、チェイは女の子が好きなんだとずっと思ってたから。でもさ、うちの兄貴ってゲイだもの。チェイがゲイでも別にどうってことはないわよ」

「ジェイクがゲイ？」

チェイはまばたきした。ティナの兄のジェイクなら何年も前から知り合いだ。同じ群れの人狼仲間でもある。チェイより少し年上で、格別親しいというわけではないにしても友人同士だった。

「そうそう。もうずうっと昔から」

「へえ……」

いきなりトミーが微笑した。チェイは眉を寄せる。

「何だ、トミー？」

「いやあ、クリニック中を踊りまくって〝悪い魔女は死んだ！〟って歌いまくりたい気分ですよ。ホント！　シェリルをクビにしてくれてありがとう！」

「自分で辞めてったんだ」

「どっちでもいいさ、あの女がいなくなった！」

トミーは両手を上げ、ティナとハイタッチを交わす。

おや、ここまでシェリルが嫌われていたとは知らなかった。加えて、トミーの方もチェイの性的指向に文句はないらしい。

チェイのとまどい顔に気付いた様子で、トミーがニヤッとした。

「そりゃビックリしたよ、チェイ。でもゲイでも構わないさ、そっちの私生活がどうだろうが俺が首をつっこむ問題じゃないし」

そこで言葉を切り、しみじみと首を振る。

「でもチェイ、女ならいくらでもぞろぞろ寄ってくるってのに、また何だって……いや、いいさ、あんたの人生だ。好きなだけ楽しんでくれ」

それを境に、ぐっといい日になった。

夕方、チェイがキートンに電話をかけようとしていると、またティナがオフィスをのぞきこんできた。

「じゃあ――明日はまたピタをつれてくるんですね？」

「ああ、多分」

「やったあ。あのモコモコちゃんがいないと淋しくって。それで、いつキートンに会わせてくれます？」

チェイは大きく眉を上げた。「会いたいのか？」

そこにトミーがひょいと顔をのぞかせて、返事をした。

「そりゃ会いたいっすよ。うちのドクターの面倒をちゃんと見てくれる相手かどうか確かめないとね」

ティナがくすくす笑う。「まあそれもあるけど。でも私は、犬に恋しちゃったらやっぱり飼い主にも会っておきたいなって。でしょ？」

チェイは一瞬言葉が出なかった。首を振って、彼は大声で笑い出しながらトミーを見やる。

トミーはにっこりして口を開いた。

「考えてたんですが、新しい受付係が必要ですよね？　俺の姉が職探し中で」

「ああ、いいよ。ここで働く気があるかどうか姉さんに聞いてみてくれ」

「ありがとう、ドク」

「何でもないさ」

トミーとティナはそれを最後にまた去っていった。

チェイは微笑する。キートンは誰もがチェイを見捨てると言ったが、予言通りにはいかないようだ。少しではあるが、心強い。母親ともこんなふうにうまくいってくれていれば……。

だがいつか、母もわかってくれる日がくるかもしれない。

15

キートンは口笛を吹きたい気分だった。

馬鹿だろう。いい年した大人が、こんな能天気に幸せに浸っているなんて。誰かにくり返し命を狙われている最中だというのに。だがチェイのそばにいると、何もかも乗り越えられる気がする。勿論怖いが、世界の終わりというわけじゃなし。

キートンは手にしたリンゴを宙に放り、受けとめながら、バックパックを肩の上に揺すり上げた。ブリーフケースを買ってもいいのだが、何と言うか、インテリ臭い。確かにまあそうだが、別にわざわざそういう格好をしてみせることもあるまい。

もっとも今のジーンズにバックパックという格好も、いつも学生に間違われてばかりだ。インテリ臭い教授ととられるか、ガキに見られるか。悩ましいところだった。

チェイは教務課棟のすぐそばに車を停めていた。近づいてくるキートンに気付くと、笑顔になってサングラスを指でずり下げる。

キートンは助手席のドアを開け、バックパックを後部に放りこんでからシートに座った。チェイが身を傾けてキスしてくる。

「やけにご機嫌だな、キートン？」

「んん」

キートンはキスを返して、チェイの下唇を軽く噛んだ。

「ちょっと考えてただけだよ、お前には赤いスポーツカーが似合いそうだなって」

チェイがサングラスを戻して、運転席に座り直した。

「ほう、スポーツカーを買いたいのか？」

「想像しただけだよ。出して」

キートンはドアを閉めてシートベルトをする。

「かしこまりました」

とチェイが答えて、駐車場から車を出した。キートンは手にしていたリンゴをしゃくっとかじり、チェイにさし出したが、チェイは首を振った。

「いいよ。ティナとトミーと一緒に昼飯を山ほど食った。トミーの姉さんが明日からうちで働きはじめることになって、メキシコ料理を作ってきてくれてさ」

「そりゃよかった」

キートンはティナの名前に微笑んだ。周囲を見回す。チェイはまだ白衣のままだが、ピタの姿はどこにもない。空気を嗅いだが、やはり車内にピタの匂いはしなかった。ピタは今日、チェイが仕事場へつれて出勤した筈だ。もし仔犬をつれていかなかったらティナから殺される、と言い張って。

「チェイ、家に寄ってから来た?」

「いいや、クリニックからまっすぐ来たよ。どうしてだ?」

「ピタはどこ?」

チェイが笑いをこぼした。

「ティナが子守りしてくれてるよ。帰りに寄っていかないと」

「ああ、成程」

キートンはまた一口リンゴをかじった。もしかしたら今日こそティナに会えるかもしれない。彼の仔犬にここまでベタ惚れの女の子なら、きっといい子に違いない。

キートンがリンゴを食べ終わった頃には、チェイはカーディーラーの駐車場に車を停めていた。キートンへ微笑を向ける。

「さて、お前の新車を探しに行こうか」

キートンも笑い返して車を降りた。食べ終えたリンゴの芯を建物脇のゴミ箱へ放りこむ。

チェイがキートンの手を握り、二人はそのまま、ずらっと並んだ車の間をのんびりと歩きはじめた。

自分のメイトと手をつなぐのはこの上なく自然なことに思えたが、十分ほどぶらついたところで、キートンは他の客からじろじろと見られていることに気付いた。

「チェイ？　人が見てるよ」

キートンが周囲をぐるりと見回すと、目が合った人々が次々と視線をそらした。

「それが？」

チェイは青い車に身を屈めながらキートンの手を引っぱり、窓から中をのぞきこんだ。

「この車はどうだ、ビット？」

キートンはつながり合った二人の手を見下ろした。

チェイが顔を上げる。

「どうした？」

「気にならないのか？」

「ああ。お前は？」

どうだろう。キートンはじっと考えこんだ。

こうした注目には慣れていない。昔の恋人のジョナサンは、人前ではキートンと肩が偶然ぶつかるようなことさえ嫌がっていた。

だが今こうして、チェイの手を握っているのはとても楽しい。

キートンはチェイの手を握り返し、肩をすくめた。もし誰かが文句があるとしても、それは向こうの問題であってキートンの問題ではない。

「いや、そうでもない」

チェイはニッと笑って、あきれたように目だけで天を仰いでみせた。キートンの手を引っぱる。

「じゃあゴチャゴチャ言ってないで、この車を見ろよ」

キートンはその車を見た。あまりパッとしない車だった。

望み通りの車を見つけるのは思った以上に難しく、このままいくと今日は無理そうだった。

二人の好み自体はおおよそ似通っていたが、キートンが気に入った車はどれもチェイには狭すぎるし、チェイが目をとめるのはバカでかい車ばかりなのだ。そんな大きな車の前ではキートンは親の車を盗んでドライブに出かけようとしている十二歳の子供のような気分になる。

スポーツタイプの車はどれもチェイには低すぎて、路面にじかに座っているような気がしてしまうらしい。高級車も見たが、「これじゃ有閑マダムだよ」というキートンの言葉にチェイが大受けしてげらげら笑っていたせいでセールスマンすら寄ってこない始末だった。

この車も気に入らない、とキートンが言いかかっていた時、二人の背後でコホンと喉を払う音がした。

キートンはチェイの手を離して振り向く。グレーのスーツを着た男が笑顔で立っていた。

「何かお手伝い致しましょうか」

「新しい車を探してるんだ。大きすぎず、小さすぎず、よく走るアメリカ車」

「いいですね。お気に召す車があるかどうか見てみましょう」と男は握手の手を差し出した。

「ブラッド・ホワイトです」

「キートン・レイノルズ」

キートンはディーラーの手を握り返す。男はチェイを目で推し量ってから、やはり手をのばした。チェイが握手を返した。

「チェイトン・ウィンストンだ」

ディーラーはうなずくと、キートンへ向き直った。

「初めてのお車ですか?」

キートンはうんざりと天を仰ぎたくなったがどうにかこらえた。一方のチェイは遠慮なく笑い出す。

「ああ、そりゃ皆が変な顔でこっちを見るわけだよ、ビット。俺のことをかわいい子供をさらってきたどっかのヘンタイ親父だと思ってるんだ。ははは」

キートンは溜息をついて首を振った。呆気にとられた様子のディーラーへ笑みを向ける。

「こいつは無視していいから。変な冗談が好きでね。それで、違う。初めての車じゃない」

ディーラーの男はおぼつかない笑みを返して、ちらっとチェイを横目で見た。

「わかりました。走りのいいアメリカ車、丁度いい大きさ」

「そう。チェイが足をのばせるだけの余裕はあるけど、俺が親の車をかっぱらってきた子供に見えないくらいのやつ」

ディーラーはクスッと笑うと、展示場の向こう側へと二人を案内して歩きはじめた。

結局、キートンは二〇〇六年式の赤いダッジ・チャージャーを選んだ。銀か赤かで最後まで迷ったのだが、運転席に座ったチェイには赤い車体が実に映えた。

書類にサインを終え、キートンは車の引き渡しを待っていた。チェイは、ピタの引き取りと夕食を買いに先に出ていた。家で落ち合う予定だ。

だが夕食はやめて、早く寝た方がいいかもしれない。今一つ調子が悪かった。胃が痛む。

ディーラーが彼の新車を運転してきて、キートンは乗りこんだ。礼を言ってディーラーショップを後にする。

目がかすみ、キートンはまばたきして焦点を合わせようとした。幸い家はもうすぐそこだ。しかしどうして目が狼に変化しようとしているのだ？

またまばたきした。だが視界は、きちんとフルカラーで見えている。狼への変化ではない。妙だった。

あと家まで半分というところで、胃の痛みは無視できないほど激しくなってきていた。痛みのせいで、新車の初ドライブを楽しむ余裕もない。家のガレージに車を停めて降りた時には、キートンは半ば朦朧としていて、ガレージのドアを閉める前に車によりかかって一休みしなければならなかった。

ガレージからキッチンにつながる裏口を開けた瞬間、食べ物の匂いが押しよせてくる。ピタがキートンへ駆けよってきた。

チェイはキッチンのカウンターに立って、ハンバーガーの袋を開けているところだった。顔を上げずにキートンへたずねる。

「ドライブは楽しかったか？」

それから、バーガーとフライドポテト、ケチャップをのせたトレイを手に振り返った。チェイの顔がさっと曇る。

「どうした、ビット？　具合が悪いのか？」

キートンはチェイへ手をのばしたが、朦朧としているせいでまったく届かなかった。倒れかかる彼を、チェイがあやうく片腕で抱えこむ。

胃が激しく痙攣して、キートンは腹を押さえた。

「吐く――」

チェイは左手のトレイをカウンターへ置き、キートンを両腕ですくいあげるとバスルームへ走った。

何とか、ギリギリで間に合った。

＊　＊　＊　＊

電話の呼び出し音を聞きながら、チェイはくり返しキートンの髪をなでた。

異常事態だった。おかしなことばかりだ。具合の悪いキートンに、チェイはすぐ指先を切って血を飲ませ、癒そうとしたのだ。人狼の血にメイトを癒す力があるのは彼らの常識である。だがキートンは、飲ませた血も吐き出してしまっただけだった。

『もしもし?』

受話器の向こうから群れの医者の声が聞こえてきて、チェイは驚いた。電話をかけているのを忘れていた。

「ドクター・ベイカー？　チェイ・ウィンストンです」

『やあ、チェイ。どうした？』

キートンがまた嘔吐した。もう何も出てこない。可哀想に。チェイはその背中をなでてやる。

「少しまずいことになってて。俺のメイトが毒を盛られたようなんです」

『君の父さんとジョン・カーターが紹介してくれたあの行儀のいい子か？　どんな症状だ？』

「吐いていて、当人が言うには視界がぼやけていると。息も苦しそうです」

『キートンに君の血は飲ませたか？』

電話の向こうでガサガサと音がする。

「飲ませても、吐き出してしまって」

『ふむ……』バタン、という音に続いて車のエンジン音が聞こえてきた。『今そっちに向かっている。続けて血を飲ませなさい、すぐ着くから』

「ありがとう、ドクター」

チェイは電話を切って化粧台に置いた。

「ビット？」

「うー？」

キートンがぜいぜいとあえいだ。

「がんばれ、ベイビー。今、もう少し血を飲ませるから」

「うまく、いかないって……」

「そんなことはない、どうにか飲みこめればきっとうまくいく」

キートンは咳込みはじめた。チェイはキートンの上体を起こし、咳がおさまるよう祈りながら呼吸しやすいように支えてやる。キートンの体はひどく熱かった。

「くそっ」

チェイはすぐさまリビングに駆けこむと、置きっ放しにしてある診療鞄を取った。バスルームに戻って、キートンの後ろに座る。

「がんばるんだ、きっと効く」

「……ムリだよ……人間じゃないんだし……」

また空嘔吐を始める。チェイはメスを取り出して左手に傷をつけ、キートンの口元につきつけた。

「ほら、早く吸え、傷がふさがる前に」

キートンは首を振りはしたが、言われた通りチェイの傷に口を付けて血を吸った。震える体で、彼はチェイによりかかり、傷から口を離した。

「何か、寒い……」

チェイはキートンの口元で指を振る。

「もっとだ」

「もう、傷、ふさがってるよ……」

キートンは囁き返した。

左手を引き、チェイはキートンをあたためようと腕をさすってやった。キートンはぐったりとチェイにもたれかかる。

少しして、ドアベルが鳴った。

「出ないと、ビット。医者をつれて来る。ここで待てるか？」

うなずいて、キートンは体を丸めた。

チェイが玄関のドアを開けた時、後ろからまたキートンの吐く音が聞こえた。

くそ、くそ、くそっ！

医者の腕をつかむように中へ引きずりこみ、ドアを閉め、チェイはドクター・ベイカーをバスルームへ引っぱっていく。

「急いで、ドク！　今やった血も全部吐いちまった」

「それを恐れてたんだ。血を飲ませて治るかどうか、今回はわからないぞ、チェイ。人狼のメイトは一般的には人間の女性だ。人狼が人狼の血を飲むことで治癒能力が上がるのかどうかは、未知数なんだ。彼は元々人狼として、君と同じ強固な治癒能力を備えているからな」

チェイは溜息をついた。

「ええ、キートンも同じことを言っていた」

しかも腹が立つことに、筋が通っている。だがどうすればいい？

バスルームに戻ると、キートンは床に倒れていた。右手は胸に、左手は床に落ち、意識はない。

チェイの息がとまった。駆けよる。

「まさか——そんな……」

キートンの腕をつかむとぐいと膝の上に抱き上げた。一瞬がひどく長い。ベイカー医師がすぐそばに駆けよったことにすら気付かぬまま、チェイはキートンの脈を探る。弱いが、まだ脈はあった。

何か、しなければ。毒が体から消えるまで待つだけではやりすごせない、もっと深刻な事態がキートンを襲っているのだ。この毒はキートンを殺しかかっている。

キートンを腕にかかえながら、チェイの頬を涙がつたい落ちた。必死に考えをめぐらせる。解毒作用のあるものを何か持っていたか？　この毒を中和する方法は？　大体、何の毒だ？

今すぐキートンを集中治療室に担ぎこめば間に合うだろうか？

「チェイ、これから君の血をキートンへ直接輸血で流しこむ」

「え？」

「二人を直に管でつなぐんだ。専用のチューブがある」

ベイカー医師は鞄の中をガサゴソとあさった。両端に針のついたチューブを引っぱり出す。

「これでうまくいくかどうかはわからないが、とにかくやってみよう」

彼はチェイの腕をつかむと鞄から取り出したゴムバンドで縛った。

「拳を握って」

チェイが従うと、ベイカー医師は彼の腕に針を刺した。

「立って、腕をキートンよりも高い位置に保て。重力を利用して輸血する」

言いながら、医師は今度は逆側の針をキートンへ刺す。

指示の意味はわかったので、チェイはやむなくキートンを離して立ち上がった。腕のゴムバンドをほどき、足元に崩れたメイトの姿をじっと見下ろす。

少しは、キートンの呼吸が落ちついてきたような……。

実際、たしかにほんの三十秒ほどで、目に見えて効果が表れてきた。医師は聴診器を引っぱり出してキートンの胸に当て、鼓動に耳を傾けた。口元に微笑を浮かべ、彼はチェイを見上げてうなずく。

チェイの胸を締めつけていた重いものが、ゆっくりとほどけていく。うまくいったのだ。

キートンの額から、汗に湿った金髪を払い、チェイはじっとその顔を見つめた。小ぶりな輪郭の曲線を目でたどる。あどけなくさえある顔立ち、やわらかな睫毛、チェイの大好きなそばかす。

ふうっと息をつき、チェイは気持ちを落ちつかせようとする。キートンは持ちこたえた。危ないところだったが、チェイの血が彼を救ったのだ。

キートンはすでに一度意識を取り戻し、口をすすいで、チェイの手を借りながらも服を脱いだ。ベッドへ運ばれた後は、またあっというまに眠りに落ちてしまったが。

そして今、チェイはキートンに膝枕をしながらベッドに座っている。こわばった体の力を抜き、とにかく今はキートンの命が助かったことに感謝を捧げた。

勿論嬉しい。とても嬉しい——だが、チェイは心の底から怯えてもいた。人生でこんなに怖い思いをしたことなどなかった。

誰かが、それも今回は本当に、キートンを殺すところだったのだ。

どうやれば正体の見えない敵と戦える？　とにかくキートンが食べていたリンゴの出所を聞き出さなければ。あれがキートンが最後に食べた物だ。ベイカー医師によれば、人狼に効く唯一の毒はモノフルオロ酢酸ナトリウムだという。それを用いたということは、やはり犯人は人狼なのだ。

殺鼠剤に使われる毒だし、量さえ充分ならどんな動物も——人間を含め——殺せるものだが、特にイヌ科の動物に対しては微量で効果がある。獣医として、チェイもそれを知っていた。昔は野生の犬や狼を殺すのに使われたこともある毒だ。

だが、人狼の再生能力すら効かないほどの毒だとは知らなかった。ベイカー医師によれば、この毒だけは人狼の免疫メカニズムをもってしても体外に排出できないのだという。しかも無臭の毒なので、嗅覚で自衛することもできない。

チェイは長い息を吐き出し、ヘッドボードにゴツンと頭をもたせかけた。事態はあまりにも深刻なところまできているのに、どうしたらいいのかわからなかった。キートンをどこかに閉じこめておくわけにもいかないし、たとえ引越したところで無駄だろう。誰だかは知らないが、犯人はきっと二人を追ってくる。チェイには確信があった。そもそも、このニューメキシコまでキートンを追いかけてきた相手だ――その筈だ。

心当たりがないかどうか、キートンが起きたら、また問いたださなくては。キートンの過去に、殺意を抱かれるような敵がいなかったか、とことん聞き出さなければなるまい。

キートンの目が、ぱちっと開いた。

ほとんど同時に、激しいほどの欲情の匂いがたちのぼって、チェイをくらくらと圧倒する。

キートンがまばたきし、たちまちその目の虹彩が拡がって狼の目になった。口を開いて、彼は何か言おうとしたようだったが、ぬっと犬歯がのびて牙になる。

チェイと、キートン本人まで驚きに息を呑んだ。

起き上がり、キートンはとまどい顔でチェイに向き直る。その視線がチェイの口元にぴたりととまり、キートンはいきなりチェイの頭を引きよせると勢いよく唇を重ねた。上掛けを蹴りとばしてチェイの腰にまたがる。キートンのそれはもう固く張りつめ、チェイの下腹にくいこんだ。

チェイは体を引こうとしたが、キートンは許さなかった。彼はうなりを——本物の狼のうなり声を——上げてチェイを威嚇する。チェイは何とかキートンの顔を両手ではさみ、少し引き戻した。キスしたくないわけではないが、とにかくキートンの状態を確かめるのが先だ。

「おい、ビット」

キートンは荒くあえいで、自分の頭を押さえた。頭部からにょきっと狼の耳が生え、顔全体が長く変形しはじめる。

チェイは茫然と見つめた。

キートンは両手を引き、しげしげ眺めた。指先から長い獣の爪が伸びていく。奇妙な光景だった。指はまだ人間のままなのに——。

チェイの口が、驚きに半開きになった。キートンは今まさに、チェイの目の前で、第三形態に変身しているのだ。半狼半人の姿に！

キートンの顔は狼のものになり、尾がふさふさと揺れていた。全身はプラチナの毛に覆われ、頭や背中などではほかの部分よりも毛が長い。上半身は人間の形のままだったが、手足は人と狼の中間といったところだった。

そして、股間のそれは……人間のモノのままで、元の通り固くそそりたっている。

「いったい、なにがあったんだ?」

キートンが呟く。その声は彼のものだ。だがしゃがれていて低く、やや舌足らずで、うなるようでもあった。

「お前は毒を盛られたんだよ。それで俺の血を輸血した。覚えてないのか?」

白い狼は首を前後に揺らした。キートンはまたチェイをつかむと、膝立ちにぐいと引きずり起こして、毛皮の体できつく包みこんだ。

「ほしい、チェイ、めちゃくちゃ、もう、おさえられない。お前が、して。傷つけたくない、こんなの、強すぎる――」

異様な感じだった。目の前にいるのは確かにキートンで、確かに彼のメイトなのだが、やはり違和感が拭えない。チェイはまだ人間の姿だが、キートンは少し違う。しかも今の姿のキートンは体つきも大きくなっていて、チェイと同じくらいあった。

キートンが腰をチェイに擦りつけて、ヒュンと鳴く。

「ほしい」

チェイはうなずいた。今は、メイトが彼を必要としているのだ。

彼はキートンの怒張を握る。いつもと変わらない感触だ。見た目も同じ。よし、大丈夫。

チェイは固いそれをしごきはじめた。キートンががくりと首を下げ、獣の鼻先をチェイの首すじにうずめる。ひんやりと濡れた鼻がぺたっと押しつけられた瞬間、思わずチェイの体がこわばったが、手は休めなかった。

キートンの喉から低いうなりが上がる。攻撃的な声ではなく、喉を鳴らすようなゴロゴロとしたうなり声で、人間なら快感の呻きに聞こえただろう。すぐに、キートンは腰を前後に揺すりはじめた。

チェイは視線を下へ向ける。キートンの細い腰が揺れ、太い屹立がチェイの手の中へ突きこまれている。見ているうちに自分の腰もつられて動き出し、チェイは自分で驚いた。キートンを悦ばせようと、そればかりに集中していたものだから、自分のことは二の次になっていた。だが始めのうちこそセックスという感じはしなかったが、今や、これは普段と同じセックスだ。

キートンのものをきつく握ってから、手を離す。キートンの喉から、今回は攻撃的なうなりが上がった。チェイは思わず微笑し、自分の屹立を握る。両手で二人のペニスをひとまとめに握りこむと、まとめてしごきはじめた。

二人とも腰を動かし、互いを擦り合わせる。キートンがチェイの肩に手を——前足を——のせ、その濡れた鼻先がチェイの首すじをくすぐる。舌がぺろりとチェイの首をなめた。

チェイは首をのけぞらせ、目を閉じる。意識はすべてペニスを擦る自分の手の刺激に、そして自分と擦れ合うキートンのペニスの感触に集中していた。直に感じるキートンの熱と鼓動に煽られていく。

キートンの息づかいと腰の動きが速まった。彼はチェイの肩に歯を——牙を——立て、がぶりと噛みついた。

あふれた血がチェイの胸元と背中を流れ落ちた、その瞬間、チェイを絶頂が襲った。チェイは叫び声を——高く、長い声を——上げながら、気絶するのではないかというほどの勢いで激しく達していた。精液が腕や腹や太腿と、至るところにほとばしる。量からいって、キートンも同時に達したようだった。

チェイを噛んでいた牙が離れ、腰をゆすりながら、キートンが咆哮を上げた。その叫びの半ばで彼の姿は人間に戻りはじめ、獣のうなりも人間のかすれた叫びに変わっていく。

人間の姿に戻ったキートンは、背中からドサッとベッドに倒れこんだ。

続いてチェイ自身も、キートンの横にばったりと倒れる。二人とも、白く汚れた全身で大きくあえいだ。

しばらくして、やっとチェイの頭がまともにものを考えはじめる。一体これは何だ？　フェロモンか何かの作用には違いない、これまで体感したことのない強烈な絶頂感だった。完全に我を失っていた。正直、もう一度体験したいか、あんなのはもう二度と御免なのか、それすら自分の中では決められないほどだ。

それどころか、こんなにキートンに激しくしてよかったのかどうか。彼の無事を確かめてもいないなんて——。

チェイはキートンの方へ頭をめぐらせた。

キートンの顔を見た瞬間、チェイはあやうく吹き出すところだった。可哀想に、キートンは目玉がこぼれ落ちるのではないかというほど目を大きく見開いている。天井を見上げ、ひたすらまばたきをくり返していた。

その口が開いては、言いたいことが出てこない様子で、また閉じた。ぱくぱくと、金魚のようにあえぐ。

気の毒になって、チェイは助け船を出してやった。

「大丈夫か？」

「……多分」

キートンはチェイの手をつかみ、指を絡めた。

「信じられない……」

チェイはうなずき返した。

「まったくだ」

「肩は？　大丈夫？」

聞かれて、チェイはキートンに噛まれた肩を見下ろした。すでに傷口がふさがって傷は癒え、血も乾きつつあった。

「ああ」

「今の……一体何だったんだ？」

「俺の血を輸血した副作用？」

「……だねえ。でも二度とやらないでくれ。自分が自分じゃなくなるみたいで凄く嫌だ。完全にわけわかんなくなってた。お前のことを噛んだりして——本当、信じられない。怖いよ」

チェイはキートンとつないでいない右手をのばして、彼のメイトのかわいい頬をなでてやった。

「お前を失いかかったことの方が、ずっと恐ろしいよ」

16

キートンは鳴り出した携帯電話をにらみつけた。後ろの時計をちらっと見やる。

あまりにも馬鹿馬鹿しい。キートンの無事を確認しに、チェイは十五分ごとに電話をかけてくるのだ。キートンは生徒たちに人さし指を立て、ベルトから電話を外した。

「失礼。電話に出ないと」

通話ボタンを押して、教壇に背を向けた。電話口へ囁きかける。

「チェイ、今は勘弁してくれ。俺は授業の最中だ。まだ生きてる。後で電話する」

『わかった。確かめたかっただけだよ。愛してる』

「俺も愛してるよ」

ぼそぼそと囁き、電話を切る。それからくるりと生徒たちへ向き直って、キートンはにっこりした。

「失礼。何か質問のある人は？」

誰ひとり手を上げなかった。

「それなら、これで授業は終わりとする。次は来週の火曜だ。いい週末を」

生徒がぞろぞろと教室から出ていく間、キートンは自分の荷物をまとめる。大した注意を向けていなかったが、その時、人狼の匂いに気付いた。生徒の中に人狼はいない。

キートンが顔を上げると、生徒の最後の一人が出ていくところで、そのドアから見える廊下に見知らぬ男が立っていた。

長身で、驚くほどがっしりした肩幅の男で、チェイですらそばに立てば小柄に見えるだろう。ネイティブアメリカン、黒髪は短く、キートンの見当では三十代半ばというところ。いわゆる端正な顔立ちではないが、男っぽい粗削りな魅力があった。危険な雰囲気をまとった人狼だ。

キートンは咳払いをした。怖いわけではないが、少し落ちつかない。この人狼よりもキートンの方が強い、それは確かだったが、キートンは争いを好まない。チェイに電話をかけたい衝動にかられていた。

人狼の男が部屋に入ってくる。

「ドクター・レイノルズ？」

「ええ」

キートンは背すじをきりりとのばして立った。男からは敵意は感じない。だがもし相手がサイコな殺人鬼なら、人を殺すのに敵意や殺意はいらないだろう。

人狼はキートンへ握手の手をさし出しながら、首を傾けて喉元をさらした。

「俺はジェイコブ・ロメロだ。ジョン・カーターに言われてきた」

ジョン・カーター？　チェイの――今ではキートンの――群れの統率者《アルファ》が？

キートンは男の手を見つめて、一歩距離を取った。

「どういうことなんだ」

ジェイコブと名乗った男は少し気まずそうに微笑して、手を下げた。

「ジョン・カーターから君の護衛をしてくれとたのまれた。群れの副官《ベータ》ジョー・ウィンストンが君を大変心配していて、君にはボディガードが必要だと言ってね」

何と。チェイの父がキートンにボディガードを手配したのか？

「わかった」とキートンは携帯を手に取った。「少し、いいかな?」

ジェイコブがうなずく。

「勿論。アルファの番号を教えようか、それともジョーにかけるのか?」

「ジョーに」

キートンは男に目を据えたまま後ずさりした。ジェイコブは真実を告げているという感じはしたが、確かめずに信じるわけにはいかない。警戒は怠らないと、チェイに約束しているのだ。

ウィンストン家の電話にかけるところだったが、寸前で考え直す。レナが家にいたらまずい。かわりにジョーの携帯の番号を手早く表示し、かけた。

『やあキートン元気か? 大丈夫か?』

思わずニヤリとしそうになる。ジョーがこうして、番号から相手を確認していきなり話しかけてくるのをチェイは忌み嫌っているのだ。

「ええ、ジョー、大丈夫。聞きたいんだけど、ジェイコブ・ロメロという人を知ってます?」

『父さん《ダッド》だ』

とジョーが言い直す。キートンは眉を上げた。

「はい?」

ジェイコブも眉を上げる。電話の向こうで、チェイの父はくすっと笑った。

『キートン、俺のことは〝父《ダッ》さん《ド》〟と呼んでくれる筈だろう。それと、ああ、ジェイク――ジェイコブのことは知ってる。どうやら留守電はまだ聞いてくれてないな？』

　確かに今日のキートンは、電話に残されたメッセージをひとつも聞いていなかった。どうせチェイが心配のあまり残した伝言の山だと思ったのだ。

　キートンの口元が微笑にゆるんだ。

「ええ、聞いてない。それと、ええ、すみません……お父《ダッ》さん《ド》。ジェイコブは、俺のボディガード役だって言ってるんだけど」

『ああそうだよ。昨夜ジョンと決めたんだ。君が毒を盛られたと聞いてね』

　キートンはうなずいた。

「わかりました。確かめたくて」

『構わないよ。何かあればいつでも。もっと話していたいところだが、妻にアンテナ修理をおおせつかって、今、屋根の上でね』

「気をつけて。じゃあまた」

『またな』

　キートンは切った携帯電話をベルトに戻した。

「じゃあ、ジェイコブ――」

「ジェイクでいい」

「わかった、ジェイク。昼飯はもう食った？」

ジェイクは首を振った。

「いや、朝からずっと君の風下にいるので精一杯でね」

キートンは笑う。

「見事な仕事ぶりだったよ、教室に入ってくるまでちっとも気がつかなかった。でも、どうして正体を明かそうと？」

バックパックを肩に揺すり上げ、ジェイクに先に行くよう手振りで示した。ジェイクは廊下へ出て、キートンへ向き直る。

「好奇心に負けたんだ」

「へえ、どんな？」

「最近ずっと妹から君の話を聞かされどおしでね。正確には……君の犬の、だ。それで是非とも〝仔犬の最大限の愛らしさの結晶〟の飼い主に会ってみたくなった」ジェイクはニヤッと口元を上げた。「チェイのクリニックで働いているティナは、俺の妹だ」

キートンは声を立てずに笑った。これは早いうちにティナに会わなければ。もしかしたら彼女、ピタを本気で狙っているかもしれない。

大学のそばの食堂でジェイクと二人でくつろいでいる最中、キートンの電話がまた鳴り出した。

キートンは思わず首を振りながら微笑する。ジェイクもくくっと笑った。

「チェイから？」

「きっかり十五分ごと」

キートンは通話ボタンを押して耳に電話を当てた。

「まだ生きてるよ」

チェイの豊かな笑い声が響いてきた。

『それを聞けてうれしいよ。今、何してる？』

「食事中」

『かけ直すって言ったじゃないか』

「そうだったね。でも俺のボディガードに会ったもんでさ」

『お前の何だって？』

キートンは意表をつかれる。チェイも知らなかったのか。

「お父さんとジョン・カーターが、俺にお目付け役の人狼をもう一匹つけようって決めたんだって」

『そりゃいい考えだ！　本当に。親父もやるもんだな。ボディガードには誰が？』

キートンはジェイクの顔を見上げて、唇の端を上げた。

「こう言おうか。お前のアシスタントに、俺の犬に手を出すなって言っといて。俺は知ってるからな、って」

『え?』

キートンはジェイクにウインクした。どうせ人狼のジェイクには電話口のチェイの言葉が、一言一句聞こえている筈だ。

「ジェイク・ロメロがここにいるんだ」

『ああ、ティナの兄貴か! そりゃよかった、ジェイクなら信頼できる。いい奴だし、子供の時から知ってるよ。俺からもよろしく言っといてくれ。それとな、ジェイクから何を吹きこまれても信じるなよ。とにかく俺はどれもやってないからな』

その声から、チェイの笑顔が見えるようだった。

キートンはジェイクと目を合わせ、眉を上げて無言で問いかける。

「全部教えるよ。電話の後で」

「そりゃいいや」キートンはクスクス笑った。「どんなヤバい話なのか、すみずみまで聞かせてくれよ」

『おーい、聞こえてるぞ!』チェイの文句はのどかなものだ。『いい子にしてろよ?』

「はいはい、かしこまりました旦那様」

チェイがうなった。

『まあ、ボディガード付きならいいよ、ゆっくり食え。細かいことは後で帰ってきてから聞く。ジェイクがどのくらいの時間、お前をガードしてくれるのか知りたい。ジェイクにも伝えてくれ、この分でつぶれた仕事の料金は俺が全部払うとな。反論は受け付けない。それと、ありがとうとも』

「それで全部？」

キートンは聞き返しながらニコッとした。チェイの心配っぷりは、いっそかわいいほどだ。

『そうだな――思いつく限りはな。ああ、机の上に誰かが置いてったものをひょいひょい食うなよ。そうだ、車に乗る前にジェイクにブレーキをチェックしてもらえ』

「かしこまりました、旦那様」

まったく、キートンがまた置きっぱなしのリンゴを食べるとでも思っているのだろうか？ブレーキだって自分でチェックできる。どれだけ役立たずだと思っているのやら、とキートンはあきれ顔になった。

ジェイクがくくっと笑って、右手を出した。キートンは携帯を手渡す。

「チェイ？」

呼びかけながら、ジェイクは愉快そうな目でテーブルごしにキートンを見やった。答えるチェイの声は少し遠いが、キートンの耳にははっきり聞き取れる。

『ああ、やあ、ジェイク』

「まかせとけ。キートンには何も起こらないよう、俺がきちんと見ておく。約束する」

『悪いな、ジェイク』

「いいんだ」

ジェイクはキートンへ携帯を返した。

「俺だよ。ほかにある？」

そう聞きながら、キートンは「気をつけろ」とか「用心しろ」の言葉が弾幕のように飛んでくるだろうと防御を固めていたが、予想は外れた。ジェイクのおかげでチェイは安心できたらしい。

『いいや、何もない。五時くらいには帰るよ』

「わかった。また後で。愛してるよ」

ふう、と幸せそうな吐息が電話の向こうから聞こえた。

『俺も愛してるよ、ビット……』

キートンは微笑して電話を切った。


ジェイクとキートンは昼食を食べながら話をした。

ジェイクは、チェイの子供時代の様子や、そのやんちゃぶりをキートンに聞かせてくれた。さらに、キートンにとっては新しい群れの皆がどれほど気のいい連中かも。私立探偵としてのジェイクの普段の仕事の話もした。

ジェイクは落ちつきのある気さくな男で、実に話しやすい。彼との会話は楽しく、キートンの気分は大きく上向いた。おかげであれこれの心配事からも気が紛れる。どうやら、新たな友人と出会えたようだった。

ジェイクはその日の残りのボディガード業務を、キートンからよく見える形でこなした。途中など、キートンが授業をする教室内に座って見ていたくらいだ。たしかにもうわざわざ外にいる必要はない。もっとも、廊下に不審者がいないかどうかは定期的に確認していた。

二人は一緒に大学を出ると、キートンの車へ向かった。ジェイクは車をチェックしてから、キートンに名刺を手渡す。

「これを。俺の携帯と、オフィスと家の番号が入ってる。どれかで必ず俺がつかまるから、何かあったら電話してくれ。今日はこのまま家まで見送って護衛は終わりで、週明けにまた来る。よければ、月曜の朝は俺の車で大学まで送っていこうか」

ジェイクがさし出した右手を、キートンは今回は握り返した。

「ありがとう、ジェイク。そうだな……俺がそっちを迎えに行ってもいい？　新しい車を買ったばかりでさ――」

ジェイクが喉で笑った。

「運転したい、と。かまわないよ。じゃあこうしよう、月曜の朝、俺は君の家まで行く。そこから二人で君の車で大学へ向かおう。いいか？」

「いいね」

ふと、キートンの頭に考えがひらめいた。ジェイクは、キートンとチェイがゲイだということをまるで気にした様子がない。それなら。

「なあ、ジェイク。明日の夜の予定は？　よかったら妹さんと一緒にうちに来て、俺たちと一緒に食事しないか？　前からティナに会ってみたくて」

ジェイクは、心から喜んでいる様子で微笑した。

「いいね。ティナの予定を確かめて、それから連絡するよ。何時？」

キートンは肩を揺らした。遅い時間にしておいた方がいいだろう。キートンとチェイの調理能力——むしろ能力の欠如——を思えば。

「七時半は？」

ジェイクがうなずいた。

「ああ、そのくらいだとありがたい。ティナと俺で何か料理を持っていこうか？」

「いいよ、手ぶらで来てくれ。もしチェイが料理に失敗したら、ピザ屋に電話すればいいさ」

＊　＊　＊　＊

ピタがぐるぐると駆け回りながら吠え立てた。かわいいが、おかげで気が散って仕方ない。最高のコンディションの時でさえ、チェイはろくなシェフだとは言えないのに、きゃんきゃん騒がれると集中してレシピも読めない。

キートンはさっきの電話で、明日の夕食にジェイクとティナを招待したと知らせてきたのだった。キートンに友人が増えるのは喜ばしい。ジェイクがキートンの護衛役を務めてくれるのもありがたいし、おかげでチェイもまだ落ちついていられる。

だが、何であろうと、客のために料理をする羽目になるのは御免だった。

物事は公平に。「だって昨日は俺が作ったじゃないか」というカードを明日振りかざすべく、チェイは今日の夕食を作ろうとしているのだった。

キートンが電話で明日のことを話し出した瞬間、チェイはキッチンにとびこんでレシピ本を引っつかんだ。そして十五分経った今、電話はとうに切れたが、料理は何ひとつ形になっていない。このレシピにしようと決めて取りかかるたび、必要な食材が何か足りないことに気付くのだ。

チェイは首を振り振り、無駄に広げた材料を抱えると、ピタをまたぎながら片付けにとりかかった。根本的に、この家には物が足りていないのだ。買い物に行かない限り。

チェイはレシピ本を取り上げると、使える物がないかどうか最後の望みを託してまた棚に向かう。ピタがズボンの裾にかじりついて引っぱりはじめた。

この際、何か外で買ってきて、容器を捨て、自分で作ったふりをしてしまおうか。

その手は使えそうだなと、チェイは仔犬に対抗して足を引っぱり返した。

「いい加減にしろって」

問題はだ――キートンに嘘をつかずに誤魔化しきれるかどうかだ。多分無理だろう。

溜息をついて、チェイはまたレシピ本をぺらぺらとめくった。

最後の方にのっている料理は、どうやら手持ちの材料だけで作れそうだ。料理名はチェイにはとても発音できなさそうだったが、写真を見る限りきっと食える。

小麦粉に手をのばした時、車のエンジン音が近づいてきてチェイはぎょっとした。

「しまった」

時間切れだ。チェイはニヤッとした。メイトの顔を見るのはうれしい。床でうなっている仔犬をすくい上げ、キートンのためにガレージのドアを開けようと裏口へ向かった。リモコンで開けられるように改造するか。今度ホームセンターでパーツを買ってこよう。

右手一本で中からガレージのドアを上げ――だが、そこにキートンの姿はなかった。車の音がした筈だが、と家の前を見やると、群れのリーダーのジョン・カーターとその妻のマリーが車から降りてくるところだった。

「こんにちは、チェイ」

マリーが手を振って駆けてくる。ジョンが大きな箱を抱えて彼女の後ろをついてきた。

「やあ、チェイトン」

「どうも」

チェイは二人に手振りで、開けたガレージを通ってキッチンへ上がるように示した。

「車の音を聞いたんでてっきりキートンかと。おそろいでどうしたんですか？」

マリーがチェイをハグした。

「あげるものがあるのよ」

そう言って、彼女はピタの頭をなでる。チェイの腕の中でぶんぶんとしっぽを振ってチェイをサンドバッグにしながら、仔犬はすっかり場の主役を奪っている。

チェイは眉を上げながらガレージを閉めた。

「一体何を？」

二人はチェイに続いて裏口からキッチンへ上がり、床を駆け回る仔犬をあやうく蹴とばしかかる。

マリーがニッコリ微笑んで、チェイの腕を軽く叩いた。

「ちょっとしたお祝いをね。何しろ、あなたはメイトと出会ったんだから！」

ジョン・カーターが箱をキッチンテーブルへ下ろした。

チェイはにやっとした。どうやら、彼とキートンのことを周囲に打ち明けて回る必要はないようだ。父が皆に広めてくれている。

マリーが箱をのぞきこみ、小さめの白い箱を取り出してテーブルへのせた。

「ケーキと、フルーツのかごと、タオルを何枚かね」

マリーが次々と物を取り出していく横で、ジョンが苦笑して首を振った。

「多分、結婚式のようなものはやらないんだろう？　だが新たにつれあいになったんだからお祝いが必要だと思って、いくつかプレゼントを持ってきたんだ。いくら新婚のようなものだからってフルーツの盛り合わせはよしておけと妻には言ったんだが……」

マリーがふんと鼻を鳴らす。

「ええ、言ってたわね。肉の詰め合わせにしろって」

何ていい二人だろう。チェイはくすくす笑った。

「マリー、狼にフルーツ詰め合わせはないでしょう」と冗談でまぜっ返してから、「ありがとう、二人とも。どう感謝していいか……」

ジョン・カーターがチェイの肩をバシッと叩いた。

「君の父さんとは古い友人だし、彼は群れの副官《ベータ》だ。君がやっと伴侶《メイト》とめぐり合えたというのに、俺たちが何もしないでただ見ていると思ったのか？」

「いや、まあ……そうですね、正直、皆には知られないか、とにかく見ないふりをされるんじゃないかとは、ちょっと思ってました」

チェイは肩を揺らす。

「バカね」とマリーが彼の頬にキスをした。「あなたがメイトをずっと待っていたのは皆知ってるもの。たしかに予想していたメイトとは少し違っていたけど、それが何？　キートンはいい子だし、あなたはとても幸せそうだし、なら私たちだって幸せよ」

なんて素晴らしい。チェイは笑顔でマリーにハグを返した。

「本当にありがとう」

「どういたしまして」と夫婦が声をそろえる。

ジョン・カーターはキッチンテーブルにもたれかかって、ふいに表情を引き締めた。

「お母さんはあまりよく受けとめてくれなかったそうだな、残念だよ。だが群れの皆は大丈夫だ。まったく前例のないことではないんだよ、ほかにも二件、同じ話を聞いたことがある。テキサスにいる私の友人も、男の人狼をメイトに得た。彼は女性と結婚しているが、妻とメイトと、三人で幸せに暮らしているよ。子供も四人いてね。この間そのエミリオと電話で話した時には、もう孫も二人いて三人目がもうじき生まれるそうだ」

チェイは注意深く咳払いをして、口をはさんだ。

「それに関しては……ビットを――キートンを置いて、誰かと結婚するつもりは俺にはないので」小さく笑おうとしたがチェイの頬は引きつっていた。「子供を作れって言ってるわけじゃないですよね？」

　ジョンが笑い声を立てる。

「いや、違うよ。男のメイトはほかにも存在するって言ってるだけだ。エミリオに関しては、妻とマイケルと三人でうまくやっているという話だよ。二人は子供の時からの友人で、もう四十年以上も一緒にいてね、妻のサラと結婚してからも三十年以上になる。ああ、個人的な知り合いではないが、ほかの男のカップルも知っているよ。こっちは二人だけのカップルだ。デヴリンの方は群れの統率者《アルファ》で、メイトの方は群れの調和者《オメガ》だ」

　少しほっとして、チェイはうなずいた。伴侶《メイト》がいる今、さらに妻まで期待されているわけでないなら安心だ。

　何しろ、妻など論外である。誰かとキートンを共有するなどありえないし、逆にチェイを誰かと――それも女性と――共有するなんてことになったらキートンがどれほど傷つくかもよくわかっている。しかもキートンの女性に対する感情はよく言っても「女の子なんて、げえぇ」という子供のレベルを越していない。

「お二人とも、何か飲み物はどうですか？」

　マリーが手をぶんぶんと振った。

「いいのいいの、もう行くから。ディナーパーティに出かける途中でね。ただあなたたちにお祝いが言いたかったのよ。私たちは応援してるってことも」

チェイは微笑を返した。

「とても心強いです。ありがとう」

ジョンが妻の手を握って彼女を引きよせた。

「キートンを狙っているのが一体誰なのか、何かわかったらすぐ知らせてくれ。ジェイクの方にも調査と、キートンが大学にいる間の護衛をたのんである」

「助かります。キートンも今日、ジェイクと顔を合わせたらしくって、明日の夕食に招待してましたよ。二人でキートンから何とかもっと情報を引き出せないかどうかためしてみます。多分、犯人は前の群れの誰かで、キートンの知り合いの筈なんだ」

「私もそう思うね。キートンは元気か？　ベイカー医師に昨夜電話をもらって、あらましは聞いた。君の父さんにたのまれるまでもなく、ジェイクを護衛につけるつもりだったよ」

「本当に、ありがとうございます」

「群れの仲間は互いに助け合うんだよ、チェイ。だろ？　状況は随時知らせてくれ。何か必要なものがあれば、遠慮なく言って」

ジョンがのばしてきた手を、チェイは握り返した。

「はい、感謝します。何もかも」

二人を玄関まで見送っていく。ジョンは先に妻を車へ行かせた。彼女に聞こえない距離まで離れると、彼はポケットから取り出した封筒をチェイの手の中へ押し込んだ。

「タオルだの何だの、女の子にあげるような物ばかりで悪いな。このモールのギフト券で何か好きなものを買ってくれ。楽しめよ」

ひとつウインクして、ジョン・カーターは車に向かうと、妻のために助手席のドアを開けた。

チェイはまだそこに立ち、驚きさめやらぬまま、手を振って車で去っていく二人を見送る。こんなことをしてくれるとは想像もしなかった。

微笑を浮かべて、チェイは玄関を閉める。

ちらっと時計を見やりながら電話へ歩みよった。キートンはどこだ？　いつもよりそれほど遅れているわけではないが、最近の騒動がチェイをすっかり心配性にしてしまった。山ほどの電話でキートンをうんざりさせているのはわかっているが、こんな状況だ、犯人が見つかるまでチェイの気は安まらない。

電話を取ってキートンの携帯にかけようとした時、誰かが玄関のドアをノックした。

チェイは用心深く匂いを嗅ぎ、ドアへ向かう。

訪問客は――人狼。しかも知らない匂いだ。

バン、とドッグ・ドアをスイングさせてピタが室内へ突っこんでくると、吠え立てながら玄関へ走りよった。グルルとうなり声を立てる。

チェイはまばたきした。ピタはよくうなるが、いつもの『遊んで！　遊んで！』というかわいらしいうなり声ではなく、これは獰猛で攻撃的な声だった。かわいいことはかわいいが、まだ小さい仔犬だからそう聞こえるだけだ。

チェイはピタをかかえ上げ、ドアスコープをのぞきこんだ。

「しっ。騒ぐな、いい子だから」

ドアの向こうに立つのは知らない男だ。だが、危険な感じはしてこなかった。それどころか、どこか見覚えがあるような……。

チェイはドアを開けた。「こんにちは」

「どうも。キートンはいますか？」

17

「今帰ったぜ！」

キートンは叫んで、笑いながらキッチンカウンターにハンバーガーの袋を置いた。

やった！　チェイは夕食の仕度をしていない。ということは、明日のディナーを準備するのはチェイの役割だ。よしよし、とチェイはにんまりした。

いつもならチェイとピタはこの裏口まで出迎えに来るのだが。車の音もガレージのドアの音も聞こえただろうに、どうしたのだろう。

キッチンには魅惑の香りが漂っていた。テーブルの上の箱からだ。匂いを吸いこむ。……ケーキ？

ふらふらと歩みよって、茶色い箱をのぞきこむ。中に白い箱――まちがいなくケーキの箱を見つけ、キートンはまた匂いを大きく吸いこんだ。チョコレートケーキ。そしてタオル、フルーツ……まさかチェイがこれを買ってきたのか？

「ビット、客が来てる」

声に顔を上げると、ピタを抱いたチェイがキッチンへ入ってきた。表情が曇っている。おやおや、と歩みよったキートンは背のびしてチェイの顎にキスをした。ピタの頭をかいてやると、仔犬はキートンの手にかわいいキスをする。

「客？」

キートンはくんくんと匂いを嗅いだ。

ぎょっと目を見開く。一体、あいつがどうしてここに？

チェイがキートンの体に腕を回して、ぎゅっと抱いた。軽いキスを唇に落とす。

「夕食は冷めないようレンジに入れておくよ」

「ありがと。俺はちょっと、あいつに……」キートンは汗ばんだ手のひらをズボンになすりつけた。「あいつ、何の用だって？」

「お前に会いに来たって、それだけだ」

何故？

めまいを覚えながら、キートンはリビングルームへ足を踏み入れる。入ってすぐぴたりと足をとめた。

兄のオーブリーが、キートンに背を向けてリビングの中をうろついていた。最後に見た時よりも肩が少したくましくなり、金髪もややのびている。

キートンの存在を感じとって、オーブリーが振り向いた。唇の片端が持ち上がり、かすかな笑みを見せる。

「久しぶりだな、弟。ちゃんと一人で頑張っているようじゃないか。正直言って、お前が信託金の書類を親父に叩き返して家をとび出した時には、何週間もしないうちに尻尾を丸めて逃げ帰ってくると思ってたよ。だがどうやら、俺は間違っていたようだな」

「どうやってここがわかった？　一体何しに来た？」

オーブリーは青い目を少し見開いたが、すぐに微笑した。見事な歯並びがのぞく。

「それが久々に会った兄に対する口の聞き方か？」

髪をかきむしりながら叫び出したい衝動を、キートンは何とか押さえこんだ。ここで平静さを失ってたまるか。キートンが故郷のジョージアに背を向けたのはもう二年も前のことで、以来、家族の誰ひとりキートンに連絡を取ろうとすらしなかったのだ。まあ、キートンの方も居場所を知らせたりはしなかったが。

「自分には弟などもういないと、お前がその口で俺に言ったんだぞ。つまり俺にも兄なんかいないってことだろ。さてご用件を承りましょうか、ミスター・レイノルズ？」

ガキっぽい態度なのは重々承知だ。しかし本当に、オーブリーが今さら何の用だ？　何だろうがとにかくさっさとすませて追い出し、キートンは二度ともう関わり合いになりたくないのだとはっきりさせておかねば。

オーブリーがくくっと笑った。

「行儀がなってないのは昔のままか」

カウチに歩みよって、勝手に腰をおろす。

「お前も寛容な気分ではないようだから、俺も手早く片付けよう。父さんと母さんが、お前に戻ってきてほしがっている」

「は？　今何ておっしゃいまして？」

キートンは眉を上げ、兄が忌み嫌う〝上から目線〟の顔を作った。

オーブリーの視線がキートンの背後に流れる。チェイがキートンの後ろへ歩みより、背中の下へそっと手を当てた。ピタがうなる。

キートンは兄へ向けた視線をそらさなかったが、そばに立つメイトの気配は心強く、気持ちが落ちついた。

「父さんと母さんだって、俺に何の用もないだろ。あの人たちは俺を勘当したんだから」

オーブリーはぐっと顎に力をこめ、うんざり顔になった。

「それは正確じゃない」

ほほう。

「正確じゃない？」

「父さんたちは、お前を探すために探偵まで雇ったんだぞ。お前に戻ってきてほしいんだ。また色々あったが、お前が家出までするとは誰も——」

「俺は戻らないよ。そんなに俺に会いたいなら父さんたちがこっちに来りゃいいだろ」

キートンの肩甲骨の間をチェイが手のひらでさすり、さらに近くに立つ。チェイの腕の中のピタがキートンの耳をなめた。

キートンは溜息を吐き出し、仔犬の舌が届かないところに身を引いた。ひどい態度を取っているのはわかっているが、こんな状況には我慢できない。頭痛までしてきた。キートンは鼻のつけ根をきつくつまむ。

「話はそれで終わりか、オーブリー？」

「俺が来たのは、お前を一緒につれて帰るためだ」

「おっと、そいつはありがたいお申し出だけど——お断りだ。帰るか帰らないか、いつ帰るかは俺の都合で決めさせてもらうよ。さて、それで全部言いたいことを言ったのなら……失せろ」

オーブリーはキートンをにらみながら、立ち上がった。

「お前は少しそこのボーイフレンドを見習った方がいいぞ。お前より数段礼儀正しい」

キートンは大股に玄関へ歩いていくとドアをぐいっと開けた。

「しょうがない、誰だって完璧とはいかないさ。でも彼は俺の伴侶《メイト》だし、どんな欠点があっても俺は彼を愛してるんでね」

オードリーは鼻を鳴らして小馬鹿にすると、玄関から出た。振り返ってキートンごしにチェイへ顔を向ける。

「会えてよかっ――」

バタン！　キートンはドアを閉めた。ふらふらとチェイのところまで戻ると、ピタを受けとる。

「おいで、ピタ。フライドポテト買ってきたよ」

折角買ってきた夕食も冷めてしまう。オーブリーとの言い争いに、そんな価値などない。

＊　＊　＊　＊

チェイは下唇を噛んで笑いをこらえていた。

まったく！　こんな時のキートンがどれだけ容赦なく人を足蹴にするのか、彼はすっかり忘れていた。相変わらず見事な癇癪っぷりだ。

兄のオーブリーはあまりにキートンに似ていて、チェイは驚いた。ウェーブがかかったプラチナブロンド、澄んだ青い目、顔の輪郭もそっくりだ。もっともオーブリーの鼻は、キートンのかすかに上向きになったかわいらしい鼻とは違う。

チェイがキッチンへ入っていくと、キートンがテーブルについてハンバーガーを食べながら左手でピタにフライドポテトをあげていた。チェイを見ると、バーガーを軽くかかげる。

「悪い。ただちょっと……ごめん、さっさと食っちゃって。待ってればよかったんだけど。でも紅茶は注いどいた」

チェイはキートンの向かいに座って、紅茶を飲んだ。

「いや、かまわない。飯を買ってきてくれてありがとうな。何を作ろうとしても材料が足りなくてさ。明日は買い物に行かないと」

そこで言葉を切り、チェイはキートンをにらんで指をつきつけた。

「ところでな、お前、ずるいぞ。メシを買ってきて明日は俺に料理をさせようっていう魂胆だろ？」

キートンはにんまりした。目がきらめく。またハンバーガーにがぶっとかぶりついた。

チェイも小さく笑って、自分のハンバーガーを取った。ポテト用のケチャップを包み紙の上に絞り出す。チェイ自身、先に夕食を支度してキートンに明日の支度を押しつけようとしていたのだが、わざわざ自白する必要はない。

「この際、こういうのはどうだ？　明日は二人で一緒に作ろう」

「外で買ってくるって手はなし？」

チェイは肩をすくめる。

「充分ありだが、いつかは俺もお前も料理を始めないわけにはいかないぞ」

「いいや、そんな必要はないね。料理人を雇おう。万事解決！」

これぞ人生。チェイが紅茶を飲みながら目を向けると、キートンは手元のハンバーガーをじっとにらんでいた。

ピタが次のフライドポテトを求めてけたたましく吠える。キートンが数本をピタへ放ってやり、チェイは天井を見た。ピタに人の食っているものをやるなという点で、二人は揉めているのである。キートンのやり方では、仔犬に、人の食事中にねだれば何かもらえるという誤解を植えつけることになる。だが今夜ばかりはキートンを注意するのはやめておいた。チェイも命は惜しい。

「……戻ってこいなんて、あの人たちの目的は一体何だと思う、チェイ？」

その問いの答えを持っていれば、とチェイは願う。キートンの家族が何を求めているのか、彼には見当もつかなかった。

「わからないよ、ビット。とりあえずご両親に電話して聞いてみたらどうだ？」

キートンは首を振った。

「わけわかんない。向こうから俺を叩き出すような真似をしておいて、どうして何事もなかったかのように戻ってこいとか平気で言えるんだ？」

「もしかしたら、お前の親は昔のことを後悔しているのかもしれない。大きなあやまちだったと、今になって気付いたのかもしれない。彼らがお前と和解したがっているとしたら？」

キートンが顔を上げる。青い目は物憂げだった。

「許すべきだって言うのか？」

「わからないよ、ビット。決めるのは俺じゃない。お前の立場だったら俺だってどうしたかわからない。俺ならきっと、電話ぐらいはして用件を確かめたと思いたいが、お前と同じ経験をしたことがあるわけじゃないからな。俺も、いつか母さんがあやまってきて仲直りできればと思っているが、あの母さんだって俺を捨ててはいない。ただ頭に来て俺を怒鳴っただけだ。親子の縁を切られたわけじゃない」

キートンはうなずいた。「いや、でもお前は正しいよ。電話ぐらいはかけて話を聞いた方がいいね。ただ今日はやめとく。狼になってひと走りしたい。飯食ったら、変身して一緒に走らないか？」

「いいね。居留地まで車で行けばいい。何時間か駆け回ればさっぱりするよ」

そう、頭をからっぽにするには、狼の姿で疾走するのが一番だ。

＊　＊　＊　＊

一時間ばかり気持ちよく走って、車で家まで戻ってきた時だった。

チェイの車のヘッドライトに照らし出されたのは、ガレージのそばに停められたレミのバイクだった。キートンは周囲を見回すが、レミの姿はどこにもない。

「なあ、レミはどこだ？　あれはレミのバイクだろ？」

「ああ」

チェイは眉をよせ、車を停めた。

「そう言えばあいつは裏口の鍵を持ってる——返せって言うのを忘れてた——から、そこから家に入ったかな」

キートンはふんと鼻を鳴らし、裏門に鍵を取り付けること、裏口の鍵を取り換えること、と心にメモをする。

「一体何の用だろ」

チェイは肩をすくめた。「聞かなきゃわからん。行こう」

運転席側のドアをチェイが開けた瞬間、血の、金属的な臭いが車内へ押しよせてきた。チェイがはっと目を見開く。

「マジか！」

まさにその一言に尽きる。キートンはこの血がレミの血でないようにと祈った。レミのことは好きとは言えないが、死んでほしいわけではない——誰だろうとこの出血量で命があるとは思えなかった。血臭の濃密さから、どれほど大量の出血なのかがわかる。

キートンは助手席のドアに手をかけたが、チェイがその手をとめた。キートンは体をねじって、彼を見つめるチェイの焦茶色の瞳を見つめ返す。

チェイは何も言わなかった。キートンにも言葉など必要なかった。チェイのまなざしがすべてを語っていた——恐怖。愛。心配。

——愛している。気をつけろ。

キートンの気持ちもほぼ同じだった。身をのり出し、彼はチェイの唇にかすめるようなキスをする。それから、キートンは車を降りた。

助手席のドアを静かにしめ、周囲を警戒しながら深く匂いを嗅ぐ。背すじが震えたのは秋風の冷たさのせいではない。ポーチの明かりに照らされた影が、前庭の地面に絡み合い、あたりは不気味に静まり返っていた。

人狼の匂いも残っている。一頭、もしくはそれ以上。だがあまりにも血臭が強すぎて、はっきりと嗅ぎわけられない。キートンは上着のポケットに手をつっこんで、また身震いした。

一番くっきり残っている人狼の匂い——それがジェイクのものだと気付いた瞬間、当のジェイクの声が彼らを呼んだ。

「キートン！　チェイ！　裏だ、来てくれ！」

二人は裏庭の方へ走り出した。キートンは一瞬だけ、まさかジェイクが自分を狙う犯人だったのではとためらったが、すぐに馬鹿馬鹿しい考えを振り払った。庭につながる一八〇センチのゲートにたどりついて押し開けたのはチェイが先だった。

「何があった？」

あたりは暗かったが、キートンにはゲートの向こうのジェイクの姿がはっきり見えた。庭のウッドデッキに屈みこんだジェイクは裸で、全身を血に染めて、両腕でレミを抱えていた。

「急いでくれ！　すぐに中に運ばないと死んじまう！」

レミの姿を見た瞬間、チェイの足がよろめいた。レミのレザージャケットも服もずたずたに裂け、傷からはおびただしい血があふれていた。青白く、意識はない。明らかに人狼に襲撃された後だ。

チェイが裏口の鍵を探っている間、キートンは周囲の匂いを注意深く嗅いだ。思わずうなりがこぼれる。血の臭いが強すぎて嗅ぎわけるのが難しく、ジェイク以外に人狼がここにいたかどうかもはっきりとは断定できないほどだが。

チェイが裏口を開け、レミの体を抱き上げようと手をのばした。

「どうした？」

キートンはもう一度風を嗅いでから、答える。

「オーブリーの匂いかも」

兄が、キートンを殺そうとしているのか？

その時、ジェイクがかかえたレミの体をぐいとチェイから遠ざけ、威嚇のうなりを上げてチェイとキートンを仰天させた。一体どういうことだ？

18

キートンはチェイの腕をつかんでジェイクから引き離した。同時に手を上げて、自分は味方だとジェイクへ示してみせる。

ジェイクが、やっと顔を上げる。その目は狼のものに変化し、犬歯も牙のようにのびていた。チェイがぎょっと息を呑む。

ジェイクは軽々とレミを抱えて立ち上がった。

「急げ！」

ぐったりとしたレミを腕にジェイクがうなり、二人の横を通りすぎていく。チェイが駆け出して家の中に走りこみ、次々と電気をつけて回った。

ジェイクが痛々しいほどの表情で、レミをカウチへとおろす。

「これは誰なんだ？」

「レミだよ。チェイの友人」

ジェイクはうなずき、もつれた黒髪をレミの顔から指先でかきあげた。

チェイが医療鞄を手に駆け戻ってくる。

「ジェイク、場所を変わってくれ」

一瞬ためらったが、ジェイクはレミの横からのいた。チェイはレミの上に屈みこみ、聴診器を当てる。

「ジェイク、ベイカー医師に電話を。ビット、手伝え。何かレミの足を高く支えられるものを持ってきてくれ」

キートンは見つけられるだけの枕をかき集めてくると、レミの足の下にそれを積んだ。洗濯室に残されたままのピタが全力で騒ぎ立てている。

チェイが、首を振った。

キートンを見上げる。チェイの目は涙にうるんでいた。

キートンは目を閉じて深く息を吸った。レミと仲がいいとは言えなかったが、死んでほしくはなかった。親友の運命を前にしてチェイの顔に刻みこまれた痛みに、キートンの目にも涙が浮かぶ。

「俺たちでレミを人狼にできないか？」

チェイにたずねる。兄がもたらした痛みを償えるなら、キートンは何でもする覚悟だった。

「確かに、それしかレミが助かる方法はない。今、命があるのも奇跡と言っていい状態だ。やれるならやりたいが――相手の賛同がなければ誰かを人狼にしてはならない、それが掟だ」

「掟がどうした！」

ジェイクがチェイを押しのけ、チェイは床に尻餅をついた。ジェイクは自分の腕にがぶりと噛みつき、牙で肉を裂く。鮮血があふれ出した。凄まじい痛みの筈だが、ジェイクはたじろぎもしなかった。

ジェイクがレミの上に屈みこみ、生々しい傷の上に自分の血を注ぐ。

キートンとチェイは顔を見合わせた。キートンがとび上がる。

「やろうぜ！」

ジェイクの裸の脚の向こうに手をのばすと、キートンはレミの胸元にある最大の裂傷に指をかけた。傷口に指をくいこませてぐいと広げ、ジェイクの血が傷の中へ流れこんでいくようにする。

チェイの血が強く匂って、反射的にキートンの目が狼の瞳に変わる。ジェイクの向こう側にいるチェイが、やはり血の滴る腕をレミの別の傷の上へのばしていた。キートンはその傷も急いで広げる。

果たしてうまくいくだろうか。人狼の血には人間の男を狼に変える力があるが、レミはすでに死の淵にさしかかっている。相手が女性のメイトであれば、血で相手を狼に変えることなく癒すことができるのだが。今回ももしかしたら――いや、もう迷っている時間はない。

ジェイクとチェイの二人の血を合わせたおかげか、変化が表れるのは早かった。

うまくいったに違いない。三人が見守る前で、レミの傷はすでにふさがり始めていた。

ジェイクの腕の傷もすでに癒え、彼はまた傷を作ろうとその腕を口元に運ぶ。チェイがつかんでとめた。

「大丈夫だ、効き目が出てる。もう血は必要ない」

ジェイクが牙を剥き、チェイの腕を振り払って攻撃態勢に移ろうとする。キートンは全身に力をたわめ、両手指を狼の爪に変化させた。チェイを守ろうと、本能的に二人の間へ割って入る。ジェイクへうなり返したキートンの口元にも牙がのびた。

チェイがキートンを引き戻し、二人してジェイクから飛び離れるように距離を取った。

ジェイクがはっと、まるで誰かにひっぱたかれたかのようにまばたきした。両手を上げてみせる。

「すまん」

キートンは体の力を抜き、両手も人間のものへと戻した。牙も縮む。チェイの血も乾いて匂いが薄らぎ、おかげでキートンの目も人間の目に戻っていた。

「俺の方こそごめん、大丈夫？」

ジェイクが深々と息を吸った。「ああ……」

血まみれの手で顔をなでおろす。あらためて二人を見やったその目はまだ狼のままだったが、牙は短く縮んでいた。

チェイが咳払いをする。

「シャワーを浴びてさっぱりしてきたらどうだ、ジェイク？　何か着られそうなスウェットを用意するよ」

「そうだな──」

ジェイクはレミの姿を見下ろしていたが、それから自分の、血まみれで裸の姿を見やった。

「……ああ、その方がいいな。血を流してきた後で、事情を説明する。彼はもう大丈夫か？」

チェイがうなずいた。

「そう思う。シャワーの間に俺とキートンでこいつをきれいにしとくよ。レミが起きたら、説明しなきゃならないことが山ほどあるしな」

キートンが鼻先で笑った。「ホントだよ。まさか、狼男は存在する！なんてことをレミに説明する羽目になる日がくるとはね」

ジェイクがチェイに案内されてバスルームへ向かっている間、残ったキートンは血に染まったズタズタのレミの服の残骸を剥がしにかかった。まったく、あんなに性格が悪いのに、こんなに見た目がいいとは不公平な男だ。見栄えに限れば、チェイともいい勝負なのに。

シャワーの音が始まった頃、チェイがレミの着替えをかかえて戻ってきた。

「よし、ビット。石鹸水と布は用意した。レミの傷の具合はどうだ？」

「よさそうだよ。もうふさがってる。まだ腫れてて赤いけど、かさぶたができてるところもある。こんなに早く効くなんて知らなかったよ」

チェイが床にぬるま湯の入ったバケツを置くと、キートンに腕を回して抱きしめた。きつくキスをする。

「ああ、俺も人間が人狼になるところは初めて見た。こんなに即効性があるとはな。レミが起きるまでどれくらいかかると思う？」

「見当もつかないね。俺もこんなの初めてだ。本当に、ごめん、チェイ――」

キートンは伴侶《メイト》の頬をなでた。

「俺の兄貴がやったんだ。間違いない。偶然にしちゃできすぎてる」

「俺もそう思う」

チェイもうなずき、キートンを抱きしめて、数秒そのままでいた。

「――さて、レミを洗ってやらないとな」

「うん」

　二人は互いから離れて仕事に取りかかった。話なら、後でいくらでもする時間がある。今はまずジェイクから事の成行きを聞くことと、レミが目を覚ました時に何を覚えているか聞き出すのが先決だった。

　チェイがレミの体を回し、肩を下にした。

「タオルで背中を洗ってやってくれ」

　言われたキートンは石鹸水につけたタオルを絞って、意識のないレミの背中側に屈みこんだ。

「背中の傷はどうなってる？」とチェイが聞く。

「えっ、何これ――」

　レミの背中は、重なり合う無数の傷にびっしりと覆われていた。まるで鞭打ちでも受けたかのように。

「ああ、そいつは結局治らないのか」

「うん」キートンはレミの背中を洗いはじめながら、チェイを見上げた。

「治るとは思ってなかったけどな。ただまあ、人狼になった例をほかに知ってるわけでもないから、もしかしたらと……」

「一体何の傷なんだ?」

タオルを水に浸し、血を洗う。キートンはレミの尻から太腿にかけて拭った。背中ほどではないが、そこにも同じような傷が刻みこまれていた。

「俺たちが十六の夏さ。レミと友達のビリーが映画館から歩いて帰る途中、誰かに襲われたんだ。レミは大怪我で集中治療室に担ぎこまれたが、ビリーは死んだ」

キートンは息を呑んだ。予想外の答えだった——いや、どこかおかしい。レミの背中の傷は鞭やベルトのようなもので打ち据えた痕だ。どうして強盗などの襲撃でこんな傷が……?

「犯人は? 二人の知り合い?」

チェイは優しい手つきでレミを再び仰向けに寝かせてから、キートンを見た。

「いや。レミは、知らない連中だったと」

「チェイ、この傷は……ベルトで打った痕だよ」

キートンはチェイの持ってきたシャツを拾い上げ、注意深くレミの頭をくぐらせた。両腕を通して、シャツの裾を引き下げる。

「ああ。当時、サイモンとボビーと俺は、レミは親父に暴力を受けているとにらんでいたんだが、レミはてこでも認めなかったんだよ。だが、レミの親父にはビリーを殺すような理由がない。あの親父が子供を虐待してたことはそこまでして隠すことでもなかったしな。皆、知ってた。俺の父さんが、レミを父親から引き離そうとしたこともあるくらいだが、児童保護局の人が来た時もレミはすべての証言を拒否した。たとえ自分が保護されても、母親とスターリングを置いていかなきゃならない。それが嫌だったんだ」

チェイはレミの着替え用のボクサーパンツをキートンへ放った。キートンはチェイを手伝ってレミの腰を持ち上げ、パンツをはかせる。

「スターリングって？」

「レミの弟。レミが殺されかかった時にはまだ赤ん坊だった。今じゃ十三歳ぐらいか。凄くいい子だぜ」

キートンはしみじみ首を振る。話を聞く限り、レミは弟を守るために自分を犠牲にしたのだ。そんなことができるような男だとは思えなかったが。

その弟が今どこにいるのか聞こうとしたが、そこにジェイクが戻ってきた。

裸だったジェイクは、チェイのスウェットパンツとTシャツに着替えていた。それにしてもでかい男だ——チェイのズボンが寸足らずに見える。

ジェイクは、カウチの向かいに置かれた椅子に腰を下ろした。その目はもうすっかり人間の目に戻っていた。

「どうやら、彼は大丈夫そうだな」

キートンもレミを見下ろした。服も着せられて、レミは見るからに回復していた。呼吸もおだやかなものだ。

チェイがうなずいた。

「ああ。俺はベイカー医師に電話してくる。これも捨ててこないとな」

汚れた水の入ったバケツを持ち上げて、チェイはキッチンへ向かった。キートンはジェイクへたずねる。

「何か飲む?」

ジェイクはただ、レミの姿をじっと見つめていたが、やがて悲痛な微笑を浮かべた。

「この男は、俺の伴侶《メイト》だ」

キートンは顔を手のひらで擦る。

——くそ、くそ。最悪だ。

「そうじゃないかと……思ってたんだ」

＊　＊　＊　＊

医師への電話を終え、チェイはビールを持ってリビングへ戻った。

三人でビールを飲みながら、カウチに寝かせたレミの様子を黙って眺める。

くん、とチェイは鼻をうごめかせた。

「レミの匂いが、人狼の匂いになってきたな」

「ああ、俺もそう思ってた」

キートンがチェイの肩に手を置いた。ジェイクも首を動かしてチェイに同意する。

「当然だろうな。人間の男に人狼の血が混ざった場合、必ず人狼に変化すると聞いている」

「何があったんだ、ジェイク？」とチェイはたずねた。

「今日、キートンの車についてこの家まで送った時、そこの道端に停まっている車を見た。どこか怪しく思えたので見張ることにしたんだ」

キートンがふうっと息をつく。「俺の兄貴だ」

その新たな情報にジェイクはうなずき、続けた。

「キートンの兄がその車に乗りこんで走り出し、俺はその後をつけた。車は何マイルか先の林――この家の裏手まで続いている林の中に入っていった。彼は車から降り、人狼に変身した。俺は距離をとって風下から様子を見ていたんだが、変身して追った方がよさそうに思えてな。だがやっと追いついた時にはもうこの家まで来ていて、バイクがあり、血の臭いがした。柵をとびこえて中に入ると、奴がレミのそばに立っていたので、追い払ったんだ。遠目で見た時、チェイ――てっきりお前がやられたと思った。近くによってから、やっと倒れているのがお前じゃないと気がついた」

チェイの肩に置かれた手にぎゅっと力をこめながら、キートンが言った。

「ああ、そういうことだったんだ。レミを、兄貴はチェイだと思って襲ったんだよ。遠目で見ると二人は本当によく似てるから」

チェイは小首を傾げた。

「だがオーブリーは人狼だぞ？　しかも襲撃の時も狼の姿だった。俺とレミの違いくらい嗅ぎ分けられるだろ。しかも俺とは、夕方会ったばかりなんだぞ」

キートンは息をついた。

「兄貴は馬鹿だから。獣の感覚を信用していないところがあるんだ。匂いなんか初めから気にもしてなかったんじゃないかな」

ジェイクがビールを横のテーブルに置き、ピタの頭を片手でなでてやった。「とにかく、とっかかりとしては悪くない。兄に命を狙われる理由があるのか、キートン？」

チェイも、ぐるりと首をめぐらせてキートンを見た。キートンが肩をすくめる。

「そこなんだよ。全然わからない。兄貴には何にも動機がない筈なんだ。俺たちは縁が切れてるんだし」

「お前の両親が関与してる可能性は？」とチェイは眉を寄せた。

キートンは当惑して首を傾げた。

「それは……わかんない。そんなことはないと思うけど。兄貴と同じで、今さらそんなことをする理由がないよ」

チェイはのばした手でキートンの脚をぽんぽんと叩き、なだめてやった。

「ジェイク、そのあたりのことを調べてみてくれるか？」

「まかせておけ、チェイ。キートン、関係ありそうな者の名前や住所を教えてくれれば手間がはぶける。まず君の兄は――」

「ん……」

レミが小さくうなって、身を丸めた。それで初めてレミの存在に気付いたピタがけたたましく吠え出し、全員がぎょっととび上がる。

レミがまばたきして、緑の目が開いた。頭を押さえる。

「くっそ、頭痛え……」

それから、レミはチェイに顔を向けた。

「一体どういうことだ？　悪かったってあやまりにこの家まで来たら、あの犬――てか狼みたいな？――が襲いかかってきやがった。まさか、俺、ビビって気絶したのか？」

「えっ、あやまりに来たのか？」

キートンが息を呑んだ。レミは手を付いてカウチに起き上がりながら、顔をしかめた。

「ああ。まあ、その……なあ、悪かったよ。チェイは俺にとって古い友達だ。そのチェイがもしお前を好きだって言うなら――」

そこで言葉が途切れ、彼はきつく目を細める。

「あんた、誰だ？」

ジェイクが立ち上がると、カウチに向かう途中でキートンの膝にピタを置いていった。レミに向けて右手を差し出す。

「ジェイク・ロメロだ。キートンのボディガードをしている」

かすかに、怯えの匂いが漂う。レミはジェイクの手を凝視しながら、カウチの奥へ少し身を縮めた。ジェイクの姿を上から下までなめ回すように見ると、今度は欲情の匂いがあたりに濃くたちこめた。まだ部屋に残る血の臭いに反応したのだろうと思うが、正直、チェイにとっては説明するにも頭の痛い話だった。

レミは、自分の勃起をごまかそうとごそごそ左右に揺れていたが、やがて膝を曲げて抱えこんだ。やっと右手を差し出してジェイクの手を握り返す。

「レミングトン・ラシターだ。はじめまして」

軽くうなずきながら、ジェイクは微笑してレミの手を離した。「こちらこそ」

レミの鼻がぴくぴくと動く。彼は顔をしかめた。

「何か凄く変な感じがする——」

はっと目を見開き、自分の格好をまじまじと見下ろす。枕をつかんで膝の上にかかえこんだ。

「俺の服はどこだ?」眉間にしわが刻まれる。「……チェイ?」

キートンがチェイの肩をつついた。ジェイクが咳払いでうながす。案の定、二人してチェイに切り出させようというつもりだ。何て素晴らしい。

チェイは立ち上がると、レミの横に座った。ジェイクもレミをはさんで逆側に座る。

レミは、いかにもわかっているという顔つきでチェイを見た。

「どうせ俺は気絶したんだろ？　そんで小便でも洩らしちまったとかそういうことか？」

チェイは唇の端を上げた。

「いや……違う。何と言うか、とにかく小便洩らしてはいなかった」

「そっか、そいつはよかった。気絶しただけですんでありがたいよ」

と、レミはぐるっと目を回してみせる。

「なあ、レミ……今から俺が話すことは、すぐには信じられないことだと思う。俺は――俺たちは――その……。くそ、もういい。お前を襲ったのは狼で、瀕死の重体だったお前の命を救うためには俺たちでお前を人狼に変えるしかなかったんだよ！」

レミは三回、ぱちぱちとまばたきした。

数秒の沈黙。

それから、彼は首をのけぞらせて大声で笑い出した。

キートンが首を振る。「チェイ、言い方ってもんがさあ……」

ジェイクはと言えば、口を少し開けて宇宙人でも見るような目でチェイを凝視していた。

チェイは肩をそびやかす。

「何だよ。どうやったってうまい言い方なんかあるわけないだろうが。大体お前ら二人して、俺に説明を押しつけたくせに」

二人は後ろめたそうにうなった。

レミの大笑いは、やがてクスクス笑い程度にまでおさまってきた。さらに数秒続いた後、やっと笑いやむ。レミは目の端にたまった涙を拭って、ニヤニヤした。

「わかった、わかったよ。俺が悪かった、仕返しされても文句は言えないさ。本当に、キートンにあんな態度を取ってごめんな。俺は、ボビーからキートンの車のことを聞いて心配になって来てみたんだよ。それで本当のところ、俺の服はどこなんだ？」

たしかにチェイも、はいそうですかとレミがすぐに納得してくれるとは思っていなかった。いなかったが……これ以上、どうしろと？

キートンがあぐらをかいて、ぴんと背すじをのばした。

「俺は変身しないよ。レミの中じゃただでさえヘンタイ扱いなんだからさ、これ以上イカレた扱いされるのは御免だよ。どっちかがやって。ここまで来たら見せてやるしかないだろ？」

ほとんど、愉快そうに言い放ってきた。この野郎。チェイは凶悪な目つきでにらんだが、キートンはにんまりしただけだった。

「何？　何か俺の言っていることまちがってる？」

「はいはい」チェイは天井を仰ぐ。「ジェイク、どうする？」

レミはきょろきょろと彼らを見回した。

「もう冗談はこのへんにしてくれよ、チェイ。本当、俺が悪かったたって。な？」

すくっとジェイクが立ち上がり、次々と服を脱ぎはじめた。レミが見上げてぎょっと後ずさる。両手を上げてとめようとした。

「おい、よせって！」

制止を無視してジェイクは脱ぎ続ける。すっかり全裸になると、一歩下がった。チェイを見る。

「いいか？」

チェイはうなずいた。

レミがカウチから立ち上がりかかる。

「なあちょっと悪ノリしすぎだろ、俺は本当に――」

歩き去ろうとするレミの手を、チェイがぐいとつかんでとめた。

レミはチェイをにらみつけてからジェイクへ向き直った。その目が大きく見開かれる。レミの顔からすべての血の気が引き、口から苦悶のような喘ぎがこぼれた。

その視線の先にいるのは、一頭の巨大な狼だった。

チェイがレミから視線を離して狼を見た瞬間、キートンが叫ぶ。

「チェイ！」

気絶して崩れたレミを、向き直ったチェイはあやういところで受けとめたのだった。

19

ベッドのふちに腰をかけ、キートンはふうっと溜息を吐き出した。

何てことだろう。レミが、ジェイクの伴侶《メイト》だとは。最悪だ。ジェイクのようないい奴に、どうしてレミのような野郎が……。

「どうかしたか？　ジェイクとレミはもう落ちついたんだろ」

そう言いながらバスルームから出てきたチェイは、腰にタオルを巻き付けただけの姿だった。見事な体だ。褐色のなめらかな肌に無駄のない筋肉。見るだけで人生の悩みがすべて吹きとんでいく。

「ああ。レミはまだ鎮静剤が効いてる。ジェイクがゲストルームへ運んでいったよ。レミが起きた時にそなえてジェイクは床で寝るってさ。どうかしたって、何が？」

「溜息ついてたろ。散々な一日だったからな？」チェイは歩いてきてキートンの横に座ると、キートンの髪に指をくぐらせた。「お前の髪が大好きだよ」

キートンは微笑して、自分の指をチェイの髪に絡めると顔を引きよせた。額をぴたりと合わせる。

「うん。本当に、とんでもなく、散々な一日だったよ。兄貴は俺を殺そうとしてるし、その後ろにいるのはもしかしたら両親かもしれないし、そうじゃないかもしれない。レミは死にかかって人狼になった。おまけに、ジェイクが言ってたけど、レミはジェイクのメイトだって」

「マジか！」

チェイがぎょっと目を見開いた。口が半開きになる。

「そうかあ……道理であんだけ勃《た》ってたわけだ」

「そういうこと。ジェイクもかわいそうに。それとね、お前はそういうことに気がついてちゃ駄目だろ」

「あれは気がつかない方が無理があるだろ。てっきり、血の臭いのせいで興奮してるんだと思ってたけどな」

チェイは肩をすくめてから、キートンの鼻先にキスした。

「希望を持て。今じゃレミも狼だ。ジェイクをつき動かすのと同じフェロモンが、そのうちレミの方にも作用するかもしれないぞ」

フェロモン――忌々《いまいま》しいフェロモンめ。

「ふん、やっぱりジェイクが気の毒だろ。どっちがマシかわからないね――ホモ嫌いで根性悪のメイトにそばによるなと拒否されるのと、ホモ嫌いで根性悪のメイトに押し倒されるのと。どうやったらうまくいくわけ？　ヤればヤるほどそのせいで嫌いになるってか？」

わけがわからない。思わず笑い出してしまい、キートンはベッドへ転がった。

「ほんと、頭がおかしくなりそう。笑いごとですらないってのに」

「大丈夫か？」

すぐそばにチェイが横たわり、眉を上げる。キートンは首を振った。

「大丈夫じゃない。なあ、もうハワイとかどう？　きっとハワイにも獣医や教師の働き口はあるって」

「ハワイか、行ったことないな。だが俺たちは、どこにも行かない。今回のことも一緒にのりこえて、ここで、一緒に人生を築いていくんだ」

キートンは鼻を鳴らした。チェイが彼と指を絡ませ、ぎゅっと握る。

「少なくとも、手がかりは出てきたろ。お前を誰が狙っているのかもわかってきた」

キートンはチェイの指を握り返した。

「まあね。どうしてか、全然気分がよくならないけどね」

チェイがむくっと起き上がる。腰のタオルを外すと見事な裸体をさらした。

「なら、これで少し気分を盛り上げるか？」

チェイはキートンの腰をまたぎ、身を屈めてキスをしてきた。おだやかな、唇だけのキスから始まって、すぐにチェイの舌がしのび出してくる。チェイは上にのびたキートンの両手をマットレスに押さえつけ、パジャマのズボンからのぞく下腹に固い屹立を押し当てた。

キートンのそれもすぐ反応した。耳に届く呻きは自分のものだ。キートンは腰を持ち上げ、もっと刺激を求めてねだった。

キスしながら、チェイが笑みを浮かべる。

「お前がほしい」

「俺もお前がほしいよ」

チェイはキートンの上からどいたが、手首はまだつかんだまま、引っぱり上げてキートンをベッドに起き上がらせた。さらに引いてベッドの横にキートンを立たせると、チェイは膝をついてキートンのパジャマのズボンをおろし、あらわになっていく腰に唇を這わせた。

「お前の体が好きだよ」とキートンの右の腰骨にキスをし、逆側にもキスをする。「この白い肌も」

ゴムウェストを引っぱってキートンのペニスをむき出しにすると、先端にキスをした。キートンは呻いて、愛しい男の黒髪に指を絡める。

「バカ。俺なんてやせっぽっちで青白いだけだって……肌の色がきれいなのも、いい体も、お前の方だろ」

パジャマのズボンをさらにずり下げていきながら、チェイは服の中にさしこんだ手で素肌をさすった。手の愛撫を舌がたどる。

「そうか？　なら、やせっぽっちで青白いのが俺の好みだよ」

パジャマを足首まで引きずり下ろしてキートンを裸にすると、チェイは立ち上がった。

「ベッドだ、かわいいビット」

キートンの鼻にキスして、ベッドサイドのランプをつけた。その間にキートンがベッドへもぐりこむ。上掛けの中にもそもそと入ったところで、チェイがばさっとその上掛けをはぎ取った。

「お前を見ていたいんだよ、ビット」

ベッドに肘をつき、彼は右手をキートンの腹にすべらせる。

「ほら、見てみろ。こんなに違う」

キートンはうながされるままに見下ろす。チェイの褐色の手がキートンの白い下腹部にのっている。白い肌と濃い色の肌の対比が鮮やかだった。強いコントラストが、ひどく淫靡だ。これまでキートンが気づかなかった淫らさだった。元々キートンは色の濃い男が好みだが、こうして自分の肌にチェイの褐色の手がふれているのを見ると、心も体もうずく。

視線の先で、チェイの手が肌をすべり、キートンのペニスをつかんだ。ぎゅっと握られた瞬間、キートンは全身が締めつけられたかのように感じる。チェイの手の中に腰をつき上げた。

「チェイ……」

「ん？」

チェイはその手を上下に動かし、しごく。キートンの爪先が快感に丸まった。口から泣くような声が洩れたが、かまわなかった。大体、キートンが声を立てれば立てるほどチェイだって興奮する——実に幸せな連鎖だ。

ごろりとチェイの方を向き、キートンは腕をのばした。チェイの顎にキスして、甘噛みしながら、チェイを自分の上へ引きよせる。チェイはキートンにまたがり、手を動かしつづけていた。

「お前は狼としてそれほど強い支配力を持ってるのに、ベッドの上だと全部俺の言いなりだ。それがどれほど俺をそそるかわかるか、ビット？」

キートンは首を振った。

「俺は……そんな……そんな、人の言いなりに、なんか」

前の恋人の時も、確かにキートンは抱かれる側ではあったが、実際の主導権をジョナサンに与えたことは一度もなかった。ジョナサンはキートンの家の裕福さにも目がくらんでいたし、思い通りにするのは楽なものだった。

「だからこそ、そそるんだよ。お前がこうなるのは俺に対してだけだろ？　前の男とだってこんな風じゃなかった筈だ。だな？」

「ああ——お前だけだよ」

心からすべてをゆだねるほど、相手を信頼したことはない。そんな相手はチェイだけだ。チェイにだけは、もういくらでも思うようにしてほしい。チェイはあれこれキートンの世話を焼いて甘やかしたいのだし、キートンはチェイにあれこれされるのが好きなのだ。チェイには、本能的にキートンが必要とするものが何かわかるようだった。チェイのそばではキートンは自然体でいられるし、壁を作って自分を守る必要もない。作ろうとしたって、チェイがそんなことは許さないだろう。チェイのそばにいると、この男に愛され、大切にされているのだということが深く伝わってくる。

チェイが微笑し、キートンにキスをした。重なりあった二人の体をごろりと返し、キートンが上になるようにする。

「ベイビー、今夜は、俺じゃなくてお前の番だよ」

「えっ。それって、でも……」

チェイは首を振って、キートンの唇に指を当てた。

「俺がそうしたいんだ、ビット」

「でも、お前、初めてだろ？　挿れられたことないんだろ？」

「お前も初めてだろ。お互い初めて同士ってことだ。言っとくとな、俺はこれでもバージン相手は経験積んでるんだ、だからある意味初心者ではないぞ」

ぱちぱち、とチェイはわざとらしく睫毛をはためかせてみせる。

キートンにもその言葉を疑う気はなかった。彼のメイトにかかれば、たとえ修道女だろうとベッドに誘いこめるだろうし、それどころかアナルセックスやフェラまで言いくるめられそうだ。

「俺の初体験はひどかったよ」

そのキートンの告白を聞いてチェイの眉が上がった。キートンは肩をすくめる。

「ひどかったは言いすぎかも。そこまでじゃなかった。でも痛かったし、何だかやりにくかったし、やってる間中ずっとトイレに行きたい気がしてしょうがなかった。ルームメイトが今にも帰ってくるんじゃないかとビクビクもしてたし。勃起もできなかった」

チェイは二人の体の間に手をすべりこませ、二人の屹立をまとめて握りこんだ。ウインクする。

「俺はもうしてるぞ」

「途中で萎えるよ」

「賭けるか？」

キートンは小さく笑った。まったく、愛すべき男だ。

「わかったよ、お前の勝ちだ」

「いつも俺が勝つんだよ、ビット」

うんざりとうなって、キートンはチェイの上に起き上がった。体をのばし、ナイトスタンドの引き出しをガサゴソとあさって潤滑剤《ルーベ》のボトルを探し出す。ボトルを腹の上に置かれたチェイがぎゃっと声を上げた。

「冷たいぞ！」

キートンは笑い声をたてる。

「それってつまり、潤滑剤《ルーベ》を使う前にしっかり手で温めておかないと嫌だってこと？　手がベタベタするから嫌なんだけど」

「お前、精液には文句言ったことないくせに」

「それとこれは別」

チェイの腹からボトルを取り上げ、キートンはチェイの横にすべり落ちる。チェイがキートンの動きに合わせて体を回したので、二人の体はぴたりとふれあったままだ。キスを幾度も重ね、荒い息で、二人は互いに腰を擦り合わせ、しごき合う。キートン自身はもう先走りで濡れていて、チェイの湿った匂いも嗅ぎとれた。キートンは身を起こし、メイトの体をじっくり見つめた。

チェイをそっと押しやって仰向けにさせ、その太腿の間に陣取る。チェイはためらいもせず脚をさらに開き、キートンの前に己をさらした。彼らしい。おまけに、自分から潤滑剤《ルーベ》のボトルをキートンに手渡してきた。

指にジェルを絞り出し、キートンは膝を折って座るとチェイの上へ屈みこんだ。チェイの屹立を舌でなめ上げながら、後ろの穴に指を這わせる。

一瞬体をこわばらせたが、チェイはすぐ力を抜いた。

中には挿入せず、まず指で焦らしてやる。口での愛撫もとめなかった。チェイの、濃厚な雄の匂いがたまらない。彼の屹立が頬をすべっていく感覚も。顔を深く伏せてチェイの陰嚢に頬ずりすると、ちらっと見上げ、キートンはやわらかい感触に鼻をうずめて匂いを吸いこんだ。背すじをぴりぴりとした刺激が抜けていく。ここで嗅ぐメイトのフェロモンはあまりにも強烈で、一気に欲望が高まる。片方の陰嚢をなめ、それから口に含んだ。

チェイが勢いよく頭を上げて、欲望に紅潮した顔でキートンを見つめる。

「ん、ビット――」

キートンは逆側の陰嚢も軽くしゃぶった。開いている左手で玉をすくい上げ、裏に舌先を這わせる。奥の穴まで。

チェイが腰を揺すり上げ、さらに足を開いた。

「もっとだ、ビット」

キートンは目をとじ、一本目の指を奥へとさし入れた。第二関節まで沈めたところで、チェイが呻き、頭をぼすっとマットレスに戻した。

「うわっ……」

うわっ、はよくわかる。チェイの奥は信じられないくらい狭い。

「それは気持ちのいいうわっ？　それともヤバいうわっ？」

「何か違う、のうわっだ。少し痛い、というかヒリヒリした感じがする」

チェイがぐいと腰を押し出したのに合わせて、キートンの指がさらに奥へ沈んだ。

「っ……」

チェイは喘いだがつらそうではなかったので、キートンは少しだけ指を戻して、深く沈めた。チェイがまた喘ぐ。

キートンは左手でチェイのペニスをつかむと唇をよせ、下から上へ、逆側を上から下へと全体をなめた。口に含む。チェイが低く呻き、キートンの口の中のペニスが硬度を増す。いけそうだと判断して、キートンはもう一本指を増やした。

チェイは軽く身をよじったが、ほとんど抵抗は見せず、というかもう彼はそれどころではなさそうだった。腰を突き上げてキートンの口を犯し、腰を沈めてキートンの指を奥に深々と呑みこむ。

キートンは指の角度を変えて、少しずつ探って――。

「うわ、何だ！　もう一度やってくれ！」

よし、見つけた。キートンはチェイのものをくわえながらにんまりした。

チェイが荒い息づかいと呻きをこぼしはじめる。その姿がとにかくエロい。キートンは三本目の指をふやすと同時に、ディープスロートでチェイの屹立を深く呑みこんだ。

「うわっ、あっ、凄え、うわ……あっ、うあああっ――」

キートンは口も指もぴたりととめ、チェイの様子をうかがった。この「うあああ」が果たして「めちゃめちゃよくて死にそう」なのか「キツいからもうちょっとゆっくり」なのかがわからない。迷っていた時、チェイがぐいと腰を押し返した。

キートンは指先をくいっと曲げ、チェイの性感をえぐりながらペニスを吸い上げる。

「待て！」

キートンは凍りついた。本音ではやめたくない。彼のペニスだってもう痛いほど張りつめている。一気に進めたくてたまらなかったが、チェイを傷つけるぐらいなら死んだ方がマシだ。

チェイが頭を上げ、のばした右手でキートンの頬を包んだ。

「そのまま続けられると、イッちまう。おいで」

キートンがうなずくと、その口からぽんとチェイのペニスが外れた。

「うつ伏せになった方が楽だよ」

「いや、このままでいい。お前を見ていたいんだ、ビット」

「本当に本気なんだな？」

「ああ、勿論」

チェイがニッと笑う。目が明るくきらめいた。

その顔に満ちた、キートンへの愛情と信頼に、キートンは思わずうなる。ボトルを引っつかむと自分のペニスとチェイの後ろに潤滑剤《ルーベ》を塗りこめた。念入りに、たっぷりと。足りないより多すぎる方がはるかにいい。

ボトルをナイトスタンドに放り出すと、キートンはチェイめがけて自分のそれを構えた。

チェイが両足を上げ、膝裏をかかえこむ。ピンク色の入り口がキートンを誘っていた。キートンは指を一本、挿入する。チェイが呻いて腰を揺すり上げた。

それ以上、キートンは時間を無駄にしなかった。三本の指が大丈夫なら彼のものだって何とかなる。温かな穴にペニスを押し当てると、チェイの表情をじっとうかがいながら、キートンはゆっくりと挿入を始めた。

チェイの口から鋭い息がこぼれ、少し表情が険しくなったが、首を振った。

「やめるなよ――」

やめられるわけがない。一度も経験したことのない、強烈な、あらゆる想像を超えた鮮やかすぎる快感だった。信じられない。きつい奥がキートンに絡みつき、締めつけてくる。こんな感覚は初めてだ。

一気に腰を叩きつけそうになる自分を抑えようと、キートンは歯をくいしばる。額に汗の珠が浮き、こめかみをつたい落ちた。

不意に、チェイが押し返してくる、その動きを感じた。キートンはチェイの顔を凝視し、チェイの緊張がほどけて、この上なく幸福そうな快感の表情に変わっていくのを見つめていた。

これなら中止しなくとも大丈夫そうだ。何より、チェイは痛みを感じていない。

深く、二人がつながり、キートンの太腿にチェイの尻が当たると、チェイはキートンの頭を引きよせて激しいキスを浴びせた。勢いよく入ってきた舌がやはり勢いよく戻っていく。

「ビット、お前、いい顔してるぞ」

チェイの囁きは低く、かすれていた。

キートンは笑おうとしたが、絞り出したような声になってしまい、きつく目をとじた。自分の表情など見なくともわかっている。あまりにもきつく締めつけられていて、今にも暴発しそうだ。睾丸が張りつめすぎて自分の体にめりこんでいるような感じすらした。

深々と呼吸をして、肩の力を抜き、キートンは目を開けてチェイを見た。

「大丈夫?」

「俺は大丈夫だよ、かわいいビット。ちょっと変な気分だけどな……何と言うか、一杯になってる感じで、少し気になるが、嫌な感じはしない」

キートンは腰を引き、ほとんどギリギリまで屹立を引き抜く。

「あっ――」

その声の意味はよくわかる。キートン自身、たまに迷うのだ、入ってくる時と抜けていく時のどっちが気持ちいいのか。個人的には抜かれる時の方が好みだが、難しい勝負だ。

チェイの腰をぐいと引きよせながら、キートンはまた深々と己を沈めた。それはもう……言葉になどできない。

チェイと見つめ合ったまま、キートンは自分の伴侶《メイト》をゆっくりと犯しはじめる。およそ三度目の突き上げで、チェイの焦茶の目が大きく見開かれた。顔がぱっと上気する。

「ああ、凄え……」

キートン自身、絶頂をこらえるのが精一杯で、全身が震えてくるほどだった。シーツをつかむチェイの指をほどき、その手をチェイの屹立へ導く。チェイはキートンをひたと見つめたまま、自分のものをしごきはじめた。

キートンは動きを速めて、チェイの手のリズムに合わせる。その間もずっと、二人はお互いを見つめていた。もうどちらも汗みどろだ。

チェイがかすれた声で、キートンをさらにうながす。言葉はまったく意味をなさなかったが、キートンの血がますます熱くたぎった。チェイの腰に指をくいこませ、強く腰を叩きつける。

「チェイ、も、駄目――」

チェイがうなずく。手は屹立をしごき続けていた。

「ああ――ああ、ビット、イケよ」

キートンは達した。すべての抑制を手放す。辛くなるほどこらえていたものを、ただ解き放って、メイトの体の奥を自分の熱で満たした。背すじを稲妻のような痺れが駆けのぼって、キートンの喉からしゃがれた叫び声がこぼれる。

追うように、チェイも達した。目を大きく見開き、それでもまだ彼はキートンを見つめている。その手に、胸に、そしてキートンの腹にまでチェイの精液がとびちった。

回路が切れたかのように全身の筋肉が思い通りにならない。キートンの体から一気に力が抜け、ドサッとチェイの上へ倒れこんだ。頬がチェイの胸元にばしんとぶつかる。人生最低と言ってもいいほどの、ムードぶち壊しの、情けない音に、彼は思わず笑い出していた。

チェイが笑いをこぼす。

「電池切れか？」

「ん。今の……ほんと、何あれ。あんな凄いもんだなんて、どうして誰も教えてくれなかったんだ？」

チェイが両腕と両足でキートンをかかえこみ、抱きしめた。

「俺は教えてやったろ。実地で」

「愛してるよ、チェイ」

「俺もお前を愛してるよ、リトル・ビット」

何とか体が言うことをきくようになると、キートンはチェイの体から萎えたペニスを引き抜き、チェイの横に転がろうとした。だがチェイがそれをとめ、キートンを体の上にのせたまま抱きしめた。

キートンの下腹を押し上げてくるチェイのものは、まだ硬度を保っている。まったく、どうしてチェイはまだ勃起したままでいられるのだ？　起きているだけでも不思議なぐらいだというのに。……この男は。

指の先がキートンの背骨を上にたどっていく。ほとんどくすぐったいほどだ。

「ほらな……ビット。俺は萎えなかったろ？」

キートンは笑うような、うなるような音を立てた。その固いモノをどうにかしてくれとかチェイが言い出さないよう心の底から願う。そのままチェイの上に横たわって、彼は安らかな眠りに落ちていった。

＊　＊　＊　＊

チェイはカウチにドサッと体を沈め、キートンを眺めた。キートンはコーヒーテーブルの前を行ったり来たりしながら電話をかけている。

今朝、話し合った末、二人はキートンが両親に電話をするべきだという結論に達した。何はなくとも、両親がジョージアにいるのかどうかはそれで確認できるし、いなければ居所のヒントがつかめるかもしれない。

キートンは、親に電話なんてへっちゃらだと装ってはいたが、チェイはごまかされなかった。隠そうとしていてもキートンの緊張がつたわってくる。

ジェイクも雰囲気を察したのか、着替えを取りに行くついでにドーナツとコーヒーを買ってくると言って出かけてしまった。だがジェイクは、レミから——キートンからも——長く目を離すつもりはないようだ。彼はすっかり本気になっていて、昨夜の一件以来、二十四時間体制でボディガードにあたるつもりらしかった。

自分の伴侶《メイト》を独力で守りきれないことに忸怩《じくじ》たる思いはあったが、だからといってチェイは、ジェイクの協力を拒むつもりほど愚かではなかった。いくら何でも。キートンの身の安全に関することだ、用心しすぎることなどない。時間外労働の分もきちんと支払うと、すでにジェイクにも申し出てある。

うろうろしていたキートンが、チェイの横で足をとめた。

「マーサ？　俺、キートンだよ」

電話の向こうから甲高い叫びが上がり、キートンはあわてて受話器を耳から離した。チェイはキートンの手をつかみ、抱きよせる。

電話口の悲鳴は、女性が早口でまくしたてる声に変わっていた。

「そう、ああ、本当に俺だって。うん、元気」

キートンがやわらかい笑顔になる。チェイはキートンをぐるりと回して自分と向かい合いにし、膝の上に落ちつかせた。

「うん、俺も会いたかったよ、マーサ」

チェイは両手全体でキートンの尻をぎゅっとつかみ、さらに自分の方へ引きよせる。

キートンはチェイの鼻先にキスし、電話の向こうのマーサという女性の声に耳を傾けた。カウチにもたれかかったチェイは彼らの会話に耳をすませる。人狼であることの利点のひとつは、スピーカーにしなくとも電話の内容が聞けるということだ。

しゃべり続けるマーサは、彼女がいかにキートンの博士号取得を誇らしく思っているかについて語り出していた。キートンの声を聞けたのが本当にうれしそうで、キートンへの愛情にあふれたその声をしばらく聞き、いい人に違いないとチェイは結論づける。

キャンキャン、という鳴き声に、チェイはキートンの肩の向こうを見やった。ピタを腕にかかえたレミが、あくびをしながらリビングへ入ってくる。レミの髪は寝癖で四方八方にはね、顔にはシーツの跡がついていた。

まだ半分寝ているような顔をしているが、それなりに元気そうだ。とはいえチェイを見たレミの目は、少し落ちつきがなかった。

昨夜、ベイカー医師が来てレミに鎮静剤を与えた後、彼らはあらためてレミに事情を説明したのだ。まだ問題は山積みだが、とにかくレミは冷静さを取り戻して話を聞いたし、最後には納得したようでもあった。少なくとも、可能な限り。

何しろ、突如として映画や小説の中だけの存在だと思っていたものが現実になったのだ。さぞや非現実的な気分に違いない。ある日いきなりユニコーンやフェアリーや小人が実在するなんて切り出されたら、チェイだって動揺する。

ジェイクが伴侶《メイト》だということについては、まだレミには伏せてあった。今、そこまで教えるのは残酷だろう。せめて自分の体の変化に慣れる時間が必要だ。

レミはピタを床に置き、カウチの端にそろそろと腰を下ろした。キートンをちらっと見やり、キートンの尻をつかんだままのチェイの手をまじまじと見つめ、顔を赤くした。チェイはレミの反応を無視する。レミが二人のことを受け入れるというなら、ありのままを受け入れてもらうしかない。

レミに向かって眉を上げ、チェイは抑えた声でたずねた。

「気分は？」

レミはうなずき、囁き声で返した。

「まだちょっとうろたえてるけどな。お前さ、一体いつからなんだ、その——あの——」

「狼かって？　生まれた時からだよ」

「どうして俺に言ってくれなかったんだ」

レミは傷ついているようでもあったが、主には信じられないといった表情だった。

「言えば、信じたか？」

チェイの反問に、レミが鼻を鳴らす。

「はっ、そりゃ……信じるさ、お前が変身して見せてくれりゃな。目の前で見ちまったら信じるなって方が難しいね」

　ぐるりとあたりを見回した。

「一体どこに……」

「ジェイクか?」

「ああ。あいつ——何て言うか、危険じゃないんだよな?」

　チェイはニッと唇の端を上げる。

「俺たちにはな。でも敵に回したくはない男だね。ジェイクは今、コーヒーとドーナツを買いに出てるよ。何しろうちの物資は尽きてるし、誰かさんが絶対に料理しようとしないもんでな」

　キートンがチェイの肩をぎゅうっとつねって、電話を続けた。

　それを見たレミが、唇を笑みの形に上げながら首を振る。

「まったく、女の子みたいにかわいいツラしてるよな」

　キートンの片手がぱっと上がり、レミに向かって中指を立てる。

　たしかにかわいい。しかもお行儀も最高だ。チェイはうんざりと、キートンの手をつかんで下ろした。

　レミが笑い出しながらたずねた。

「そいつも狼なんだろ？」

「ああ。キートンは俺のメイトだ」

レミは眉を寄せ、首を少しだけ傾けた。

「後で説明するよ」

そう言われてもまだ気になる様子だったが、結局はひとつうなずいて話を変えた。

「誰と電話してるんだ？」

「親と話してる筈なんだが」チェイはキートンの尻を軽くはたいて、注意を引いた。「ビット、誰と話してるんだ？」

「家政婦だよ」

その答えにチェイの眉が大きくはね上がった。「家政婦だって？」

レミを見ると、レミも口をぽかんと開けていた。

「マジで？　家に家政婦がいるってのかよ？」

「……みたいだな」とチェイは肩をそびやかす。

キートンの実家が金持ちだ、というのは大体わかっていたが——家政婦だと？　何だそれは。

キートンのほがらかな笑い声が響き、二人の注意を引き戻す。キートンは半ば無意識の手でチェイの胸元をなでた。

「うん、じゃあね、マーサ」

電話の向こうで短い間があき、次に聞こえてきたのは男の声だった。

『キートン？』

キートンの目がきらめき、笑顔がこぼれて、その顔はいつもよりあどけなく見えた。

「やあ、トンプソン」

トンプソン？　一体今度は誰だ。

キートンはチェイの疑問を読んだに違いない。受話器を手で押さえて囁いた。

「執事みたいな人だよ。マーサの旦那さんなんだ」

チェイとレミは目を見開き、まばたきをくり返した。

家政婦の次は、執事？

一体どれだけ金持ちの家なのだ。それだけ金があれば、キートンを殺したいならいくらでも殺し屋を雇えるだろう。わざわざ長男を差し向けて手を汚させるような真似をしなくとも。

トンプソンとの短い会話に続いて、今度は女性が電話口に出た。

『キートン？　あなたなの？　本当に？』

キートンがもぞもぞと身じろいだ。

「うん、母さん。俺だけど」

『あなたなのね！　ハワード、ねえキートンよ！』

『キートン？』

男の声――トンプソンのものではない――がたずねた。別の受話器を取ったに違いない。

「そうだよ、父さん」

キートンは答えながら眉をよせ、とまどい顔でチェイを見た。理由はよくわかる。両親の声は、息子の死を願う親のものにはとても聞こえなかった。

『ああ、ハニー。随分探したのよ。本当にごめんなさいね』

キートンの母の声だ。父――ハワード――が続ける。

『探偵を雇って探させていたんだが、先週オーブリーが受けた報告によればまだ行方はわからないという話だった。それ以降は何の知らせもなくてな。今、お前はどこにいるんだ？』

「ニューメキシコだよ。何の知らせもないって、どうして？　オーブリーはこっちに来てるよ。兄貴から、父さんたちが俺を探してるって聞いたんだから」

『オーブリーが？』

両親が口をそろえて聞き返した。父親がさらにたずねる。

『オーブリーがそっちに行ってるってのはどういうことだ』

「だからこっちにいるんだよ、ニューメキシコ。昨日、俺の家まで来て――」

『あなたの家？　あなた、家を持ってるの、ハニー？』

その母親の声は驚きと……誇りに満ちていた。父親の声にはいささか困惑が混ざっている。

『何ともおかしな話だな。オーブリーからは先週電話があったが、お前の行方はわからないと言っていたぞ。何故そんなことを？』

「チェイ？」

キートンは途方にくれた様子だった。その全身が小刻みに震えはじめる。

チェイは手から電話機を取ると、キートンを抱きよせ、頭をチェイの肩に預けさせた。

「失礼します。ミスター、そしてミセス・レイノルズですか？」

『君は誰だね』

「チェイトン・ウィンストン。俺はビット——キートンの伴侶《メイト》です」

キートンの母親がはっと息を呑んだ。

『それは……いや、とにかく——はじめましてミスター・ウィンストン。私はハワード・レイノルズ、キートンの父親だ』

「はじめまして、ミスター・レイノルズ。すみませんが、こっちは大変な事態になっているんです。キートンはもう三回、命を狙われています」

『何だと！』とハワードが怒鳴った。

『何てこと！　あの子は大丈夫？　ねえ、キートン？』

キートンの母の声は震えていた。

チェイは眉をよせる。両親から感じる誠実さは本物で、二人が息子を殺そうと企みをめぐらせているようにはとても思えない。だがこの親は、キートンがゲイだという理由で彼を家から叩き出そうとした筈なのだ。一体、どういうことだ？

「キートンは無事です。それで、ミスター・ミセス・レイノルズ、我々がそちらに電話したのは……つまり……」どう切り出すべきか。「あなた方はキートンを追い出したんですよね？　キートンは勘当されていると思っていたんですが」

『そんなことしてないわ！』

『キートンの方から出ていってしまったんだ』

キートンの母親は叫び、父親はムッとしたようだった。

『たしかにお互い、多少の誤解はあった。だが我々はキートンを勘当などしていない。ああ、キートンの選択にいくつか言いたいことがあったのは事実だが、我々の前から姿を消したのはキートンの意志だ。てっきり、あの子には頭を冷やす時間が必要なのだと思って、しばらく放っておくことにした。だが大学を卒業した後、キートンは姿を消してしまった。私たちはその時初めて、キートンがただ怒っているだけではなく、もっと深刻な事態だと気がついたんだよ。信じてもらいたいが、ミスター・ウィンストン──』

キートンが天井を仰いだ。その眉が力なく下がる。

「いや、わかりますよ、大丈夫。俺もビッ──キートンのことは知っています。頭に来るとどんなふうになるかも。お察しします」

これで大体の成行きは呑みこめてきた。チェイには、どうしてキートンの両親がキートンを一人で放っておいたのか——何ヶ月も音信不通のまま——のはまだ腑に落ちなかったが、キートンがいざとなるとどれだけ頑固な石頭かはよく知っている。

「どうか、チェイと呼んで下さい」

そう言って、さらに何分かチェイはキートンの両親と話し合った。その後、キートンも両親と話をする。

電話を切る頃には、この両親はオーブリーの行動にはまったく関与していないと、チェイはほぼ確信を得ていた。

だが、オーブリーには仲間がいる筈だ。キートンの車のブレーキラインをカットした、あの人狼が協力している。

「じゃあね」

キートンが両親にそう告げて電話を切る。

溜息をついて背すじをのばし、彼はチェイの目をのぞきこんだ。

「どうやら、ジョージアへ行かないとならないみたいだね」

キートンは二人の寝室で旅の荷造りをしていた。頭の中では、まだくり返しくり返し、親との会話が回っている。

両親は、事態を見きわめるためにもキートンがジョージアへ来るべきだと強く言いつのった。すべての事情を説明された今、両親でさえオーブリーに疑惑の目を向けていた。

キートンは、ただ茫然としていた。てっきり追い出されて縁を切られたと思っていたのに、失踪するなんて何事だと逆になじられてしまったし、まだ愛されているのだ。

しかも、両親とチェイの三人は最後にはキートンに矛先を向け、「痛癪がすぎる」だの「すぐ先走る」だの説教してきたものである。

邪魔をしようとするピタをまた押しやって、キートンはスーツケースの蓋をしめた。チェイがレミをつれて寝室に入ってくる。

「お前も一緒に来るんだよ」

言いながら、チェイは身だしなみ用品を入れるポーチをベッドの上に放った。

「何でだよ」

レミはベッドに腰をおろす。たちまちピタが、彼めがけてはねとんでいった。

チェイがナイトスタンドをあさりながら、議論に飽き飽きした様子で溜息をこぼす。

「お前はまだ狼をコントロールできる状態じゃないからだ。何かにカッとなってうっかり狼に変身しちまったらどうする？」

「マジで？」

レミは驚いた様子でまたたいた。キートンがうなずく。

「マジで。今日も朝飯の間に二回も目が変化してたろ。もし俺たちみたいに、さとして戻してやれる相手が誰もいない時だったらどうなると思う？」

「――そのまま戻れなくなる？」

レミが気の入っていない手でピタをなでた。

ポーチを開けたチェイが、中に潤滑剤《ルーベ》のボトルを四本入れる。

「そういうことだ」

続きのバスルームへ入っていった。

キートンは眉をしかめて、四本のうち三本の潤滑剤《ルーベ》をポーチから取り出し、引き出しに戻した。チェイの下着と靴下を取りに洋服だんすへ向かう。

「別に俺たちだって、あんたの人生にあれこれ口出ししたいわけじゃないんだよ。ただトラブルを起こしてほしくないだけだ。新しい狼は誰でもコントロール方法を学ぶ。俺たちのほとんどは、変身できる年齢になる前にそれを教わる。だけどあんたは後天的な人狼だから、今から学ばなきゃならないってわけ」

チェイの下着と靴下をスーツケースにつめこみ、キートンはチェイのクローゼットへ向かった。

レミが溜息をつきながらベッドへ倒れこむ。

「だけどまだ俺は変身もさせてもらってないんだぜ。まず一度変身してみた方がいいんじゃないか？　その方がどんな感じなのかわかるし、てっとり早いだろ」

「そうとも、そうでないとも言える」

キートンはチェイのジーンズをたたんで荷物に入れた。シャツを何枚か手にしてベッドの方へ戻る。

「変身はしてもらうよ、出かける前にね。だけどコントロールを失っての変身じゃ駄目だ。きちんと自覚的に段階を踏んで、たまたまではなく自分の意志で、変身してもらいたいんだよ。予期せぬ変身はパニックを引き起こすし、それじゃ逆効果だ」

ピタがはねとんで駆けてくると、チェイのジーンズをどこかへ引きずっていこうとする。キートンは「こら」と仔犬を押しやり、ジーンズをしまいなおした。

チェイがシェービングローションなどを持って戻り、小さなポーチの中に入れる。彼は眉をひそめてナイトスタンドへ向き直った。

「キートンの話を別にしてもな、お前が来てくれると助かるんだよ」

ごそごそとまた何かをポーチにつめ、チェイは歩き去る。

とびかかってきたピタをかかえこんで、キートンはふたたび服を救出した。レミが横からひょいとピタをかっさらう。

「へえ、なら最初から助けてくれってたのめよ！」

チェイの背中へ向かってレミが声をかけた。

キートンは眼鏡が入っているかどうか確かめようとポーチをのぞきこんだが、あきれて天井を仰いだ。さっき出した三本の潤滑剤《ルーベ》がまたポーチの中に戻っている。三本ともナイトスタンドの引き出しへ戻した。チェイのスーツケースをしめ、自分のスーツケースと並べて置いた。

「たしかに手を貸してくれたら助かるよ。でも一緒に来るならコントロールの訓練も続けるからね。うまくいけば、帰ってくる頃にはお目付け役の必要もなくなって、仕事にも復帰できるかもしれないよ」

チェイが色々とかき集めて戻ってくる。レミはピタを床に置き、不満気な息をついた。

「しょうがねえな」

キートンはにっこりする。

「だね。じゃあ、決まり？」

「ああ、決まりだ。職場に電話するよ。後で俺の家に荷物を取りに行く」

ポーチをのぞきこんだチェイがうなって、腰に両手を当てた。キートンは靴袋を取りに立つ。

「チェイ、俺の眼鏡、忘れないで入れといてくれよ。手持ちの鞄に暇つぶし用の本を何冊か入れといて。この間買ってくれたアパッチとスー族の歴史と文化についての本がいいな。あ、俺のノートパソコンも持ってきて」

言いながら二人分のドレスシューズを引っぱり出した。道中はスニーカーとジーンズでいいだろう。それとも――。

「チェイ、ブーツで行く？」

返事のかわりに何かうなって、チェイはまたナイトスタンドをあさっている。

「俺の眼鏡はリビングだって。ブーツ、いるのいらないの？」

キートンはチェイが答えるのを待つ。

チェイは、三本の潤滑剤《ルーベ》をまたポーチに放りこんだ。

「いいや。スニーカーでいい」

レミが不審そうに眉をよせた。

「四本も潤滑剤《ルーベ》持ってって一体何をするつもりなんだ、お前は」

「準備は怠らないたちでね」

とチェイが肩を揺らす。

「だから、何の準備だよ。乱交パーティでも開く気か？」

レミが聞き返し、キートンは思わず吹き出した。彼も同じことを考えていたのだった。

＊　＊　＊　＊

空港には、あと一時間半以内に行けばいい。

ジェイクは床に寝そべってピタとじゃれており、カウチに座ったレミはジェイクを見ながらぎゅっと眉をよせ、狼の目を人間の目に戻そうと悪戦苦闘していた。キートンはと言えば、レミに目の戻し方を説いているのだが、レミが一向に聞かないものだから段々と苛立ちをつのらせていた。

その光景をじっくり眺めながら、チェイは笑いを噛み殺した。そろそろキートンの堪忍袋の緒がぶちっと切れてレミをひっぱたき始めそうである。

キートンがうなって、どすどすと床を踏みならし、わめいた。

「真面目に聞け！」

ビクッとして、レミは息を吐き出すとキートンをにらみ上げた。

ジェイクが笑いをこぼし、チェイを見る。

「いつ、手が出ると思う？」

チェイは笑い声を立てた。

「すぐだろうな。ビットの癇癪は本物だ。ま、ビットにかなわないのをレミも思い知るだろうし、結果的にはその方がいいかもな」

　ジェイクの右眉が上がる。

「自信がありそうだな」

「ああ。キートンが人狼の力を使わずに勝負するなら話は別だが、まさかな」

　レミが目をとじると、手のひらでまぶたをこすった。

　キートンは芝居がかった仕種で両手を宙へ振り上げ、大股にキッチンへ入っていく。キャビネットの扉がバタンと閉まり、続いて水の流れる音がした。

　おやおや。どうやら戦闘開始か。

　チェイはカウチから立ち、待つ。案の定、キートンは水の入ったグラスを片手にリビングへ戻ってきた。その水をばしゃっとレミの顔へ浴びせかける。

　あわててとび出したチェイは、キートンを腕で抑えようとした。レミがげほげほ咳込みはじめる。

　だがキートンの狙いは正しかったようだ。冷たい水のショックで、レミの目は人間のものに戻っていた——一瞬だけ。衝撃はすぐ憤怒にとってかわられる。

　レミの目と歯が狼のものに変化するや、彼はキートンめがけて突進した。キートンの顔と手も一瞬にして狼のものに変わり、その手でキートンはレミの喉笛をつかむと、そのままレミの体を頭上に高々と吊り上げた。

ジェイクがはね起きる。チェイはキートンを離し、ジェイクをかかえこんで、何とか押し戻そうと揉み合った。

「くそっ、キートン！　もうやめろって！」

レミがクゥンと弱々しく鳴き、その体が黒い狼へと変身を始める。キートンはレミを床へ下ろした。レミのところへ向かおうとしていたジェイクが動きをとめてその様子をじっと見つめたが、チェイは用心してまだジェイクを完全には離さなかった。

服がまとわりついた狼の姿で、レミはごろりと床にころがり、腹と喉元をキートンへさらした。

キートンは、数秒そのままレミを見下ろして立っていたが、顔と手を人間のものへ戻した。

「こんなことはしたくなかったが、そっちがその気なら仕方ない」

キートンは身を屈め、狼のレミの顎をつかんでぐいと自分の方を向かせた。

「俺の方が強い。俺の方が知識がある。だから俺は、お前に教えることができる。お前に聞く気があるならね。理解したか？」

服と絡まったまま、レミがうなずく。

「……凄いな」

ジェイクが小声で囁いた。チェイも同感だった。

一連の流れはまさに見事な力の誇示だった。あんなに素早い変身は見たことがないし、キートンは体の一部だけを狼に変えてのけていた。その上、小柄なキートンが片腕一本で大柄なレミを宙吊りにしたのだ。キートンを本気で怒らせたらどうなるか、チェイはしみじみと肝に銘じた。

キートンはレミの前にあぐらをかいて座る。

ピタがしのび足でレミに近づき、状況がよくわかっていない様子で床にごろりと転がると、そろって下腹をキートンの前にさらした。

キートンがくすっと笑って仔犬の腹をなで、抱き上げて膝にのせる。それからレミへ視線を戻した。

「目をとじて、深く、規則的な呼吸をして。今からその服を取ってあげる。それから段階を踏んで、人間の姿に戻ろう」

ピタを脇にのけると、キートンはレミに絡まっている服をほどいていった。レミを服から解放し、キートンはまたソファにもたれかかって膝に仔犬を抱きよせた。

あれだけ強烈な力を見せつけた直後の、このキートンの落ちつき払ったふるまいは見事だった。実にぐっとくる——チェイの気分だけでなく、股間のものまでぐっと元気になりはじめていた。

くん、と空気を嗅いで、キートンがさっとチェイを見た。片眉を持ち上げ、ニヤッとする。チェイも眉を上げた。キートンにはチェイの勃起が嗅ぎとれる筈だ。うれしいことにまだ一時間半の余裕もあるし……。

チェイは眉を上げ下げして、さっさとレミの件を片付けろ、とキートンに伝えようとする。気づくと、全員が彼を凝視していた。

ジェイクがチェイの腕を振り払い、狼のレミのそばに座りこむ。キートンはクスクス笑ってソファのクッションを叩いた。顔を赤らめ、チェイは呼ばれるままキートンのそばに座る。ひとつずつ、キートンがレミに言い聞かせ、人間の姿に戻すまで数分かかった。その間にチェイの股間もおとなしく眠りに戻った。これでよかったのかもしれない。どうせチェイの妄想を全部こなすほどの時間はないのだ。

キートンは、実に優秀な教師だった。チェイはそれにも驚かされる。癇癪を一度爆発させた後のキートンはとことん辛抱強く、根気よくレミを教えていた。

人間の姿に戻ったレミは、キートンに多少ビクビクしてはいたが、根に持ってはいない様子だった。彼が服を着終わった頃、玄関のドアを誰かがノックした。

チェイは空気を嗅ぐ。

――父さんと、母さん？

二人が来るとは、何の用だろう。

ジェイクがドアを開けると、予想通りそこにはチェイの両親が、ジョーだけでなくレナまでも一緒に立っていた。チェイはとまどう。

「父さん？　母さん？」

「やあ、チェイ。キートン、レミ、ジェイク」

ジョーは挨拶しながらスーツケースを提げて上がりこんだ。

「あ、どうも、お父さん」

キートンがはずむ足取りで出迎え、ジョーの背中をぽんと叩いた。

「お出かけですか？」聞きながら、彼はレナへ右手をさし出す。「こんにちは、ミセス・ウィンストン」

チェイが仰天したことに、母はキートンの手を握り返しただけでなく、ためらいがちにキートンを引きよせてハグした。キートンは一瞬よろめいてから、レナにハグを返す。

レナはキートンを抱きしめたまま、少し頭を引いておずおずと微笑んだ。

「許してくれるかしら、キートン。あなたはもう家族の一員なのに、私はあんなひどい態度をとってしまって……できればもう一度、やり直していい？　たしかにあなたは、私が思い描いていた息子のメイトとは全然違っていたけれど、そんなことより何より大事なのはチェイがあなたを愛してるってことだもの。それに、うちの人にも言われたけれど、チェイだけでなくあなただってメイトを選べなかったのよね」

キートンはうなずき、レナに少しもたれた。

「でも、あしからず、レナ。今回貧乏くじを引いたのはチェイの方ですよ。俺にとっちゃ、とんでもなくおいしい話で」

レナはくすっと笑って、キートンをまたハグした。

「どうかしら、キートン。私も最初はそう思ってしまったけれど、結局二人とも当たりくじを引いたみたいじゃない」

いつか母も受け入れてくれるだろう——チェイはそう信じていたが、それでも驚かされる。こんなにすぐ、母が心を開いてくれるとは。

恥ずかしげもなく、しまりのないニヤニヤ笑いがこみあげてきてとまらない。父と目が合うと、父はウインクを投げてスーツケースをおろした。チェイもウインクを返す。胸が幸福では ち切れそうだった。

レナがキートンを離し、チェイを引きよせた。

「ごめんね、チェイ。許してくれる?」

チェイはうなずき、涙をこらえながら母を抱きしめた。

「許すことなんて何もないよ、母さん。驚いたんだろ。当然だよ」

微笑して、レナは体を離した。涙を浮かべて、チェイの頬を優しく叩く。

「本当にいい子ね、チェイトン。愛してるわ」

「俺も愛してるよ、母さん」

チェイは母をカウチまで引っぱっていって、一緒に座った。

ジョーがキートンの背中をぱんぱん叩いている。

「子供たち、お前たちだけで悪いオオカミさんとの対決に行かせると思ってたのか？　勿論父さんも一緒に行くとも」

チェイは思わず咳込んだ。一体父はどこからその話を聞きこんだのだ？　出かけることさえ知らせてないのに。

キートンがにっこりした。

「やった！　レナ、あなたは？　一緒に行きます？」

母は首を振った。

「私は残るわ、キートン。行けば夫は私の心配をするでしょうし。それに、誰かが残って仔犬のお守りをしないとね。でしょう？」

「ええ。今、ピタのドッグフードと水入れとベッド持ってきます」

キートンが満面の笑みを浮かべてパタパタと小走りで出ていった。ピタが床に爪音を立てながらキートンを追う。一人と一匹を見送ってから、チェイは父親へ向き直った。

「一体何だって二人して？」

「ベイカー医師からレミのことで電話があって……」と父はレミを見やった。「調子はどうだね、レミ？」

「最高とはいかないですね、ジョー。まだちょっと参ってますけど……でも、その――狼男《ワーウルフ》？になった方が、死ぬよりはずっとマシだし。チェイが、俺を救ってくれて」

コホン、とジェイクが咳払いをして、レミの注意を引こうとする。

レミはジェイクを見やり、激しくまばたきした。狼の目になりそうなのをこらえているのだろう。

「チェイと、ジェイクと――」

そこにキートンが右手に水飲み、左腕にドッグフードの袋をかかえ、はね回るピタを引きつれて戻ってきた。

レミの目がきらっと光る。

「それと、リトル・ビットに助けてもらって」

キートンが通りすぎざまにレミの頭をひっぱたき、廊下の向こうへ消えていった。

チェイは笑い出した。いい光景だ。どうやらレミはキートンに怯えてはいない様子で、何よりだった。大体レミがキートンにビクビクするなんて滑稽だ。あんな小さなキートンに。勿論、狼としてはキートンが圧倒的な力を誇るが、それを感じとれない人間の目には……。

「父さん、どうして俺たちが出かけるのを知ってるんだ？」

「そう驚いた顔をするな、チェイ。キートンと父さんはよく電話で話してるんだよ。友達だからな」

父はチェイの肩ごしにキートンを見た。

「だよな、キートン？」

「ですよ、お父さん」

戻ってきたキートンは仔犬用のベッドとドッグフードを抱えていた。それらを床に置きながら、キートンはチェイへウインクを投げる。

「今朝、チェイがシャワーに入っている間にね、お父さんに電話で報告しておいたんだよ」

21

「キートン！」

呼ばれてはっと顔を上げると、母が両腕を広げてキートンの方へ走ってくるところだった。

何とか母親を受けとめたが、キートンはたたらを踏んで、あやうく荷物のベルトコンベアにひっくり返ってしまうところだった。ありがたいことにチェイが支えてくれる。

「ええと、久しぶり、母さん」

母はキートンにキスを浴びせはじめ、顎や頬や額にキスをくり返した。やっと体を離すと、キートンの肩をつかんだまま彼の姿を上から下まで、じっくりと淡い青の目で見つめた。

母のブロンドには少し白いものがまざっていたが、それ以外はまったく変わらず、相変わらず小さくてかわいい竜巻のような女性だった。

「ほんとに、ハニー、こんなに素敵になって！」

キートンの髪をくいと引っぱる。

「卒業式の時より髪がのびたわね」

——え？　どうして母がそれを知っている？

「母さん、卒業式は来てないだろ」

母は眉をしかめた。

「勿論行きましたとも！　まさか、あなたが博士号をもらうところを私たちが見逃すと思ったの？」

「だって、全然気がつかなかったよ」

「当たり前よ。お父さんがあなたをそっとしておけと言い張ったものだから、ずっと風下にいたんだもの。でも写真は撮ったわ。本当に、あの日は誇らしかった！」

「ジョアンナ、いいから、その子たちに荷物を受け取らせてやりなさい」

キートンの父がのんびりやってくると、キートンと母を見下ろした。キートンを母から奪ってハグする。

「久しぶり、父さん」

「ああ、キートン。お帰り」

父の大きな茶色の目が、キートンの肩ごしにチェイを見た。チェイの手はまだキートンの背中に添えられている。

父は微笑し、灰色の頭を軽く傾けて、右手をさし出した。

「君がチェイトンだね」

「チェイと呼んで下さい。お会いできて光栄です、ミスター・レイノルズ」

チェイは差し出された手を握り返しながら、周囲の人々に不審に思われない程度に首を傾けて狼同士の尊敬を示した。それから連れの一向に向き直り、一人ずつ手で示す。

「俺の父のジョセフ・ウィンストンです。そっちは昔からの友人で、レミングトン・ラシターとジェイコブ・ロメロ」

「ハワード・レイノルズだ」

キートンの父は一人ずつ握手を交わしながら名乗った。

「こっちは妻のジョアンナ」

「いらっしゃい」とジョアンナが挨拶する。

荷物を受けとると、皆で空港から出た。どういうわけかキートンは手ぶらになっていて、チェイの持つバッグを取ろうとしたが拒否された。

「いいんだ、お前は親とおしゃべりでもしてこい。これは俺が運ぶ」

キートンはうなずき、その後はキートンがいなくていかに淋しかったかと語り続ける母の言葉を聞き流してすごした。父親同士は何やら二人で話しこんでおり、レミはジェイクと並んで後ろを歩いている。

建物から出ると、リムジンが待っていた。それを見た瞬間、チェイがこぼれ落ちそうなほど目をむく。キートンはぽん、とその膝を叩いた。

「心配するなって。こんなのに毎日乗ってるわけじゃないんだから。全員乗せられるように念を入れてデカい車で来ただけだよ」

チェイが鼻息をついて、運転手へ荷物を手渡した。

キートンは笑顔でチェイの手を取ると、リムジンへ二人で並んで乗りこんだ。つないだ二人の手を父がちらりと見たが、何も言わなかった。

全員がリムジンの中に落ちつくと、車はレイノルズ・ホール——キートンの実家——へ向けて走り出し、キートンの父が咳払いをして全員の注目を集めた。

「それで、チェイ。君の仕事は？」

チェイはキートンを見てから、感じのいい微笑を浮かべて父の方を見やった。

「俺は獣医です」

「中尉？　海軍か、それとも――」

キートンが笑って口をはさんだ。

「違うよ父さん、獣医。動物を診る医者」

「まああ」

母のジョアンナが今にも喉を鳴らしそうな声を出した。

「そうなの、お医者さん！　凄いわ。これでもしあなたが女性だったら本当に完璧だったのに」

言った瞬間はっとして、自分の口を手で押さえる。

「まあ失礼を！　ごめんなさい、つい」

キートンは母へしかめっ面を向けた。ジョーとレミ、ジェイク、それにチェイの全員は笑いをこぼす。

「妻の言うことは気にしないでくれ、チェイ。君に会えてうれしいよ。たしかに君が女性だった方がありがたいが、君は――キートンのメイトだし……いや本音を言うと、キートンのメイトが男でよかったよ。今はそう思える。キートンにゲイだと言われた時には、それはショックを受けたが」

キートンはあきれてぐるっと目玉を回した。この際自分の意見をはっきり言わせてもらおうと父親に向かって口を開いた瞬間、チェイがぎゅっと手を握りしめ、目で警告してきた。キートンはそのまま口をとじる。

ジョアンナが拍手した。

「気に入ったわ、チェイ。キートンが何か言おうとして黙らされたところなんて初めて見たもの」

キートンは母をじろりとにらんだ。そこにチェイがまたきつく手を握って警告してくる。チェイめ――これではまるでキートンがすっかり手なずけられているかのようではないか。

チェイがにっこりした。

「ミスター、そしてミセス・レイノルズ、ここはお互いざっくり本音を言わせてもらうことにしますが、俺自身、メイトが男だと知った時には仰天しましたよ。でも俺はあなた方の息子さんを愛しているし、彼から離れるつもりはないので、お互いもう性別のことは水に流しましょう」

ハワードが微笑して身をのり出し、チェイの腕をぽんと叩いた。

「家族へようこそ、チェイ」

「ありがとうございます。それと言っておきますが、期待しておられるなら無駄ですから――性転換手術は受けませんよ」

車内が笑いの渦に包まれた。

＊　＊　＊　＊

「いい加減にしろって」

チェイは股間にのびてきたキートンの手をつかみ、どかした。この十分でもう三度目だ。キートンの親の家でキートンとセックスするなんて無理である。しかもその家は、白い大理石の柱がそびえ立つ時代がかった大邸宅で、門から家まで長いオークの並木道がのび、〝レイノルズ・ホール〟などという異名まで——家に名前だと！——ついているときてる。その上、キートンの親がいるのは廊下のすぐ先だ。それどころか隣の部屋にはチェイの父親が泊まっている。チェイは居心地悪くて仕方なかった。

キートンが不満げにうなって、チェイの上によじのぼると腰をまたいだ。

「潤滑剤《ルーベ》を山ほど持っていこうとしたくせに」

顔をしかめてそう言うが、キートンの目はきらきらしている。

「しっ……あの時はてっきりホテルに泊まるもんだと——」

キートンがまたチェイの股間をつかんだ。チェイはその手を払いのける。

「お前だって言っといてくれてもよかったろ、自分がとんでもない大金持ちの跡継ぎだとか、ジョージアでも由緒ある有数の資産家の家なんだとか」

キートンは身をのり出してチェイの顎にキスをした。

「正確に言えば跡継ぎはオーブリーだし、俺はただの控え。家から縁を切られてたし」

「切られてなかったろ。お前がその特大の癇癪玉を破裂させた勢いのままとび出して、逃げ出したんだ。まったく、本当に、お前のその頑固さときたら……まあそれはともかく、オーブリーはお前を殺そうとしているサイコだし、お前の親が兄さんを後継者のままにしておくとは思いづらいね」

キートンはチェイの顎を甘噛みした。

「そっちだって俺に負けない頑固のくせに。それに、俺は逃げ出したわけじゃないからね。結局、俺たち皆が悪かったんだって。ただの誤解だったんだよ。なあ、この話続けるのか？　俺、もうこの話題には飽き飽きなんだけど」

二人の体の間に手をすべりこませ、キートンはまたチェイのものを握る。

チェイは溜息をついた。鋭い聴力で彼らのセックスを聞きとれる人狼たちが同じ屋根の下にいる事実など、彼の考えなしのペニスはどうでもいいらしい。すっかり固くなっていた。それどころか、キートンがさわってくるたびにますます硬度を増している。

「ビット、皆に聞こえたら……」

「皆、いい狼さんだから聞こえないふりをしてくれるさ」

「ちっとも安心できない」

だがチェイはキートンの手の中へ腰をつき上げた。手でしごきおろされて、鋭い息をつく。

キートンがチェイの唇をなめた。

「静かにやればいいんだろ」

「静かに？　お前が？」

「俺はいつも静かだよ」

キートンは体を起こして顔をしかめた。チェイは彼を抱きしめ、頬ずりする。

「お前はな、静かだったことなんて一度もないよ」

魅力的な尻を右手でなで下ろし、チェイは下腹に押しつけられたキートンの太いものを片手でつかんだ。キートンが小さな呻きをこぼし、腰がはね上がる。

ギイッとベッドがきしんだ。

チェイが凍りつく。

「んっ」

キートンがもう一度腰を揺すり、チェイのものに擦りつけてくる。またベッドがきしんだ。

「しっ――」

「俺何も言ってないよ」

もう一度、チェイがためしに動いてみると、ベッドはやはりギイギイときしむ。しかもこのベッド、いざという時にヘッドボードがガンガンと壁に衝突を始めそうである。

ここでは駄目だ。チェイは上掛けをはぐと、キートンの尻をぺちんと叩いた。

「おいで」

起き上がったキートンが小首を傾げる。

「どこに？」

「あの椅子がいい。潤滑剤《ルーベ》の入ってるポーチを持ってきてくれ。あと、大きな声を出すな」

キートンは腹立たしげに息をついたが、言われるままにポーチを取りにいく。戻ってくるとチェイの足元にぽすっと置いた。

チェイは、椅子をさした。シートと背もたれが布張りの黒い木製の椅子で、大きくて頑丈そうだ。キートンは眉を上げたが、椅子の端に座った。全身をくつろげる。尻を座面のふちにのせた、その体勢ならうまくいきそうだ。見事に固いままのキートンのそれがそそり立っている。

チェイはキートンが広げた脚の間にぺたりと座りこむと、ポーチに手をのばした。キートンの陰嚢を口に含みながら潤滑剤《ルーベ》のボトルを探り出す。

「んっ、それ！」

キートンがチェイの顔を両手ではさんだ。しかし声がでかい。チェイは顔を上げた。

「しいっ……」

「わかってる、わかってる」

チェイの抗議を聞き流すとキートンはぐいとチェイの頭を引き寄せ、文字通りチェイは顔面からキートンの睾丸につっこんだ。

キートンの陰嚢をなめ、その後ろに隠れた部分にも舌を這わせる。キートンはいい匂いがした――濃く、豊かな雄の匂い。穴を舌先でなぞった。

「あっ……」

「しいっ――」

顔をつかむキートンの手を払いのけ、両脚をぐいと開かせる。深く息を吸ってから、チェイは体をおこした。これほど昂ぶる匂いがするなんて。潤滑剤《ルーベ》のボトルを開け、少し指に絞り出す。

キートンはすっかり無防備に体をくつろげてチェイを待っていた。睾丸はきつく張りつめ、ピンク色の穴が彼を誘う。チェイは濡らした指を二本、その穴へ押し当て、挿入した。

キートンが息を呑んで身をよじる。ペニスが左右にぶんぶんと揺れた。目を閉じてひそかに喘ぐ、キートンの全身から力がぐったりと抜けていく。

チェイは膝立ちになると、目の前で振れるかわいいそれをつかんで口をよせた。先端を含むと、キートンが腰をビクリとはね上げ、大きく呻いた。

「んんっ」

「しいいっ……」

チェイは指を深く挿入し、キートンの弱いところを探る。口ではキートンの屹立をしゃぶりながら、左手を添えてぎゅっと握りこんだ。キートンはたちまち追い上げられる。口からはかすれた喘ぎがこぼれ、太腿が震え出した。とじていた目が大きく開き、チェイをまっすぐに見つめた。

抜き差しする指で、チェイは毎回キートンの快感をえぐる。いくらもたたないうちにキートンは全身を波打たせ、よじり、チェイの指をもっと深く呑みこもうとしたり、チェイの口めがけて腰を突き上げようとしていた。

チェイはさらに手の動きを激しくしながら、キートンのものを深く呑みこんだ。キートンのようなディープスロートはできないが、その分は左手の動きで補って、唾液でなめらかになった手でしごく。手が下にいくたび、キートンの陰嚢も指で擦った。

キートンの全身がぴんと張りつめ、穴がきつくチェイの指を締め上げてくる。チェイの口の中のペニスがビクッとはねた。

チェイは素早く行動に移る。キートンの絶頂を、中で感じたい。口を離し、指も抜くと、そのまま軽々とキートンを抱え上げた。入れ替わるように自分が椅子に座ってキートンをまたがせ、チェイは狙いをさだめて、キートンに何の余裕も与えず熱い奥を貫いていく。

キートンはチェイの怒張の上に腰を沈め、呻きをこぼした。背をしならせ、チェイを固く締めつける。目をはっと見開いてチェイを見つめ、その瞬間、キートンは激しく達していた。精液がほとばしって、チェイの腹や胸、顎にまで飛び散る。

チェイがもたらす快感でキートンの太いペニスがピクピクと震えながら吐精している。しかも後ろだけでキートンが達した——その光景にチェイ自身もあやうくイキそうになる。

少しだけキートンが落ちつくのを待ってから、彼はキートンの腰をつついた。

「動けよ」

囁く。

キートンの目が陶然とかすみ、彼は動き出した。腰を上げ、また下ろしてチェイを呑みこむ。放ったばかりのキートンのそれはまだ固さを保っていた。キートンはチェイの腹にとび散った精液を指ですくいとり、チェイの口元に運ぶ。

チェイは口を開け、指をしゃぶった。塩味がひろがる。キートンはさらに白濁を指で集めて、今度は自分でその指をなめた。

「くそっ、エロいな、ビット。愛してるよ——」

キートンは微笑を浮かべ、目にいたずらな光を溜めてチェイをのぞきこんだ。ぎゅっ、と奥の筋肉を締める。

チェイの爪先まで快感が貫いた。息を呑み、脚の筋肉が張りつめる。

いつものもの、うずくような予感が背骨をのぼってきた。チェイの全身が震える。絶頂に押し上げられ、チェイはキートンの中に己を解き放った。その間も澄んだ空色の目と見つめ合いながら、声をこらえようと、自分で自分の口を押さえる。

キートンも追いかけるように二度目のクライマックスに達して、チェイの腹にしぶきがかかった。

ぐったりと前に崩れると、キートンはチェイの首すじに顔をうずめた。囁き返す。

「俺も、愛してるよ」

しばらく息を整えていてから、キートンが起き上がった。チェイのものがキートンの奥からぬるりと抜ける。チェイは半ばまどろんでいたのだが、その刺激に思わず身震いした。

次に気がついた時には、濡れた温かい布で体を拭われているところだった。チェイの体をきれいにすると、キートンはチェイの膝の上によじのぼり、体を丸めてもたれかかる。

数分後、チェイは耳元に聞こえるキートンのいびきで目をさました。首がつりそうだ。彼はキートンをゆさぶった。

「ビット、起きろ。椅子からおりて、ベッドに行こう」

「……ん……」

もにゃもにゃとした声しか返ってこない。

チェイはキートンを両腕でかかえ上げると、ベッドへ歩き出した。だが途中で、キートンが床に置いたままのポーチに蹴つまずいた。

「ぐっ」

倒れながらも、幸いベッドが近かったので、キートンだけはとベッドの上へ放り投げた。床が目の前に迫ってくる。ドタンと大きな音をたてながら、チェイは両手と膝をついてどうにか転倒を受けとめた。少しあちこちが痛むが、大したことはなさそうだ。

ドシン、とベッドの向こう側からやかましい落下音がした。くぐもった、だがにぎやかな笑い声が上がる。

チェイは頭を下げてベッドの下をのぞきこんだ。向こう側の床にキートンが仰向けに転がって、顔を両手で覆い、ネジが外れたように笑い転げていた。

「どうして床にいる」

キートンは頭をめぐらせ、チェイを見た。

「ベッドの上でバウンドして、そのままごろごろ転がっちゃって……」

笑ったせいでキートンの顔中が上気していて、本当にかわいい。チェイもにっこりした。

「大丈夫か？」

キートンは、まだ笑いながらうなずき返した。

「うん。そっちは？」

「俺は――」

コンコン、と隣の壁がノックされ、チェイの父の愉快そうな声がした。

「そろそろおとなしく寝てくれないか、子供たち？　たのむから」

しまった！　チェイの顔に血がのぼる。もう二度と父と顔を合わせられる気がしない。

キートンは——この悪魔は——さらに激しく笑い出し、しまいには呼吸困難に陥る始末だった。

22

「もう勘弁してくれ、ビット」

チェイがボウタイをだらりと首に垂らすと宙に両手を振り上げ、鏡に背を向けた。腰に手を当て、キートンをにらんでくる。

苛立っていてさえ、チェイのタキシード姿は絵になっていた。

「どうしてお前の兄貴をあぶり出すためにタキシードを着なきゃならないんだ？」

キートンは顎に残ったシェービングクリームを拭き取って、チェイへと歩みよった。手をのばしてチェイのボウタイをつかむ。

「タキシードはオーブリーのためじゃない、パーティのためだよ。俺とお前が晴れてメイトになった記念のお披露目パーティ。いい考えだって、自分も賛成したろ？」

言いながらチェイのボウタイを結んでやり、その顎にキスをして、カフスを取りに戻る。

「あれは、ここまでどデカいパーティになるとは思ってなかったからだ」

「全然デカくないって。こんなもんじゃないよ？　母さんにとっちゃ今日のはごくごく小さなちっぽけでかわいい内輪の集まりにすぎないよ。母さんはパーティを開くのが根っから大好きでさ、今日の規模なんかじゃ〝主義に反する〟とか言ってたよ。父さんが必死に言い聞かせて、招待客を三十人まで絞ってもらったんだ。ほとんどが群れの仲間と身内だけ」

「じゃあ、タキシードは？　どうしてタキシードを着る必要がある？」

キートンは笑いをこぼして、別の引き出しをのぞきこんだ。タキシードシャツ用のカフスはどこへしまったんだったか……。

「それが俺の母さんなのさ。パーティとフォーマルは常にセット」

「まさかタキシードを買わせられるなんてな。クリップ式のタイは駄目だとか……」

チェイがぶつぶつ言いながらベッドにごろりと転がる。

「起きろよ。皺になったら母さんが引きつけを起こす」

チェイは溜息をついて、タキシードパンツの皺をのばした。キートンはカフスを袖口にはめながら、

「タキシードを買ったのはね、もし俺の両親とつきあっていくんなら今後も必要になるからだよ。それに、クリップ式のタイは駄目。母さんが目を光らせてるし、お前がクリップオンのタイなんかしてたらあの人はきっとショックで倒れるね。本気だよ」

シャツのボタンをはめ終えると、キートンは裾をパンツにたくしこんだ。

「わかった、わかった。お前の家は変わってるよ」

キートンはくいっと片眉を上げ、カマーバンドを締めながら笑みを浮かべた。

「今さら気がついた？」

「いや。飛行機を降りた時からわかってた」

「俺の兄貴がレミを襲った時に気がついてもよさそうなもんだけど？」

「ああ、たしかにあれも。なあ、もう一度今夜の段取りを説明してくれないか。何度も聞いてるうちに少しはマトモに思えるかもしれない」

キートンはハンガーから上着を取ると、袖を通した。

「パーティの途中、俺たち二人がこっそり抜け出して、庭園の東屋でいちゃいちゃしに行く。ジェイクと、お前の父さん、俺の父さん、それと父さんの副官《ベータ》が東屋の周りで隠れて兄貴を待ち伏せする」

「もう一度聞いてもやっぱり馬鹿げてる。お前の兄貴だって家でパーティやってる最中に俺たちを襲ったりはしないだろうよ」

キートンは自分のボウタイを結ぶとベッドに歩みより、チェイの脚の間に立った。手を取って立ち上がらせる。

「兄貴は抜けたところがあるから。それに、覚えてるだろ、あいつは俺たちの家のすぐ裏でレミを襲ったんだよ。自分がすぐ疑われるのはわかりそうなもんなのに。慎重にやろうなんていう気は元からないのさ」

キートンは爪先立ちで、チェイの唇にキスした。

「ん……よく似合ってるよ、ビット」とチェイがキートンの下唇を甘噛みする。「かわいい、俺の運命のメイト」

キートンは両腕でチェイに抱きつき、首を傾けて喉元をさらした。

チェイがまたキスしてくる――本気のキスを。キートンの唇をチェイの舌が割って、奥に入ってくる。吐息とともに、キートンは受け入れた。自然と目がとじる。二人の手がふれ合い、ゆったりと指が絡み合った。

「なあ――」

ドアが開いて、閉まる音。レミが咳払いをした。レミの存在を、二人は数秒無視する。

気が済むと、チェイは最後にキートンの下唇をなぶってから顔を上げたが、キートンに回した腕はそのままだった。キートンはチェイにもたれてその胸に頭を預けながら、邪魔者へ顔を向けた。

タキシードを見事に着こなしたレミがそこに立っていた。じろっと一瞥して、キートンはレミの狼化した目に視線をとめる。レミは少し顔色が悪く、人間の目に戻そうと苦心している様子だった。単に二人のキスを目にしてうろたえているのかもしれないが、どうだろう。レミの目の前だろうとキートンとチェイは遠慮することなくいちゃいちゃしてきたし、あの襲撃以降はレミの方も二人の関係に納得している様子だった。

チェイが、キートンの背中をのんびりとなでる。

「どうかしたか？」

「ああ。見てくれ」

レミが自分の目をさした。

「俺が教えた通りにやったか？」とキートンがたずねる。

「やったよ。ゆっくりと深呼吸して、色を見ることに集中する。だがうまくいかないんだ」

レミはお手上げとばかりに腕を振り上げ、だらりと下ろした。チェイはキートンを抱く腕をほどき、ベッドのふちに座りこんでレミを眺めた。

「何をしてた時に目が変化した？」

「ジェイクと一緒に庭を見回りして、東屋の近くに隠れられそうな場所を探してた時だ」

それを聞いて、チェイがキートンを見た。キートンは目をとじ、数回深呼吸をした。二人とも同じことを考えている——ジェイク。ジェイクがそばにいると、レミのコントロールが効かなくなる。

だがあれだけゲイを嫌悪するレミに、一体どうやって、ジェイクと彼が伴侶《メイト》なのだと告げればいいのだろう。

キートンは目を開けた。

「レミ、ここに座って、教えた通りにやってみて。深呼吸して、色に意識を集中。雑念を捨てて。さあ、このベッドカバーは何色だ？」

レミは部屋を横切ってくるとチェイの横に座った。

「もうやってみたさ、だけど——」

キートンが首を振ってさえぎる。

「違う。目を戻そうとしなくていい。もっと小さな、単純なことに集中するんだ。狼の視野では物がモノクロームにしか見えないだろ？　色を見ようと集中することで、結果、人間の目に戻せる。いちいち目を狼にとか人間にとか、複雑なことは考えるな」

レミは深々と呼吸しながら、ベッドカバーを見下ろした。

「……青だ」

顔を上げた時には、レミの目は人間の、いつもの緑色の目に戻っていた。

「ただなあ、どうしてこうなったかがわからないんだよ。俺は怒りも恐怖も感じてなかった。それが引き金になるんだろ？」

「発情も」

チェイが呟く。キートンはキッと彼をにらんだ。

レミがぎょっとしてチェイを見る。

「どうしてそれを――」

コンコン、とドアをノックする音。チェイの父が顔を出した。「やあ」

キートンは思わず笑う。まさに救いの手、いや救いのノック。

「どうも」

ジョーは部屋に入ってドアをしめた。実に見目のいい姿で、チェイのルックスのよさがどこから遺伝したのかよくわかる。

ジョーの口元がほころんだ。

「三人とも立派に見えるよ」

「そちらも」

とキートンが応じる。ジョーの笑みがぱっと大きくなった。

「さて。まだオーブリーの姿はどこにもないが、ジョアンナに言われて迎えに来た。客が少しずつ集まってきている。そろそろ、パーティを始めようか」

＊　＊　＊　＊

チェイの喉元を、キートンの舌がじっくりとなめ上げる。

チェイはぶるっと震えた。キートンの耳へ囁く。

「ビット、本気になりすぎだ。ちゃんと周りに注意を払って……」

「払ってるって。でも楽しんだっていいだろ？」

キートンがチェイの耳朶《じだ》をぱくりと含んだ。

「おい、皆が見てるんだぞ」

「ん……本当にそうかなあ。全然嗅ぎとれない」

舌がチェイの耳の中をなめる。

「嗅ぎとれたらまずいだろ。隠れてんだから」

チェイは溜息をつき、肩の力を抜いた。少なくとも抜こうとした。何しろ、いつどこからオーブリーが現れてキートンを襲うかわからないのだ。

キートンの手にいきなり股間をつかまれて、東屋の周囲に気を取られていたチェイはあやうくとび上がりそうになった。思わず息を吸いこむ。だがチェイのそれはすっかり固くなっていた。意識を周囲に向けていたつもりだが、その間に体の一部はしっかりキートンに集中していたようだ。

ほんの少し、とチェイはメイトとの快感に心を許す。キートンの首すじに顔をうずめ、その手へ腰を押しつける。ほんの何秒かだけ。キートンが――口ではああ言ったが――周囲に何の注意も払ってない以上、彼がキートンを守らなければ。

その時、キートンの頭がはっと上がった。驚きに目を見開き、チェイをまさぐっていた手も離れる。

チェイも夜気の中に知らない匂いを嗅ぎとる——いや、知ってはいる。家の前で見た不審者と同じ匂いだ。キートンの車のブレーキが切断された、あの夜の。

「随分さっさと俺の代わりを見つけたもんだな」

そう言いながら東屋の横に現れたのは、背の高い金髪の男だった。手に銃を握っている。

オーブリーではない。

キートンが首を横に振った。

「ジョナサン……？」

ジョナサンだと？　キートンの前の恋人？

チェイは一歩踏み出し、キートンを後ろにかばう。銃は、弾丸が銀でさえなければ人狼を傷つけても殺すことはできないが、それでもメイトを危険にはさらせない。

ジョナサンが酷薄な笑みを浮かべた。

「へえ、やっと思い出してくれたか」

キートンはチェイを押しのけてずいっと前に出る。

「何でお前がこんなところにいるんだ、ジョナサン？」

「お前が俺の人生を叩き壊したからだ！」

ジョナサンの銃がまっすぐキートンへつきつけられた。チェイはまたキートンを自分の後ろ

へ押しこんでから、口をはさんだ。

「キートンのせいで何があったかは知らないが、まだ大丈夫だ。どういうことか話してくれれば、俺たちで力になるよ」

陳腐なのはよくわかっているが、とにかくこの男に引き金を引かせるわけにはいかない。助けが来るまで時間を稼がなくては。何しろ皆が周囲で見張っている――筈だ。

ジョナサンがチェイをにらみつけた。

「貴様は黙ってろ！　俺はキートンと話してるんだ！」

「なあ、ジョナサン、何で俺をうらんでいるのかはわからないけど――」

ジョナサンがキートンの言葉をせせら笑った。

「お前は俺を捨てたろ」

キートンもせせら笑いを返す。

「ああ、てめえに彼女がいたからだよこのカス！」

チェイは呻いた。後でキートンに、銃を持った狂人を挑発する危険性についてよく言って聞かせなければ。同じ人狼である以上、ジョナサンはただの銃では人狼を殺せないことはよくわかっている筈なのだ。

「ああ、お前だって作ればよかっただろ、彼女だろうと彼氏だろうと。俺は許したよ。大目に見た。俺とお前が一緒なら、二人でお前の群れを率いることができた筈だ。何もかも俺たちのものになった筈なんだ！　このすべてが……」

ジョナサンが銃を持った手を振り回し、レイノルズ・ホールの巨大な敷地を示した。

「俺たちは幸せになれた筈だ。一緒なら、簡単にお前の父親を追い落として群れの実権を奪えた。それが、どうだ！　お前は逃げ出した。さっさとニューメキシコなんかに行きやがった！銃で撃てば怯えてこっちに帰ってくるかと思ったのに……それなのにお前は、俺の代わりまで見つけて……！」

ジョナサンはチェイをにらみつける。

「こんな……こんな……インディアン野郎なんかと。キートン、お前にはがっかりしたよ、ここまで落ちたとはな」

キートンが獰猛にうなった。全身がたわみ、戦闘態勢を取る。両手を狼の鉤爪に変化させて。

キートンがジョナサンにとびかかった瞬間、チェイは二人の間に割りこんだ。

ジョナサンが引き金を引く。

キートンの絶叫。

激痛——チェイは後ろによろめいた。こいつ、本当に撃ちやがった。

白い閃光が東屋を駆けぬけ、ジョナサンへとびかかる。同時にキートンがチェイを両腕でかかえこんだ。銃が宙に舞い、狼に変身しようとしたジョナサンの目と牙が変化したが、見知らぬ白狼はそんな余裕を与えず襲いかかった。

キートンは見開いた目でチェイの顔をのぞきこむ。

「どこを撃たれた？」

立ったまま、チェイは脇腹を見下ろした。キートンも同じところを見て、途端にチェイのジャケットとシャツをびりびりと引き裂きはじめる。

「おいビット、新品のタキシード——」

キートンが鉤爪の手をかまえた。

「深呼吸して。取り出さないと。もし銀の弾丸だったら命に関わる」

爪がチェイの脇腹を切り裂き、肉をえぐった。

今度は、絶叫したのはチェイだった。意識が朦朧とかすんでくる。凄まじい痛みだ——チェイは涙が出そうになるのをこらえて、キートンの指の動き以外のことに意識を向けようとした。

白狼がジョナサンの首にがっぷりと牙を立てる。あたり一面に血がとび散り、白い毛皮を赤く染めていた。狼は頭を上下に振り立て、ジョナサンの肌を食いちぎろうとしている。

ジェイク、レミ、チェイの父親、そしてキートンの父親と彼の副官《ベータ》が、相変わらず人間の姿のまま屋敷の方角から駆けこんできた。白狼が来たのと同じ方角だ。

「よし、これだ」

キートンが呟き、次の瞬間、激痛はただの鈍い痛みに変わった。チェイは父親の、不安げな目を見つめ返す。

頭がぼんやりしていた……痛みのせいだろう。視界が白黒に変化する。キートンがチェイの口元にぐいと手首をつきつけたが、チェイはよろめいて地面に膝をついた。

キートンが目の前に立ちはだかって、命じる。

「飲むんだ」

チェイは、言われるままに血を飲んだ。キートンの手首の傷はすぐにふさがり、キートンはまたその傷を裂くとチェイの唇に押し当てた。三回目になると、チェイの気分は相当回復してくる。思考力も戻り、脇腹の痛みも完全に消えていた。チェイはキートンの手を押しやり、撃たれた場所を見下ろす。もう傷もない。

——そう言えば。

あまりに朦朧として、ジョナサンのことがすっかり頭から抜けていた。草の上に落ちた銃が目に入り、チェイは東屋の階段を駆け下りてその銃を引っつかんだ。周囲を見回し、白狼とジョナサンを見やる。

ジョナサンの、命を失った体が血溜まりの中に倒れていた。大きな白狼はまだ獰猛にうなりながら、引き裂いた傷が治らないようにと肉に牙を立てている。

キートンの父、ハワードがその狼へ歩みよると、肩にふれた。

「オーブリー、もういい。もう死んでる」

鮮血に染まった白狼が、ジョナサンの首から口を放す。狼はそのまま屋敷へ向かって走り去っていった。

オーブリー？　つまりオーブリーは、キートンを狙っていたわけではなかったのか。それはまた……何というか、最低の誤解をしていたようだ。無知と混乱からだったにしても、チェイはひどく後ろめたい気分になる。

残された全員はそのまま庭に立ち、長い時間、ジョナサンの死体を見下ろしていた。

「チェイトン、大丈夫か？」

父がチェイにたずねる。チェイは顔をしかめた。

「皆、何してたんだよ。ビットが撃たれるところだったんだぞ。護衛失格だ、全員クビだ」

キートンがチェイの手から銃を取り、リボルバーの弾倉を振り出すと弾丸をじゃらりと手のひらに落とした。

「銀の弾丸だ。摘出しといて正解だね」呟いて、チェイの腕にふれる。「気分はどう？」

「大丈夫だ。俺たち、オーブリーに礼と謝罪をしないとならないようだな」

そのチェイの言葉に、父がうなずいた。

「まったくだ。ここに来る前、我々はオーブリーから事情の説明を受けていたんだ」

父は少しばつが悪そうに、ジョナサンの死体へ目をやった。

「それで、来るのが遅れた。オーブリーはな、本当は両親を驚かそうとして、キートンをこっそり探して会いに行ったんだ」

「レミが襲われた夜、ジョナサンを追い払ってくれたのもオーブリーだった」

ジェイクがそう続けながらキートンに手をのばし、銃と弾丸を渡すよううながす。

「あの夜、オーブリーはあたりをひと走りしようと狼の姿になり、家の裏側を通った時にレミの悲鳴を聞いた。襲っていたジョナサンを、あの後、居留地中追いかけ回したそうだ。てっきりレミは死んだものだと思ったので、彼はジョナサンの追跡を優先したと」

キートンが銃と弾丸をジェイクへ手渡しながら、

「でもそれなら、戻ってきて俺たちに事情を説明してくれてもよかったじゃないか」

キートンの父が肩をそびやかした。

「そうしようとしたんだよ。だが、オーブリーはお前の家の電話番号を知らなかった。ジョナサンが自分のホテルに戻るまで見届け、さらに見張っている内に、もうお前たちは飛行機に乗ってこっちへ向かっていた」

「でも……なんでそんなことしたんだ？　オーブリーは俺を嫌ってるのに」

キートンの父は首を振った。

「いや、嫌ってなどいないよ。我々は誰も、若い時には過ちを冒すものだ。お前がいなくなってから、オーブリーも随分と成長した。許してやれ。オーブリーはお前の、たった一人の兄なんだ」

　突然レミがうんざりと喉でうなって、顔を両手で覆った。

「くそ！　何で目が変化しそうになるんだ！」

　両手をばたっと下ろして、今度は死体を指さす。

「こんなの吐き気がする。最低だ。なのに、どうして食ってみたくなる？　おかしいだろ！」

　吐き捨てると、レミは屋敷へ向かって大股に歩き去った。

　チェイはジョナサンを見下ろす。レミの言う通りグロテスクな光景だったが、チェイに悔やむ気持ちは浮かんでこなかった。この男は彼のビットを殺そうとしたのだ。

　チェイが顔を上げると、残る全員は皆、当惑したような表情でレミの遠ざかる後ろ姿を眺めていた。

　キートンが目を大きくして、チェイを見やる。

「本当に大丈夫？」手をのばし、手の甲でチェイの額の熱を計った。「熱はないね。もし銀の毒が体に回ってれば熱が出る筈だよね？」

「もし銀の毒が回っていれば、傷はふさがらないよ」

　キートンの父が答えた。チェイは首を振る。まったく、チェイの傷のことなどどうでもいい、撃たれそうになったのはキートンの方だ。

　そうだ、とチェイはキートンへ指をつきつける。

「おとなしく聞け、ビット。お前は何を考えてるんだ！」

「俺？　何？」

キートンの声が裏返った。

「ああ、お前だ。銃を持っている男を挑発するなんてどうかしてるぞお前」

キートンが息巻いて何か反論を始める。チェイはうなると、キートンの背中を押し、皆を追って屋敷へと戻りはじめた。

「この、イカれたジョージアのかわいい狼め」

手でふれて無事をたしかめずにはいられなくなって、チェイはキートンの背中に当てた手のひらを離すことができない。

「まったく、ビット。お前は本当に男の趣味がいいよ」

キートンがぴたりと足をとめ、チェイに向き直った。ゆったりとした微笑を浮かべ、彼はチェイを上から下までじろりと眺め回す。

背伸びしてチェイに両腕を回すと、キートンはチェイの顎にキスをした。

「ああ、本当に趣味がいいだろ？」

エピローグ

馬鹿みたいなにやにや笑いを浮かべて、カウチに座ったチェイは、キートンが子狼相手の授業を切り上げる様子を眺めていた。

このニューメキシコに、キートンはしっかりと暮らしの根を張りはじめている。人づきあいが駄目、とあれだけ愚痴っていたくせにすっかり皆にとけこんで忙しい日々を送っていた。いまだに料理の腕はからっきしだったが、毎回のポーカーゲームを仕切って皆を集めては、さらに参加者を増やしている。母親のパーティ魂は、息子に受け継がれているようだ。

そんなキートンが、チェイにはたまらなく誇らしい。キートンは、群れの子供たちを教える先生役まで引き受けていた。レミにコントロールを教えこんだ指導の見事さに感心し、群れのリーダーのジョン・カーターが強くたのみこんできたのだ。キートンは今や、まだ変身前の子狼たちに自己のコントロールと群れの歴史――いわば〝立派な人狼になるための基礎100〟――を教える役目を果たしていた。自宅に子狼を集めて授業しているので、時にはチェイも手伝う。

「じゃあね。いいクリスマスを」

キートンが最後の一人を送り出す。いや、最後ではないようだ。物音からして、レミがキッチンで冷蔵庫をあさっている。

そのレミは、コーラとポテトチップを手にキッチンから戻ってくると、チェイの横にぽすっと座った。人狼の本能をかなりうまく制御できるようになってはいたが、まだレミへの指導は続いている。

順応しつつあるレミだったが、いまだにジェイクが自分の伴侶《メイト》であることは知らない。幸い、ジェイクにも物事を急ぐつもりはなく、まずレミに人狼としての暮らしに慣れる時間を与えようと距離を取っていた。

レミが、チェイにあいさつがわりにうなずき、チェイもうなずき返した。

「本棚の塗装は終わったのか、チェイ？」

「ああ。丁度間に合ったみたいだな」

チェイの視線の先で、戻ってきたキートンがドアをしめる。二人が一つのベッドで寝ているのはもう秘密でも何でもないので、見せかけだけの余分なベッドルームをキートンの書斎にすることにしたのだった。

キートンはリビングの中央で足をとめると、腰に両手を当てて、レミをにらみつけた。

「おやつの時間だって誰が言った？　まだお前の授業は終わってないよ」

ポテトチップを口一杯に頬ばったレミがうんざりと呻いて、チェイに目で懇願する。チェイは両手を上げ、巻きこむな！と意思表示した。レミとキートンはすっかり打ち解けていたが、相変わらず憎まれ口を叩き合っている。

レミはコーラをあおってポテトチップを流しこんだ。

「皆は帰ったぜ」

「皆は今日はもうおしまいだから。でもお前は、違う」

言われないとわからないのか馬鹿、という調子でキートンが言い放ち、レミが天を仰ぐ。

「何だって俺だけ居残りなんだ？　あっちはガキ、こっちは大人なんだぜ」チップスを口に放りこんでキートンをにらんだ。「あんなチビどもに混ざって教えられるのはうんざりだ」

「うんざりしようが、授業が必要な大人はお前しかいないから仕方ない。人狼は滅多に人を襲ったりしないいんでね」

キートンはチェイの膝の上に腰をおろして落ちつくと、顎にキスをした。

「チェイ、本棚できた？」

今にもとびはねそうなほどうれしそうだ。チェイは微笑して、キートンの鼻先にキスを落とした。

「ああ、できたよ。見るか？」

「んー、そうだね……」

キートンが微笑を返す。レミが口をはさんだ。

「おい、俺は放ったらかしかよ？」

そちらへ向けてキートンがびしっと指をつきつけた。

「文句を言わない。だからお俺はあの時、お前なんか助けなくていいって言ったのにさ。それが残念！　チェイとジェイクが聞かないから」

チェイは笑わないように唇を噛んだ。

レミの口がぽかんと開いて、勢いよくとじる。

「キートン、このクソ野郎……！」

キートンがぱちぱちと目をまたたかせた。「クソ野郎先生と呼ぶように。さっさと脱ぐ！」

レミがぎょっと目を見開いた。

「何だって？」

「服を脱ぐんだよ。どれだけ早く変身できるか確認するから。もし誰かと対決することになったら、変身の速度が一瞬の生死をわけるんだ。わかったら、脱げ」

言い捨てて、キートンはチェイに向き直った。

「本棚を作ってくれてありがとう。お前が作ってくれたってだけで本当、凄くうれしいよ。ここはひとつ料理も作れるようになれば……」

チェイはニヤッと笑うと、キートンを腕の中にかかえこんだ。

「どういたしまして。それとな、お前が料理を習うって手もあるんだぞ」

二人をよそに、レミが何かぶつぶつ呟きながら脱いだ服を部屋中に投げ散らかしている。

キートンはチェイに全身を預けて唇を重ね、舌でチェイの唇をつつく。チェイは喜んでキートンの舌を受け入れた。視界のすみでレミが人間から狼へ、狼から人間へと変身している。

チェイの耳に、フローリングをカツカツとはじく爪音が聞こえた。そして低い犬のうなり声。ドッグ・ドアが開き、バタンとしまった。

チェイはキートンと舌を絡ませながら、その間ずっと、お互いのぬくもりに心地よく浸っている。

「こら、ピタ！　俺のパンツを返せ！」

チェイとキートンはぱっと離れ、二人してレミを見た。レミはリビングルームの中央に素っ裸で立ち、ドッグドアをにらみつけている。

キートンがくすくす笑い出した。

「本日の授業は以上！　帰ってよろしい」

狼を狩る法則

2013年10月25日　初版発行
2016年２月５日　第２刷

著者　J・L・ラングレー［J.L.Langley］

訳者　冬斗亜紀

発行　株式会社新書館
〒113-0024 東京都文京区西片2-19-18
電話：03-3811-2631
［営業］
〒174-0043 東京都板橋区坂下1-22-14
電話：03-5970-3840
FAX：03-5970-3847
http://www.shinshokan.com

印刷・製本　株式会社光邦

Printed in Japan　ISBN 978-4-403-56014-9